El profeta

El profeta

La Reina del cementerio

Amanda Stevens

Traducción de María Angulo Fernández

rocabolsillo

Título original: *The Prophet*

© 2012, Marilyn Medlock Amann

Todos los derechos reservados incluyendo el derecho de reproducción de toda
o una parte de la obra.
Esta edición está publicada en acuerdo con Harlequin Enterprises II B.V./S.à.r.l.

Primera edición en este formato: febrero de 2105

© de la traducción: María Angulo Fernández
© de esta edición: Roca Editorial de Libros, S. L.
Av. Marquès de l'Argentera 17, pral.
08003 Barcelona.
info@rocabolsillo.com
www.rocabolsillo.com

© del diseño de portada: *imasd*
© de la fotografía de cubierta: 2011 by Harlequin Entrepreses Ltd.

Impreso por LIBERDÚPLEX,
Crta. BV-2249, km 7,4, Pol. Ind. Torrentfondo
Sant Llorenç d'Hortons (Barcelona)

ISBN: 978-84-15729-90-7
Depósito legal: B. 27.130-2014
Código IBIC: FA

Papel certificado FSC

RB29907

Capítulo 1

Algo llevaba persiguiéndome desde hacía varios días. No tenía la menor idea de si era humano, fantasma o un intermedio, como yo. Nunca logré vislumbrar más que una fugaz sombra por el rabillo del ojo. Un suave parpadeo de luz, un ligero movimiento entre las sombras. Pero ahora estaba ahí, a mi alrededor. Una oscuridad que me pisaba los talones. Que se daba media vuelta cuando me giraba. Que se escondía cuando aminoraba el paso.

Afiancé mis pasos a pesar de que el corazón me latía a mil por hora, y me reprendí por haberme alejado tanto del campo sagrado. Me había quedado pululando por mi mercado favorito demasiado tiempo, sin percatarme de que se acercaba el crepúsculo, el momento del día en que esas entidades codiciosas e insidiosas se colaban en nuestro mundo, en busca de lo que jamás podrán volver a tener.

Desde los nueve años, mi padre me había enseñado a protegerme de la naturaleza parásita de los fantasmas, pero había roto todas y cada una de sus normas. Me había enamorado de un hombre acechado y había abierto una puerta de entrada a los otros, y así había permitido que el mal me encontrara.

Un coche pasó a toda velocidad por la calle. Pese al susto, agradecí oír un sonido normal. Pero el rugido del motor se desvaneció enseguida, y el silencio que siguió fue ominoso. El tráfico de hora punta había disminuido, y la calle estaba poco transitada, lo cual no era habitual. Tenía toda la acera para mí, y no veía a ningún otro peatón. Sentía que todo había pasado a un segundo plano, que mi mundo se reducía al ruido sordo de mis pisadas, de mis latidos.

Cambié la bolsa de la compra de mano y me escurrí hacia la izquierda, desde donde contemplé el atardecer sobre el río Ashley. El cielo moteado resplandecía como los rescoldos de un fuego extinguido, emitiendo una luz dorada sobre los chapiteles y campanarios que se asomaban por el horizonte de la Ciudad de las Iglesias.

Me gustaba estar de vuelta en mi querida Charleston, pero tenía los nervios a flor de piel desde mi regreso, uno de los síntomas del trauma físico y emocional que había sufrido durante la restauración de un cementerio en la falda de las montañas Blue Ridge. Pero había otra razón que explicaba por qué no podía comer o dormir, una ansiedad más profunda que me atormentaba incansable, a todas horas.

Tomé aliento.

Devlin.

Aquel detective de la policía acosado por sus fantasmas, al que no había logrado sacar de mi cabeza ni de mi corazón. El mero hecho de pensar en él era como una caricia oscura, un beso prohibido. Cada vez que cerraba los ojos, oía el susurro de su acento aristocrático, esa cadencia lenta y seductora. Sin apenas esfuerzo, evocaba sus labios perfectos junto a los míos…, el rastro meloso de su lengua…, esas manos ágiles y expertas…

Me concentré de nuevo en la calle y miré por encima del hombro. Fuera lo que fuera lo que me perseguía, se había quedado rezagado o había desaparecido, así que el miedo empezó a disminuir, como ocurría siempre que me acercaba a suelo sacro.

De repente, un pájaro trinó desde lo más alto del árbol. El sonido fue tan sobrecogedor que me detuve a escuchar. No era la primera vez que oía ese gorjeo. Fue en París, entre las sombras de un jardín. La serenata era inconfundible. Sutil y encantadora. Como flotar sobre una bañera de agua caliente a la luz de las velas. En un principio, creí que se trataba de un ruiseñor, pero luego recapacité. Los ruiseñores eran pájaros europeos y, a esas alturas, ya habrían recorrido los casi cinco mil kilómetros hasta África para pasar allí el invierno.

Tras la estela del ave cantora, me embriagó una intensa fragancia. Olía a algo exuberante y exótico. Ni el sonido ni el perfume pertenecían a esta ciudad, o puede que ni a este mundo, y empecé a notar un cosquilleo en la columna vertebral.

Percibí un susurró y me volví, casi esperando encontrarme a Devlin emergiendo de entre la negrura, tal y como había salido de la niebla la noche en que nos conocimos. Todavía lo veía como entonces, como un desconocido enigmático, el tipo tan atractivo y taciturno que protagonizaba mis fantasías de adolescente.

Pero Devlin no estaba detrás de mí. A esas horas, probablemente seguiría en la comisaría. No había sido más que el murmullo de las hojas secas, o eso quise creer. El runrún fantasmal de mi propio anhelo.

Y justo entonces, a lo lejos, resonó la risa de una niña, seguida de un cántico muy suave. De inmediato, reconocí la voz, aunque todavía no logro explicarme por qué, pues nunca la había oído antes. En mi cabeza formé la imagen de la hija muerta de Devlin.

Mi padre me hubiera advertido de que recordara las

normas. Las recité para mis adentros y, poco a poco, me giré para rastrear el ocaso: «Nunca reconozcas que ves fantasmas, nunca te alejes de campo sagrado, nunca te relaciones con personas acechadas por fantasmas y nunca, bajo ningún concepto, tientes al destino».

De pronto, volví a oír la voz de aquella niña: «¡Ven a buscarme, Amelia!».

No puedo justificar por qué no decidí ignorarla y continuar mi camino. Debía de estar hechizada. Es la única explicación posible.

El ruiseñor canturreó cuando me aparté de la acera y me dirigí hacia un estrecho callejón donde se alzaba una gigantesca puerta ornamentada. Al asomarme, comprobé que tras ella se extendía el jardín cercado de una casa privada. Sabía que, si cruzaba el umbral, corría el riesgo de que me dispararan por infringir la ley e invadir una propiedad privada. La gente de Charleston adoraba las armas. Pero el peligro no me amedrentó, ni tampoco las reglas de mi padre, porque estaba bajo el efecto de aquel extraño hechizo hipnótico.

Meses antes, cuando percibí el fantasma de Shani planeando junto a Devlin, la pequeña intentó establecer contacto. Por eso me había seguido a casa esa misma noche y había dejado un minúsculo anillo granate en mi jardín. Ese anillo no había sido más que un mensaje, al igual que el corazón que había dibujado en la ventana. Quería decirme algo…

«Por aquí. ¡Date prisa! Antes de que venga…»

Un presentimiento me heló la espalda. Estaba rodeada de peligros, pero hice caso omiso y seguí avanzando. El canto del ruiseñor y aquel aroma seductor me guiaron a través de un laberinto de setos y palmitos, y atravesé varios senderos cuajados de onagras vespertinas y lirios de medianoche. El incesante goteo de una fuente se mezclaba con las carcajadas etéreas de Shani.

La pequeña empezó a cantar. Sentí que se me erizaba el vello de la nuca:

El pequeño Dicky Dilta
tenía una mujer de plata.
Cogió un bastón y le partió la espalda,
para venderla a un molinero.
El molinero no quiso quedársela,
así que la arrojó al río.

El ritmo era espantoso. Hacía una eternidad que no oía esa canción. Además, la inocencia de la voz cantarina de Shani hacía que los versos resultaran aún más macabros.

En un intento de librarme de ese letargo siniestro, me volví para desandar el camino hasta la verja, pero la hija del detective se materializó en mitad de la pasarela. Al principio, distinguí un ligero titileo, y luego la silueta de una niña. A medida que su imagen iba apareciendo, la temperatura del jardín descendió en picado. Estaba asustada, aterrorizada para ser exactos, y sabía que estaba pisando terreno peligroso. No solo estaba reconociendo abiertamente que veía muertos, sino también tentando al destino.

Pero en ese momento nada de eso me importó. No fui capaz de dar media vuelta ni de separar la mirada de aquel espectro delicado que me impedía escapar de allí.

Llevaba un vestido azul y en el cabello un lazo a conjunto y una espiga de jazmín atada en la cintura. Una cascada de rizos le caía sobre los hombros, un detalle tan adorable que me dejó sin aliento. Un aura apenas perceptible brillaba a su alrededor, plateada y diáfana, pero, aun así, pude definir sus rasgos. Admiré aquellos pómulos prominentes y esa mirada oscura que delataban su herencia criolla, e incluso me pareció intuir la belleza de su madre en aquel rostro fantasmagórico. Pero ningún parecido con Devlin. La influencia de los Goodwine dominaba sobre los demás apellidos.

De forma deliberada, la niña se sacó la ramita de jazmín de la cintura y me la ofreció.

Sabía de sobra que no debía aceptarla. La única forma de convivir con fantasmas era ignorándolos, fingiendo no verlos.

Pero ya era demasiado tarde para eso. Casi por voluntad propia, mi mano se levantó para coger las florecillas.

El fantasma se deslizó hacía mí hasta que pude sentir el frío glacial que emanaba de su cuerpo diminuto. Acaricié las flores color crema que sostenía el fantasma con los dedos. Los pétalos parecían reales, tan cálidos y flexibles como mi propia piel. No lograba comprender cómo era posible. Había traído el ramillete del otro lado, así que las flores deberían marchitarse.

«Para ti.»

No musitó las palabras, pero las oí con perfecta claridad. La voz que resonaba en mi cabeza era tierna y lírica, como el suave tintineo de una campana de cristal. Me llevé el jazmín a la nariz y dejé que aquel perfume embriagador llenara todos mis sentidos.

«¿Me ayudarás?»

—¿Ayudarte? ¿Cómo? —pregunté sin querer. Incluso mi voz sonaba lejana y vacía, como un eco.

Se llevó un dedo a los labios.

—¿Qué ocurre?

El aire que ocupaba el jardín tembló y el espectro empezó a difuminarse. Se me aceleró el pulso y el vaho que producía al respirar se entremezclaba con un vapor lechoso que se enroscaba entre las sombras. Noté un extraño sabor a cobre en la boca, como si me hubiera mordido la lengua. Pero no sentí dolor alguno. Lo único que sentía era un miedo apabullante que se extendía desde el pecho hasta las piernas y que me tenía paralizada.

Tras un escalofrío en la nuca, dejé caer el ramillete de jazmín. La noche estaba sumida en un silencio sepulcral. Una extraña quietud había inundado aquel jardín. Solo se movía aquel bucle de niebla. Lo observé, fascinada, mientras se escurría hacia mí, retorciéndose como una cobra encantada. La tensión que se me había acumulado en las terminaciones nerviosas se hizo insoportable, y por un momento pensé que la más ligera de las caricias podría hacerme añicos.

Pero cuando se produjo el contacto, no fue nada ligero. El golpe fue rápido y brutal, una arremetida tan fuerte que perdí el equilibrio. Trastabillé sobre una pequeña estatua de jardín y me caí de bruces. El querubín de cerámica se rompió en mil pedazos al desplomarse sobre el suelo y, un instante más tarde, oí unas voces que provenían del interior de la casa. Una parte de mí sabía que esa gente debía de haber oído el estruendo, pero no fui capaz de apartar mi atención del camino. De pronto, otro ser emergió en el jardín. Suspendido en el aire, el espectro me observaba con la mirada encendida.

Mariama. La madre de la niña fantasma. La difunta esposa de Devlin.

En un solo instante, vislumbré el bajo vaporoso de su vestido, sus pies descalzos y la cabellera voluptuosa balanceándose sobre su espalda. Y aquella sonrisa burlona. Terriblemente seductora. Incluso muerta, la mística de Mariama era penetrante, palpable. Al igual que su astucia.

En ese instante, recordé algo que me había contado Devlin acerca de su mujer. Según sus creencias, la muerte no disminuía el poder de una persona. Un fallecimiento violento o repentino podía enfurecer al espíritu, que no dudaría en ejercer su fuerza para regresar a este mundo e interferir las vidas de los vivos, o incluso, en algunos casos, en esclavizarlos. Siempre me había asaltado la duda de si ese era su verdadero propósito: mantener a Devlin encadenado a ella, preso de su dolor y su culpabilidad. Podía existir en este lado del velo porque devoraba su calor, su energía vital, pero, en cuanto él la dejara marchar, en el momento en que empezara a olvidarla, ¿se desvanecería sin más?

Me acurruqué temblorosa y me arrepentí una y otra vez de haber seguido la vocecita de Shani y aquel extraño gorjeo hasta el jardín. No tendría que haber mordido el anzuelo. Todo aquello era culpa de Mariama. Y por fin lo entendí. Estaba interfiriendo en mi vida, alertándome de que me mantuviera lejos de Devlin.

Noté una picadura y, cuando bajé la mirada, descubrí que tenía la mano llena de hormigas. Sacudí las manos para deshacerme de ellas y, con torpeza, me puse en pie. Durante el breve instante en que desvié los ojos de los fantasmas, se esfumaron, dejando tras de sí una estela de escarcha.

La puerta que daba al jardín trasero se abrió, y una mujer salió al porche.

—¿Quién anda ahí? —preguntó. A juzgar por su tono de voz no estaba en absoluto asustada, tan solo molesta.

No se me ocurrió ninguna excusa creíble que explicara mi presencia en su jardín, de modo que recogí la bolsa de la compra y me escondí tras un matorral de azaleas. Una cobardía por mi parte, desde luego. Se estremeció de frío y se ajustó la chaqueta alrededor del cuerpo mientras seguía escudriñando el lugar.

Si mi encuentro con aquellos fantasmas no me hubiera dejado tan aturdida, quizá me habría delatado, en lugar de corretear tras los arbustos como un vulgar ladrón. Me podría haber inventado alguna historia, como que mi gato se había escapado y le había seguido hasta allí, y luego ofrecerme a pagar los desperfectos. Y justo cuando estaba a punto de hacerlo, advertí la silueta de un hombre tras el ventanal de la terraza.

—Me ha parecido oír algo —dijo la mujer por encima del hombro, y él salió al porche. Se me encogió el corazón. El segundo golpe que encajé esa noche. Reconocí a aquel tipo de inmediato. Era Devlin. Mi Devlin.

Enseguida até cabos y adiviné por qué Mariama me había atraído hasta ese jardín. Para presenciar eso.

Mariama apareció junto a su marido. Sentí su mirada glacial clavada en mí, tan burlona e hipnótica como siempre. La brisa nocturna le alborotaba el cabello y le agitaba la falda transparente del vestido, que envolvía sus piernas como si de una serpiente se tratara. Podía ver a través de su espectro y, sin embargo, en aquel instante parecía tener más vitalidad que cualquier otro ser vivo.

Alargó el brazo y acarició la mejilla de Devlin con ademán posesivo, sin dejar de fulminarme con aquella mirada socarrona. No oí su voz en mi cabeza, pero el mensaje era claro. No estaba dispuesta a dejarle marchar.

De pronto, noté un tremendo dolor en el pecho, como si una mano invisible me hubiera arrancado el corazón. Me quedé sin aire en los pulmones y las piernas me temblaban. Algo horrible estaba sucediéndome en aquel jardín. Una entidad que me consideraba su enemiga estaba consumiendo mi calor, mi energía.

Mi padre me había avisado en incontables ocasiones: «Si hay algo que desean los muertos, es volver a formar parte de nuestro mundo. Son como parásitos; nuestra energía los atrae y se nutren de nuestro calor. Si descubren que puedes verlos, se aferrarán a ti como una plaga de pulgas. Nunca podrás librarte de ellos. Y tu vida jamás volverá a ser igual».

El fantasma se echó a reír y, por un instante, pensé que también había oído la advertencia de mi padre.

Shani se materializó junto a Devlin. Le jaló del pantalón para llamar su atención, pero él en ningún momento se percató de su presencia. No podía sentirla. No tenía la menor idea de que su hija estaba allí. Solo tenía ojos para aquella desconocida. Se acercó por detrás y le rodeó la cintura de avispa con ambos brazos. Ella dejó caer la cabeza sobre su hombro, y el murmullo íntimo de sus voces atravesó el jardín hasta alcanzar mi escondite.

El detective no la besaba ni la acariciaba como lo haría un amante. Se limitó a sujetarla entre sus brazos mientras sus fantasmas flotaban a su alrededor.

No podía moverme ni respirar. Fue, con toda probabilidad, el peor momento de mi vida.

Tras unos minutos, Devlin volvió dentro y sus fantasmas se desvanecieron. Pero la dueña de la casa permaneció allí, oteando el crepúsculo, como si pudiera percibir mi presencia. No me atreví a moverme por miedo a llamar su atención, pero me habría encantado verla. Tan solo intuía una silueta curvilínea y una cabellera brillante que le rozaba los hombros. Sin embargo, sabía que era atractiva. Desprendía algo, una especie de vibración que comparten todas las mujeres hermosas.

Se quedó en el porche varios minutos más, y luego siguió a Devlin hacia dentro. Esperé pacientemente para cerciorarme de que ninguno volvía al porche, y luego salí disparada de mi escondrijo hacia el callejón oscuro, sin pararme a pensar en mi acosador anterior.

El hecho de haber presenciado aquella escena con Devlin acompañado de otra mujer me distrajo y bajé la guardia, algo muy poco habitual en mí. Convivir con fantasmas exigía vigilancia y atención y, a pesar de estar huyendo de aquel lugar, mi cabeza no podía dejar de proyectar aquella imagen. El despiste me costó muy caro. Una sombra amenazadora apareció de la nada y, en un abrir y cerrar de ojos, alguien me empujó hacia la pared de piedra y me sujetó por la garganta.

La presión sobre la tráquea me impidió gritar. Aquel desconocido me había inmovilizado en cuestión de un segundo. Justo cuando empezaba a sacudir el gas lacrimógeno que llevaba en el bolsillo, el asaltante retrocedió varios pasos. Me soltó el cuello y me pareció oír un grito ahogado. Y luego, con cierta incredulidad, escuché:

—¿Amelia?

Devlin.

Tenerle a tan pocos centímetros me dejó aturdida. No fui capaz de articular una sola palabra. Habían pasado varios meses desde la última vez que nos habíamos visto, pero cada noche le encontraba entre mis sueños. Aquellos sueños oscuros y lujuriosos me permitían fantasear con él; sin embargo, ahora que estaba plantado frente a mí caí en la cuenta de que las visiones no hacían justicia a la realidad. Me observaba confundido, pero, aun así, solo podía pensar en sus caricias, en cuánto había añorado sus besos.

—¿Estás bien? —se apresuró en preguntar.

Ah, ¡esa voz! Aquel acento, sedoso y con aires de un mundo antiguo, me enloquecía.

Tragué saliva con cierta dificultad.

—Sí, creo que sí.

—¿Qué demonios estás haciendo aquí? ¿Y por qué no has dicho nada? Podría haberte hecho mucho daño —dijo, algo nervioso.

—No me has dejado —repliqué a la defensiva—. ¿Sueles inmovilizar a la gente así, sin razón?

—Tenía una razón. Estaba de visita en casa de una amiga y creímos haber oído a alguien en el jardín.

—¿Alguien que merodeaba por el jardín? —pregunté con aire inocente.

Vaciló durante unos segundos antes de contestar.

—Sí, eso es —murmuró. Le rodeé y eché un vistazo al callejón—. ¿Has visto salir a alguien de aquí?

Sacudí la cabeza mientras el corazón me martilleaba el pecho.

—¿Y en la calle? ¿Te has fijado en si había alguien merodeando por ahí?

—No he visto nada.

Seguía vigilándome con aquella mirada inquisitiva.

—Te toca, entonces. ¿Qué estás haciendo aquí?

—Estaba… de camino a casa. He estado haciendo un par de recados en el mercado —respondí y, con una convicción cuestionable, le mostré la bolsa llena de comida.

—Te has desviado un poquito, ¿no crees?

—¿Lo dices por el callejón? —balbuceé, y me humedecí los labios—. Me pareció oír algo y decidí investigar.

Él levantó la barbilla y percibí una tensión repentina.

—¿Qué oíste?

—Ahora me parece una locura —respondí, esquivando así su pregunta.

Me agarró por el brazo y sentí un escalofrío en todo el cuerpo, en parte de deseo, en parte de miedo.

—Dímelo —insistió.

—El trino de un pájaro.

—¿El trino de un pájaro? —repitió. En otras circunstancias, su desconcierto me hubiera divertido.

—Lo confundí con un ruiseñor.

Casi de forma imperceptible, tensó todos los músculos, e incluso hubiera jurado vislumbrar una sombra que le oscurecía aquellos rasgos tan bellos. Pero eso era imposible, por supuesto. Había caído la noche, y apenas podía ver nada, pero me dio la sensación de que mis palabras habían despertado algo.

—No hay ruiseñores en esta parte del planeta —me corrigió—. Debes de haber oído un sinsonte.

—Ya lo pensé. Pero, cuando estuve en París, los ruiseñores canturreaban cada tarde desde el jardín del hotel donde me hospedaba. Su trino es inequívoco.

—Sé perfectamente cómo es su trino —contestó con cierta brusquedad—. Cuando estuve en África, esas malditas aves no dejaban de gorjear.

He ahí otro detalle que no conocía sobre él.

—¿Cuándo estuviste en África?

—Hace mucho tiempo —murmuró, y alzó la cabeza para echar un vistazo a las copas de los árboles.

En esta ocasión, fui yo la que se quedó desconcertada.

—¿Qué más da qué tipo de pájaro era?

—Porque si has oído a un ruiseñor en Charleston… —empezó, pero de repente oímos el chasquido de la puerta y me empujó hacia él para escondernos entre las sombras de la verja.

Estaba demasiado perpleja como para protestar. Aunque no se me ocurría ningún motivo para hacerlo. La adrenalina fluía por mis venas y casi sin querer deslicé la mano por la solapa de su chaqueta. Me aferré a él y, un segundo más tarde, una voz femenina invadió nuestro paraíso.

—¿John? ¿Estás ahí?

Al ver que no respondía de inmediato, incliné la cabeza para mirarle. Apenas unos milímetros separaban nuestros rostros. Estábamos tan cerca que si me ponía de puntillas podría rozarle los labios…

—Estoy aquí —contestó.

—¿Todo bien? —preguntó algo ansiosa.

—Sí, todo bien. Dame un minuto.

—Date prisa.

La puerta hizo un ruido metálico al cerrarse y, casi *ipso facto*, oí la puerta trasera de la casa. Pero Devlin y yo no estábamos solos. Se levantó una suave brisa que agitó las hojas y el frío inhumano de sus fantasmas nos asaltó. No podía verlos, pero estaban en algún lugar, flotando entre la negrura.

Devlin seguía sosteniéndome, pero la distancia que nos separaba era palpable. Aquel abismo me incomodó sobremanera, y poco a poco me fui apartando.

—Debería irme.

—Deja que te lleve a casa —propuso—. Es de noche.

—Gracias, pero no. Vivo a unas cuantas manzanas, y es un vecindario seguro.

—Seguro es un término muy relativo.

Y llevaba toda la razón.

—Estaré bien.

Me marché. Tras varios pasos, le oí murmurar mi nombre. Su voz sonó tan débil que incluso pensé en ignorar la súplica por miedo a que fuera producto de mi imaginación. Pero al fin me volví y musité:

—¿Sí?

Su mirada enigmática brillaba en la oscuridad que nos envolvía.

—Fue un sinsonte, el pájaro que oíste. Es imposible que fuera un ruiseñor.

Se me encogió el corazón y asentí.

—Si tú lo dices…

Capítulo 2

Devlin no volvió a pronunciar mi nombre, y seguí adelante sin mirar atrás. Sin embargo, el calor del roce de su piel se me quedó pegado, al igual que el frío de sus fantasmas. Había pasado un sinfín de noches sin dormir tratando de convencerme de que, si lograba mantener las distancias, sus fantasmas no supondrían ninguna amenaza. Después de aquella noche, ya podía dejar de engañarme. Había seguido las normas a rajatabla, y no había hecho nada para atraerlos hacia mí, pero ahí estaban. Y ahora no tenía ni la más remota idea de cómo deshacerme de ellos.

Shani me había suplicado que la ayudara, y el mero recuerdo de su voz en mi cabeza me hacía dudar de mi decisión. No, tenía que alejarme de él y de sus fantasmas. No podía ofrecerle lo que necesitaba, ni podía ayudarla a conseguir su propósito. No era una médium. No me comunicaba con los muertos, al menos de forma intencionada, ni me dedicaba a guiar a las almas hacia la otra vida. Los fantasmas representaban un gran peligro para mí. Eran parásitos hambrientos. ¿Acaso Mariama no acababa de demostrarlo?

Si hubiera sido lista, habría ignorado los fantasmas del detective, del mismo modo que había desoído las docenas de manifestaciones que había visto a lo largo de mi vida. Me habría aferrado a las normas de mi padre como a un clavo ardiendo, ya que, sin ellas, estaba desprotegida de todos aquellos seres del inframundo que aprovechaban el atardecer para escurrirse por el velo.

Lo más acertado hubiera sido quitarme aquel episodio tan inquietante de la cabeza.

Pero…, aunque me las ingeniara para ignorar a los fantasmas, sabía que la imagen de Devlin junto a esa desconocida seguiría atormentándome. No tenía derecho alguno a sentirme traicionada, porque, de hecho, había sido yo quien había decidido romper la relación, y lo había hecho sin darle una explicación apropiada. Pero ¿cómo explicarle que nuestra pasión desenfrenada había abierto una puerta hacia un reino aterrador de espectros hambrientos y fríos, de seres más abominables que cualquiera de las entidades que había visto?

Tomé aire y procuré serenarme. Debería sentirme agradecida de que hubiera encontrado a alguien. Si me había olvidado, estaría más seguro. ¿Quién era yo para juzgarle? ¿No había intentado hacer lo mismo con Thane Asher?

Pero ningún razonamiento podía aliviar el dolor que me oprimía el pecho. Ni tan siquiera mi hogar me ofrecía consuelo, y eso que era mucho más que una simple casa. Era un santuario sagrado, el único rincón de la ciudad que me permitía esconderme de los fantasmas… y del resto del mundo.

Construida sobre los restos de un antiguo orfanato, aquella pequeña casa tenía balcones en ambos pisos, y los jardines que la rodeaban se mantenían fieles al estilo tradicional de Charleston. Vivía en la planta baja, lo que incluía acceso al jardín trasero y al sótano original. Un estudiante de Medicina, Macon Daws, había alquilado el piso de arriba. En aquel momento, estaba fuera de la ciudad, de modo que *Angus*, el perro maltratado que me había traído de las montañas, tuvo la oportunidad de aclimatarse a su nuevo hogar antes de conocer al otro inquilino.

Angus debió de percibir mi llegada, porque enseguida le oí ladrar desde la parte trasera para darme la bienvenida. Le llamé para tranquilizarle y me quedé quieta en mitad del jardín para disfrutar de la esencia fragante de los olivos. Lo que sucedería después era algo previsible; nos sentaríamos en el porche trasero y contemplaríamos cómo el jardín blanco cobraba vida bajo la luz de la luna. Se había convertido en un ritual nocturno. Era el único momento en que me sentía cómoda envuelta en la oscuridad. Siempre había admirado los jardines amurallados de la ciudad, pero debía reconocer que el mío presumía de un encanto especial. Bajo el resplandor plateado de la luna, se veía hermoso. A veces sentía que podía quedarme allí sentada para siempre, soñando con una vida distinta.

Los cementerios del sur del país que había restaurado también podían presumir de esa belleza. Eran adorables, recubiertos de musgo y hiedra en invierno y de lavanda y lilas en primavera. El verano siempre llegaba acompañado de rosas seductoras, y el invierno, de dafnes exquisitas. Un perfume para cada estación. Cada aroma era único e invocaba una emoción distinta o un recuerdo especial, pero todos esos olores me transportaban a mi pasado, lo que me hacía pensar en la naturaleza efímera de la vida.

No sé cuánto tiempo me quedé ahí parada, con los ojos cerrados, sumergiéndome en mi propia melancolía mientras las esencias vespertinas me embriagaban. Estaba triste, y quizá por eso no le vi. Ni percibí su presencia.

Cuando al fin avisté su silueta, apenas distinguí una sombra apoyada sobre la barandilla. Fue inexplicable, pero le reconocí enseguida. Sentí el irreprimible impulso de dar media vuelta y huir a toda prisa de allí, pero los músculos no me respondieron y me quedé petrificada.

Hacía años que veía fantasmas, pero jamás me había topado con uno como Robert Fremont. Era capaz de colarse por el velo antes del anochecer y después del alba, e incluso podía charlar conmigo. O al menos... se comunicaba de una forma que me hacía creer que estaba hablando. Su voz no retumbaba en mi cabeza, como la de Shani. Podía oírla. Veía cómo articulaba las palabras. Pero me era imposible comprender cómo lo hacía. Tampoco entendía por qué podía sentarse sobre los escalones de mi santuario, un lugar que, hasta entonces, ningún otro fantasma había penetrado.

Y eso era lo que más me aterrorizaba de aquel fantasma. Por lo visto, no le afectaba ninguna norma, así que estaba completamente a su merced, sin ningún arma con la que protegerme.

Que apareciera en ese preciso momento no podía ser mera coincidencia. Nada de lo sucedido aquella noche era fruto de la casualidad. Ni el ruiseñor, ni mi encontronazo con Devlin, ni la cancioncita macabra de Shani. Quizá, por separado, podían considerarse hechos fortuitos, pero juntos debían de tener un significado concreto. Existía un término para definir una secuencia de acontecimientos de esas características: sincronía.

Seguía paralizada, observando al agente asesinado, y de pronto noté que algo oscuro y místico me atraía hacia él. Un rompecabezas de otro mundo para el que, quizá, no existiera solución terrenal.

Con suma cautela empecé a caminar, acompañada de la fragancia de las trompetas de ángel que perfumaban el ocaso con una pizca de temor. Me detuve frente a la escalinata y le miré a los ojos.

Tenía el mismo aspecto que la primera vez que le vi, con aquel atuendo anodino y zarrapastroso que cualquier agente encubierto se pondría para infiltrarse en una banda criminal. Como siempre, ocultaba la mirada tras unas gafas oscuras, pero, aun así, sentía sus ojos muertos clavados en mí. La sensación era escalofriante.

—Amelia Gray.

Cuando pronunció mi nombre, sentí que una serie de agujas congeladas se me clavaban en la espalda.

—¿Por qué estás aquí? —pregunté.

—Ya sabes por qué. Ha llegado la hora.

Se me puso la piel de gallina.

—¿La hora de qué?

—De arreglar ciertos asuntos.

Su voz sonó profunda y hueca, como un pozo, y volví a estremecerme. Él seguía observándome tras aquellos cristales tintados. Procuré apartar la mirada, pero me tenía cautivada.

Había olvidado lo atractivo que era, el carisma perverso que destilaba, a pesar de ser un fantasma. Dejando a un lado su tez oscura, y el hecho de que estaba muerto, siempre me había recordado a Devlin. Ambos tenían ese encanto irresistible, esa misma fascinación peligrosa. Antaño habían sido amigos, y tenía la corazonada de que mi relación con Devlin había permitido la entrada de Robert Fremont a mi mundo.

—Tenemos mucho de que hablar —añadió.

—¿De veras?

—Sí. Quizá deberías sentarte. Te veo temblorosa.

¿Cómo no estarlo?

Pero me negaba a sentarme. Lo único que deseaba era que se desvaneciera, que regresara al reino de los muertos, junto con Shani y Mariama. Consideré la opción de pasar como un rayo y meterme en casa, en mi santuario, pero no estaba del todo segura de que aquellas paredes me protegieran de ese fantasma. Nada me aseguraba que no pudiera cruzar el umbral de mi hogar, y no quería perder la tranquilidad que me proporcionaba aquella casa, por muy ilusoria que ahora fuera.

Notaba las piernas pesadas y me costó gran esfuerzo subir los peldaños. El peso de la petición todavía tácita se me hacía insoportable. Al verme, ni se dignó a levantarse, pero luego recapacité. ¿Qué motivo empujaría a un fantasma a seguir las ceremonias y los buenos modales terrenales? En especial, porque la entidad que tenía frente a mí pertenecía a un hombre cuya vida había acabado en asesinato.

Me senté en el suelo, a una distancia prudente, y dejé la bolsa de la compra delante de mí. Aquel espíritu emanaba un frío muy ligero, tan suave que incluso pensé que eran imaginaciones mías.

—Ya te dije una vez que te necesitaba como conducto para comunicarme con el departamento de policía —dijo.

—Lo recuerdo.

—Me temo que ahora necesito algo más que eso.

Estaba muerta de miedo.

—Necesito que seas mis ojos y oídos en este mundo. En el mundo de los vivos.

—¿Por qué?

—Porque puedes acceder a lugares prohibidos para mí, puedes hablar con personas que no pueden verme.

—No, me refiero a… ¿con qué objetivo?

—Por muy cliché que pueda sonar, te necesito para que me ayudes a encontrar a mi asesino.

Observé con detenimiento aquel espíritu.

—Antes debes responderme a algo. Dime cómo diablos es posible que puedas hacer todo esto, hablar conmigo, invadir mi santuario o incluso aparecer ante mí como si siguieras vivo, y no saber quién te ha asesinado. ¿No deberías saberlo? Aquel día me confesaste que tenías un don. Y que por eso te habías ganado tu apodo: el Profeta.

—Jamás aseguré ser omnisciente —rebatió en su defensa. No fui capaz de averiguar qué fue lo que le fastidió tanto, si mi interrogatorio o sus limitaciones—. Nunca pude controlar las visiones.

Me vi reflejada en él, pues tampoco yo controlaba mi habilidad.

—¿No has leído nada acerca de mi muerte? —preguntó.

—No mucho.

—Qué decepción. Después de nuestro último encuentro, asumí que te interesarías por saber algo más de mí. Me pareció que eras una chica curiosa. ¿Me equivoqué?

Y eso encendió una chispa.

—Reconozco que, desde aquella noche, ando un poco angustiada. Estuve al borde de la muerte, ¿o no lo recuerdas? Y me queda mucha vida por vivir, un negocio que atender. Aunque… —hice una pausa para tomar aire— sí es cierto que una vez te busqué. En Internet no había mucha información acerca de ti, y no mantengo relación con Devlin. ¿A quién más podía acudir para averiguar más cosas de ti?

Soltó un suspiro.

—Albergaba la esperanza de que fueras un poco más hábil —espetó.

A decir verdad, nunca lo consideré un personaje lo suficientemente misterioso como para encerrarme en una biblioteca a investigar. Solo quería… que se esfumara.

—En ese caso, te aconsejo que busques a otra persona que pueda ayudarte.

—Nadie más puede ayudarme. De hecho, tardé una eternidad en encontrarte.

Aquella revelación me dejó perpleja.

—¿Cómo me encontraste?

—Eso no te incumbe.

—¡Que no me incumbe! —exclamé—. ¿En algún momento te has planteado que quizá no indagué sobre ti porque prefería no saber nada?

«Cuidado», me advirtió una vocecita. Ya había sido víctima de la ira de un fantasma esa noche. Provocar a otro no era la decisión más sabia.

Tardó unos segundos en contestar.

—Tienes agallas, eso ya es algo. Me puede ser muy útil.

—Gracias. Supongo.

—Creo que te juzgué demasiado rápido. Debes saber que tengo mucho que perder en esta relación.

¿Manteníamos una relación? Esa idea me produjo un escalofrío.

Una vecina pasó por delante de casa. Echó un vistazo y, de golpe y porrazo, salió disparada. Mientras corría por la acera, me fijé en que miró por encima del hombro. Debió de pensar que me había vuelto loca, al verme allí sentada discutiendo sola en mitad de la noche. No podía culparla. Si no hubiera sido porque mi padre también veía fantasmas, habría puesto en duda mi sano juicio hace mucho tiempo.

—¿Qué te ocurrió? —pregunté a regañadientes—. Sé que te asesinaron mientras estabas de servicio... —empecé, pero luego paré—. ¿Te importa que hablemos sin rodeos sobre...?

—Es el único modo de hacerlo.

Perfecto. Prefería andar con pies de plomo.

Aquel comentario me hizo reflexionar. Mi propio diálogo interno estaba empezando a asustarme. ¿Cómo se las había apañado Robert Fremont para inmiscuirse en mi vida tan fácilmente? ¿Cómo había sido capaz de aceptarlo sin reparos?

Es un fantasma. Es un fantasma. Es un fantasma.

Entoné el mantra para mis adentros mientras él seguía parloteando.

—Me dispararon por la espalda —dijo—. Nunca vi al asesino. Mi cadáver apareció al día siguiente en el cementerio de Chedathy, en el condado de Beaufort.

Hasta entonces, tenía la mirada perdida en la calle, pero, al oír ese nombre, me volví, sorprendida. Mariama y Shani estaban enterradas en ese cementerio.

—Eras un agente de Charleston —murmuré—. ¿Qué estabas haciendo en el condado de Beaufort? Está muy lejos de la ciudad.

—No… No estoy seguro.

—¿Qué quieres decir con que no estás seguro?

Pero él no contestó.

Aquel silencio no presagiaba nada bueno.

—Todavía no me queda claro qué esperas que haga.

—Ya te he dicho lo que necesito.

—Lo sé, pero…

—Presta atención. Tenemos que actuar con rapidez. ¿Lo entiendes? Debe ser ahora.

Su apremio me pilló desprevenida.

—¿A qué viene tanta prisa? Te dispararon hace más de dos años.

El fantasma observó el cielo.

—Por fin los astros se han alineado. Los jugadores están donde les corresponde.

¿Podía ser más críptico?

—¿Eso me incluye a mí?

—Sí.

Me giré hacia el jardín y escudriñé las sombras de los árboles.

—¿Y si me niego a formar parte de esto?

Aunque ni por asomo imaginaba qué era en realidad.

—¿Te has mirado en el espejo últimamente? —preguntó.

Esta vez fui yo quien se quedó muda.

—¿No te has dado cuenta de que se te han oscurecido las ojeras? ¿De que tienes los pómulos más hundidos? ¿De que has perdido peso? No comes ni duermes. Ahora mismo, mientras hablamos, tu energía vital está menguando.

Lo miré horrorizada.

—¿Me estás acechando?

Capítulo 3

*E*l corazón se me paró al oír sus palabras y entender lo que implicaban. Pensé en mi perseguidor, en el escurridizo desconocido que llevaba varios días hostigándome. Ahora por fin comprendí de dónde provenía mi letargo e insomnio. La mera presencia de Fremont estaba consumiendo mi fuerza vital, del mismo modo que Mariama me había chupado la energía horas antes. ¿O había sido Fremont?

—Tienes que ayudarme —repitió.

Agaché la mirada y me percaté de que me temblaban las manos.

—Ahora me doy cuenta.

—En cuanto demos con él y se haga justicia, te dejaré en paz.

—¿Me das tu palabra?

La palabra de un fantasma. Para todo había una primera vez.

—¿Qué otro motivo tendría para quedarme pululando por aquí? —preguntó.

Me estremecí.

—Te has referido a tu asesino en masculino. Si te dispararon por la espalda, ¿cómo puedes estar tan seguro de que fue un hombre?

—No estoy seguro de nada —admitió y, por primera vez, le vi dudar. Y puede que advirtiera una pizca de miedo—. Ni siquiera sé qué hacía en ese cementerio la noche en que morí.

—¿Amnesia?

Una pregunta bastante surrealista.

—En lo referente a los acontecimientos de aquella noche, sí.

Aproveché un momento de despiste para estudiar su perfil. Aunque había anochecido, reparé en varios detalles que me parecieron hermosos. El ángulo de la mandíbula y la barbilla, un pómulo particularmente prominente, el contorno de sus labios, todo en él era atractivo. Me costaba aceptar que estaba muerto.

—Supongo que tiene sentido —dije, y miré hacia otro lado—. He leído que, a menudo, las víctimas de accidentes no recuerdan con precisión lo acontecido antes de perder el conocimiento. Esto es bastante parecido. Sufriste un trauma severo.

—Sí, el trauma fue severo, sin duda —murmuró.

—¿Qué es lo último que recuerdas? Antes de morir, claro.

Se quedó en silencio, y percibí cierta confusión, un conflicto interno.

—Recuerdo haber quedado con alguien.

—¿En el cementerio?

—No lo sé. Solo me acuerdo de la esencia de su perfume. Cuando fallecí, toda mi ropa estaba impregnada de aquel olor.

—Así que el asesino pudo haber sido una mujer.

—Es una posibilidad. Tengo el vago recuerdo de una discusión.

—¿La conocías?

Otro momento de vacilación.

—He olvidado su nombre.

Justo antes de que respondiera, habría jurado que le vi estremecerse, pero enseguida descarté esa idea, ya que no podía concebir que un fantasma tuviera una reacción tan humana.

Lo más seguro era que estuviera atribuyéndole mis propias emociones.

—No lo sé. Pero su perfume…

—Continúa.

—Todavía lo huelo en la ropa —admitió, casi derrotado—. Incluso ahora puedo distinguirlo.

Pensé en el aroma exótico que me había invadido cuando se levantó aquella brisa fantasmagórica que acompañaba el trino del ruiseñor. Quizás aquella fragancia provenía de Fremont, si es que entonces me estaba acechando.

De repente, me asaltó una duda. ¿Había visto los fantasmas de Mariama y Shani? ¿Por eso se habían esfumado? ¿Los fantasmas podían reconocerse entre sí? ¿O incluso interactuar?

A lo largo de los años, me habían surgido muchas preguntas, y me resultaba raro podérselas hacer a un fantasma. Pero lo que más me asombró fue que el miedo se había disipado. ¿Seguía bajo los efectos de un hechizo?

Una vez más, me estaba adentrando en terreno peligroso. Estaba a punto de desobedecer la advertencia de mi padre y coquetear con la catástrofe. Mi desacato a las normas ya había abierto una grieta. ¿Comunicarme con un fantasma abriría otra?

—¿Cómo es? —le pregunté sin pensar—. Detrás del velo, quiero decir.

—Se llama el Gris. Es el lugar intermedio entre la Oscuridad y la Luz.

Se había referido a él como lugar. No un tiempo. Aquella puntualización me pareció importante.

—¿Todavía te duele? Me refiero al balazo.

—No —respondió—. No siento nada, en realidad.

—Pero eso es imposible. Debes de sentir algo. Estás aquí porque quieres venganza. Eso significa que aún tienes emociones humanas.

—Estoy aquí porque no puedo…

—¿No puedes qué?

—Descansar —contestó con cierta cautela—. Hay algo que me retiene aquí.

—¿Crees que si averiguamos quién te asesinó serás libre?

—Sí.

Cavilé sobre ello unos instantes. Le urgía descubrir a su asesino, lo que corroboraba lo que siempre había sospechado. No todos los espíritus se colaban por el velo para saciar un hambre voraz por el calor humano, o para satisfacer su deseo de reunirse con los vivos. Algunos seguían atados a este mundo por razones que escapaban a su control. Me pregunté si a Shani le sucedía lo mismo. El fantasma de Mariama utilizaba como cadenas el dolor y la culpa para no soltar a Devlin. Me intrigaba si esas mismas emociones eran las que impedían a la pequeña separarse de su padre.

—¿Puedes verlos? —quise saber.

—¿A quiénes?

—A otros fantasmas. Están por todas partes. No me creo que no les hayas visto.

—Prefiero mantener cierta distancia.

—¿Por qué?

—Son criaturas pérfidas —dijo con desdén—. Sanguijuelas que se nutren de los vivos porque se niegan a aceptar la muerte. Y yo no soy así.

—¿No es justamente eso lo que estás haciendo conmigo?

—Solo mientras necesite tu ayuda. No me queda alternativa. Hasta que encuentre un modo de pasar página, tengo que alimentarme —explicó—. Créeme, deseo irme de aquí tanto como tú quieres que lo haga.

—Y bien, ¿por dónde empezamos?

Al moverse, la atmósfera se tornó un poco más fría. Tuve que recordar una vez más que, a pesar de nuestro extraño acuerdo, Robert Fremont era un fantasma y, por lo tanto, un peligro para mí.

—Seguiremos las pistas —dijo—, sin importar hacia dónde nos lleven. ¿Entendido?

—Yo…

—¿Entendido?

Casi pego un brinco.

—Sí. Entendido.

Asintió con la cabeza y se volvió.

—Después de que me dispararan, noté la presencia de alguien. Alguien que no era el asesino, desde luego. Tenemos que averiguar quién o quiénes eran e interrogarlos.

Lo miré con cierto escepticismo.

—¿Viste a alguien?

—No —contestó—, pero sí noté una presencia.

Una presencia.

—Dado que estabas a las puertas de la muerte, ¿cómo estás tan seguro de que no estabas soñando o alucinando?

—Hubo alguien que me revolvió los bolsillos. Alguien de carne y hueso. Si no me crees, echa un vistazo al informe policial. Cuando la policía halló mi cadáver, mi teléfono móvil había desaparecido.

—¿Cómo se supone que voy a acceder a ese informe policial?

—Tú misma has mencionado antes que eres muy habilidosa. Encontrarás el modo.

El miedo estaba empezando a apoderarse de mí.

Aquella era la noche más estrafalaria de toda mi vida, que no es poco viniendo de mí.

¿Un espectro me estaba chantajeando? ¿De veras esperaba que me encargara de la investigación de un crimen? En el caso de que no lo lograra, de que no pudiera destapar a su asesino, ¿me perseguiría por el resto de mis días? ¿Continuaría devorando mi calor y mi energía hasta convertirme en un alma en pena?

Procuré mantener la serenidad.

—Asumiendo que consigamos descubrir quiénes eran, ¿cómo piensas hacerles confesar? No soy agente de policía, y no sé cómo interrogar a un sospechoso. Con toda franqueza, lo que me estás proponiendo es muy arriesgado. Al menos para mí. Tú, en cambio, no tienes de qué preocuparte.

—No pienso permitir que te maten —prometió.

—Eso me tranquiliza.

—Mientras sigas al pie de la letra mis instrucciones, todo irá bien.

¿De veras tenía que creerle?

Estaba tiritando de miedo y, sin embargo, no pude evitar sentir cierto entusiasmo. Durante toda mi vida, había procurado protegerme y aislarme, no solo de los fantasmas, sino también del mundo que se extendía más allá de la verja de un cementerio. Hubo una época en que no me habría importado vivir en soledad, sin peligros a la vuelta de la esquina, pero los secretos que había descubierto en Asher Falls sobre mi propia existencia hicieron que me replanteara varias cosas. Me empeñaba en creer que tenía un propósito en la vida y quería pensar que había un motivo para que viera fantasmas. No era solo un legado peligroso, sino un don.

Y ahora ahí estaba, junto a un fantasma que me estaba ofreciendo la oportunidad de hacer algo grande. Una razón para aceptar ese oscuro poder que había heredado, en lugar de esconderme de él refugiándome en campo sagrado.

Si conseguía que el Profeta cerrara ese capítulo, quizá podría hacer lo mismo por Shani y Mariama. Y entonces Devlin podría ser mío...

Me sorprendió el rumbo que habían tomado mis pensamientos, y traté de no seguir por ahí. Era demasiado peligroso. Imaginar el día en que Devlin y yo pudiéramos estar juntos era una ridiculez. Además, a juzgar por lo que había visto, él ya había pasado página. De hecho, quizá ya se hubiera olvidado de lo nuestro.

Pero, entonces, ¿por qué me había enviado aquel mensaje el día que me fui de Asher Falls?

¿Por qué sus fantasmas me habían guiado hasta el jardín de aquella mujer? ¿Por qué Mariama se sentía tan amenazada?

Todavía no había superado nuestra ruptura. Una parte de mí estaba convencida de que, pasara lo que pasara, a pesar del tiempo y la distancia, jamás podría olvidarme de él. Devlin era mi destino. El hombre con quien quería estar y al que jamás podría tener.

A menos que ideara un modo de cerrar esa puerta. Traté de apagar esa luz de esperanza y miré al fantasma por el rabillo del ojo.

—Si accedo a ayudarte, estaremos en paz, ¿verdad? Habré pagado mi deuda contigo.

Robert Fremont sonrió.

—Nunca regatees con un fantasma. No tenemos nada que perder.

Capítulo 4

*D*espués de que Fremont se desvaneciera, me quedé ahí sentada, observando los últimos rayos de sol tras el horizonte. A pesar de que la noche se presentaba cálida, no dejaba de temblar. De repente, *Angus* se puso a ladrar desde el jardín trasero. Hasta ese momento no me había percatado de que había estado en silencio durante la visita. Y ahora, algo le estaba excitando. Le llamé varias veces, pero mi voz no le sosegó en absoluto.

Así que recogí la bolsa de la compra y me dirigí a toda prisa hacia la parte de atrás, todavía algo perturbada por mi reunión con Fremont. En cuestión de minutos, mi vida había cambiado por completo. A sabiendas de que pisaba terreno peligroso, había decidido establecer una relación con un fantasma. Había admitido abiertamente que poseía la habilidad de ver muertos. Y había tentado al destino. No quería ni imaginarme lo que mi padre opinaría de tal asociación. Lo que me llevó a preguntarme si... alguna vez se habría tropezado con una entidad como Robert Fremont.

Mi mente viajó hasta el día en que vi el fantasma de aquel anciano de cabello blanco a las puertas del cementerio de Rosehill, el rincón sagrado de mi infancia. Fue el primer espectro que se me apareció; desde aquel día, tan solo había vuelto a verle una vez. Mi padre me había confesado que durante un tiempo le atormentó la idea de que un ser oscuro y maligno que habitaba al otro lado del velo hubiera enviado a ese anciano a vigilarme. Tenía la corazonada de que mi padre no había sido del todo sincero conmigo. Pese a toda la información que había descubierto acerca de mi nacimiento y de mi herencia, algo me decía que seguía ocultando ciertos datos. El instinto me empujaba a creer que todavía guardaba secretos.

Abrí la puerta y pasé. Aunque la luna todavía no brillaba con toda su intensidad, el jardín estaba iluminado. *Angus* ocupaba el centro del jardín, y tenía la mirada clavada en el columpio, que se balanceaba hacia delante y atrás.

¿Shani?

No me atreví a pronunciar su nombre en voz alta. Y tampoco lo consideré necesario.

No respondió. El único sonido que rompía el silencio nocturno era el débil tintineo de los carillones de viento y mi propio pulso, que me martilleaba los tímpanos.

Sin embargo, el columpio seguía meciéndose. Había algo ahí. Percibía un frío de otro mundo en la atmósfera y, de pronto, me embriagó un aroma. Esta vez no era la fragancia exótica de antes, sino el olor a jazmín ya familiar que desprendía la presencia de Shani. Me había seguido hasta casa, otra vez. Pero, por alguna razón que no conseguía adivinar, prefirió no mostrarse ante mí. ¿Acaso la asustaba Mariama? Descarté de inmediato esa opción, porque una niña, aunque fuera fantasma, jamás podría tener miedo de su propia madre.

A quien le provocaba un pavor insufrible era a mí.

—¿Shani? —susurré.

Silencio.

Observé el balancín y me imaginé a la niña columpiándose frente a mis ojos. La visualicé pasándoselo en grande, con el pelo alborotado y la falda de su vestido azul agitándose.

¿Cuántas veces la habría recordado Devlin así? ¿Cuántas veces se habría despertado en mitad de un sueño en que abrazaba a su hija y se había topado con el indestructible muro de la pura realidad? No quería imaginarme las noches que habría pasado reviviendo la muerte de su hija.

El corazón me dio un vuelco.

—Sé que estás ahí —añadí en voz baja.

Estaba jugando con fuego, y casi podía oír la amonestación de mi padre: «¿Qué estás haciendo, jovencita? ¿Por qué sigues saltándote las normas? ¿Acaso no has aprendido la lección? Los otros siguen ahí fuera. El mal sigue ahí fuera. Al revelar a los muertos que puedes verlos estás invitando a fuerzas que desconoces a entrar en tu mundo. Y, una vez dentro, estarás a su merced. Tu vida jamás volverá a ser la misma…».

Angus estaba igual de petrificado que yo, vigilando el columpio. No gruñó, lo cual habría sido lógico, dado que percibía presencias fantasmales. Pero parecía… hechizado. Encantado.

«¿Cómo se llama?»

Habría jurado oír la pregunta, pero sabía que los únicos sonidos reales que me acompañaban eran la dulce melodía de los carillones de viento y el sonajero de hojas de los robles que rodeaban el jardín.

—*Angus*.

Por lo visto, mi voz rompió el conjuro y el perro correteó hacia mi lado, lloriqueando de forma lastimera. En cuanto llegó a mí, me acarició la mano con su húmedo hocico. A pesar de la luz tenue que iluminaba el jardín, aprecié la cicatriz que le atravesaba el morro y los dos bultos que, años antes, habían sido un par de orejas. Le pasé la mano por la espalda y noté que se le había erizado el pelo.

«¿El hombre malo te ha hecho daño?»

¿Era una nota de miedo lo que había detectado? ¿O simplemente estaba proyectando mi propio terror en la pequeña? En un fantasma.

—¿El hombre malo?

Las copas de los árboles se agitaron, y oí un gemido. Seguí acariciando a *Angus*, pero sabía que no había sido él.

—¿Quién es el hombre malo? —pregunté con suma cautela.

Otro gemido.

—No pasa nada —murmuré, no solo para tranquilizar a *Angus* y a Shani, sino también para convencerme a mí misma—. Todo saldrá bien.

Pero ¿cómo podía saberlo?

Esa noche había cruzado una línea. Si mi padre estaba en lo cierto, ya no podía volver atrás. Me había empecinado en que tenía una misión importante en este mundo, y no tenía la menor idea de dónde me había metido. Ni a qué extraña criatura había invitado a entrar. ¿Estaba preparada para aceptar las consecuencias de una transformación tan arriesgada?

«¿Me ayudarás?»

Aquella petición encarnaba todas mis inquietudes y dudas. Todos mis terrores nocturnos.

—¿Qué quieres que haga?

El columpio se quedó inmóvil, y deduje que el espíritu de Shani se estaba deslizando hacia el mundo de las tinieblas.

«Ven a buscarme.»

Capítulo 5

*A*l día siguiente, saqué a *Angus* a pasear por el mismo vecindario donde había visto a Devlin con aquella mujer. Me las arreglé para convencerme de que tenía un motivo legítimo para hacerlo.

Había hecho añicos una estatua del jardín, y me había fugado de la escena del crimen sin dar una explicación. Lo mínimo que podía hacer era disculparme y ofrecer una compensación, aunque tuviera que mentir. Se trataba de una mentira piadosa que, para ser honesta, era un engaño. Después de todo, no podía confesarle que una niña fantasma me había guiado hasta su jardín y que otro espíritu me había abordado mientras la espiaba. Y no eran espectros cualesquiera, sino los de la difunta esposa y la hija de Devlin. Preferí no pensar hasta qué punto podía disgustar a esa mujer..., ni en qué tipo de relación mantenía con él.

Desde luego, la mayor patraña era la que me había creído yo misma. Regresar a ese vecindario poco tenía que ver con un sentimiento de culpabilidad. Quería localizar la casa de aquella misteriosa mujer y verla a plena luz del día para mitigar mi curiosidad. Era plenamente consciente de que algo había nublado mi buen juicio. El cansancio, pensé. Todas esas visitas del inframundo me habían desquiciado y, para colmo, no había pegado ojo. En el transcurso de una sola noche, se me habían presentado dos misterios que me inquietaban sobremanera: el asesinato de Robert Fremont y la imperiosa necesidad de Shani para que la encontrara. No podía imaginarme qué consecuencias implicarían ambas búsquedas, pero ya me sentía agotada, tanto física como emocionalmente. Sin dejar de pasear por la acera junto a *Angus*, me reprendí por obsesionarme con lo sucedido y decidí no darle más vueltas, al menos por aquel día, ni siquiera al ruego de Shani. Hacía un día maravilloso, tan cálido y apacible que el frío inhumano de la noche anterior parecía un recuerdo inventado. *Angus* llevaba correa, pero no era más que una mera formalidad. Jamás se alejaba de mi lado, ni se rebelaba por la limitación de la cuerda, así que le mimaba todo lo que podía. Cuando algo le llamaba la atención y quería olisquearlo, le dejaba todo el tiempo del mundo.

Aproveché esas pausas intermitentes para admirar los jardines que se vislumbraban entre los recovecos de las verjas de hierro forjado. El aroma dulzón de la clemátide otoñal se arrastraba desde el enrejado y, de vez en cuando, percibía el olor especiado de los lirios de jengibre que estaban empezando a florecer. Inspiré hondo y dejé que el perfume de aquella mañana en Charleston me extasiara.

Me detuve para contemplar el amarillo eléctrico de las hojas de un ginkgo, y entonces, de repente, la desconocida de cabellera azabache dobló la esquina de su casa. La reconocí de inmediato, aunque tenía un aspecto ligeramente distinto. La recordaba más alta y con una silueta menos curvilínea, pero igual de seductora. Tenía un rostro hermoso y su porte desprendía una sofisticación clásica que me hizo pensar en sombrillas de encaje y rosas de té inglesas.

Esa no fue, en absoluto, la impresión que me había llevado la noche anterior.

Al mismo tiempo, me fijé en el caoba lustroso de su pelo y en el rubor de sus mejillas, detalles que no había podido detectar desde mi escondite en el jardín. Llevaba un pantalón de pana descolorido y un cárdigan que le llegaba a las caderas. A juzgar por las manchas que tenía en las rodillas y las tijeras de podar que sostenía en una mano, deduje que había estado arreglando el jardín. Si no hubiera lucido una expresión tan ingenua, aquella imagen hubiera resultado siniestra.

—Hola —saludó. Su voz ronca me pilló por sorpresa, aunque no era la primera vez que la oía—. ¿Puedo ayudarte?

Me percaté de que la estaba mirando boquiabierta y, muerta de vergüenza, solté lo primero que se me pasó por la cabeza.

—Tan solo estaba mirando el jardín, es fabuloso.

—Ah, gracias. Aunque me temo que el mérito no es mío. Acabo de mudarme.

Fue entonces cuando reparé en el cartel inmobiliario que estaba clavado en el jardín con una pegatina roja donde se leía VENDIDO.

—No sabía que la casa estaba en venta. —Desde luego que no, puesto que nunca pasaba por esa calle.

—El anuncio no duró ni un telediario. Creo que estuvo en el mercado un par de días. Por suerte, aparecí en el momento apropiado. El propietario necesitaba mudarse lo antes posible, así que aquí estoy —explicó. Dejó a un lado las tijeras de podar y se acercó a la valla. Se había recogido el pelo en un moño bajo, pero la brisa le había alborotado algunos mechones que flotaban alrededor de su rostro como anémonas marinas—. ¿Vives por aquí?

—A varias manzanas, en Rutledge.

Se quitó los guantes y extendió la mano.

—Soy Clementine Perilloux —se presentó con un acento francés muy exótico—. Clemen-tiin.

—Amelia Gray.

Nos estrechamos la mano y luego se arrodilló para acariciar a mi perro.

—¿Y quién eres tú?

—*Angus*.

Ella repitió el nombre en voz baja y el perro metió la cabeza entre la verja para olisquearle la mano. Por lo visto, el aroma de Clementine le impresionó, porque no le gruñó cuando ella le pasó la mano por la cabeza y le rascó tras los dos bultos. Para ser sincera, sentí envidia de *Angus*, que estaba disfrutando de lo lindo.

—Qué cara tan tierna. Fíjate en sus ojos —dijo—. ¿Puedo preguntarte qué le pasó?

—Me dijeron que lo utilizaban como perro de pelea.

Su buen humor se evaporó.

—Ya lo suponía. Cuando iba a la universidad, fui voluntaria en una perrera. Recuerdo haber visto algunas cicatrices y mutilaciones similares. Les cortaban las orejas para evitar heridas innecesarias.

—Eso he leído.

—Se me parte el corazón. Aunque, por lo visto, *Angus* está en muy buenas manos —añadió, y luego se puso en pie—. ¿Dónde lo encontraste?

—Ah, fue él quien me encontró a mí.

—Mejor así, entonces.

Caí en la cuenta de que tenía los ojos color avellana, y tan dulces y transparentes como los de *Angus*. Después de lo que había visto la noche anterior, pensé que la detestaría, pero ahora que habíamos intercambiado cuatro palabras me parecía imposible sentir una pizca de animosidad. Era una persona tan seria y encantadora... Parecía tan... honesta... Jamás la habría identificado como el tipo de mujer que encajaba con Devlin, pero, si Mariama era la vara de medir, podía darme por vencida.

—¿Sabes qué? —dijo con tono alegre mientras se sacudía las manos en los pantalones grises—. Creo que *Angus* y tú deberíais entrar en casa y desayunar conmigo.

—No querría abusar de tu amabilidad —protesté.

—No es ninguna molestia. De hecho, me haríais un gran favor. Todavía no conozco a nadie del vecindario, y me encantaría tener una amiga cerca. Mi familia vive en la ciudad, pero es un poco asfixiante, ya sabes a lo que me refiero.

Para ser sincera, no lo sabía. Mis padres habían optado por la lejanía. Mi madre, por las circunstancias de mi nacimiento; mi padre, por sus secretos. No éramos una familia unida, aunque nunca dudé de que me querían.

Clementine Perilloux abrió la puerta con una sonrisa esperanzada.

—Por favor —insistió—. He preparado bollitos. Y tengo un bote de mermelada de uva de mi abuela.

Su sonrisa era contagiosa, y no tenía excusa para rechazar su invitación, así que me limité a asentir y seguí a la amiguita de Devlin hacia el jardín trasero sin acordarme de la estatua que había roto.

Capítulo 6

*E*staba sentada en el patio, esperando a que Clementiin regresara. Salió con una jarra de zumo recién exprimido en una mano y una cafetera humeante en la otra. Noté un aroma delicioso que se colaba por debajo de la puerta de la cocina.

—¿Estás segura de que no quieres que te ayude? —pregunté de nuevo.

—Todo está casi listo. Relájate y disfruta del jardín.

A *Angus* no tuvo que decírselo dos veces. Había explorado, olisqueado y escarbado cada rincón de aquel paraíso, y ahora estaba rebuscando alguna cosa detrás de las azaleas que me habían servido de cobijo la noche anterior.

Al igual que la propia Clementine, el jardín no era como lo recordaba. Con el atardecer a mis espaldas, me había parecido un lugar encantado, peligroso y etéreo, pero ahora que lo contemplaba a plena luz del día me fijé en que la nueva inquilina se había tomado la molestia de restaurar los lechos de flores olvidados y había podado los arbustos. La edificación consistía en una encantadora casita de dos pisos con tejado de doble vertiente y buhardilla. Sin embargo, cuando me fijé en los detalles, me percaté de que la pintura se estaba descon-

chando y que a unos cuantos ventanales les faltaba la
tela mosquitera. Todo a mi alrededor gritaba a descuido
y abandono.

Los añicos del querubín todavía estaban desparra-
mados sobre el caminito de piedra. Me pregunté si Clementine lo habría echado de menos. Todavía no le había
comentado nada al respecto, y retrasar ese momento
solo haría más difícil la confesión y la disculpa que le
debía.

Sabía de sobra por qué estaba postergando ese momento y, para ser honesta, no me sentía orgullosa. Volvió con una cestita de bollitos recién horneados y un ta-
rro de mermelada de color granate.

—Mi madre la hace cada año —dijo, y se sentó
frente a mí—. Es una tradición familiar. Cuando era
niña y llegaba el otoño, todos montábamos en el coche
e íbamos a recoger las uvas. Aquella excursión con mi
abuela era el día más esperado de todo el otoño.

—Entonces, ¿tu familia vive en Charleston? —pregunté, y cogí un pastelito.

—Sí —respondió. Cogió una tira de panceta de una
bolsa y añadió—: ¿Puedo dársela a *Angus*?

Asentí.

Le llamó y él vino de inmediato. Se zampó aquella
tira crujiente en cuestión de un segundo. Al principio,
me dolió verle tan entusiasmado, pero, a decir verdad,
Clementine también me tenía maravillada. Llegué a
pensar si no era demasiado buena para ser real. Invitar
a desconocidos a desayunar, colaborar de forma al-
truista con una perrera. Una parte de mí se negaba a
creer que pudiera ser tan extraordinaria. Quería
odiarla, pero su exuberancia infantil me encandilaba.

Desvié la mirada hacia el porche. Ahora que la había
conocido en persona, me costaba imaginármela entre
los brazos de Devlin. Y más me costaba no imaginár-

mela. Le ofreció el último pedazo de panceta a *Angus* y luego se incorporó.

—¿Dónde estábamos?

—Me estabas hablando de tu familia.

—Ah, sí. Mi abuela tiene una casa antigua y preciosa en Legare, al norte de Broad, cerca de la catedral de San Juan Bautista —dijo—. Es una herencia familiar. Un caserón repleto de pasillos y recovecos, con plazoletas y jardines espléndidos. Crecí allí. Mi padre murió cuando apenas tenía diez años y nos dejó en la ruina más absoluta. La abuela fue como una bendición, y enseguida nos acogió en su casa.

Me pasó la mermelada.

—Gracias. —Me serví un poco sobre el bollo y di un mordisco. El panecillo todavía estaba caliente, y aquel bocado me supo a gloria. Así que también sabía hornear.

—Intentó convencerme de que volviera a mudarme allí después…, es decir, cuando decidí establecerme en Charleston —explicó con el ceño algo fruncido—. Supongo que habría sido lo más cómodo, pero necesitaba demostrar que podía arreglármelas sola. Tenía unos ahorros y, no te voy a engañar, siempre había querido reconstruir una casa antigua, así que…

—Aquí estás.

Inspiró profundamente y soltó el aire.

—Sí.

Cuando se llevó la taza de café a los labios, reparé en un ligero temblor en la mano. Alcé la vista y capté algo en su mirada que me hizo reflexionar. Quizá, tras esa fachada encantadora, se escondía una mujer totalmente distinta.

—Es una casa preciosa —comenté, tras ese breve momento de desasosiego.

Miró a su alrededor, pletórica.

—Me muero por empezar. Mi hermana se ha ofrecido a ayudarme, pero prefiero hacer todo lo que pueda sola. No me malinterpretes, no soy del todo autosuficiente. Acepté un trabajo que me ofreció mi abuela.

—¿A qué te dedicas? —quise saber.

—Trabajo en su librería, que tiene un pequeño salón de té. El local no es muy grande, pero a mí me parece acogedor. Está en la calle King, se llama El Jardín Secreto. ¿Lo conoces?

—Estuve allí no hace mucho —respondí, sorprendida—. Es una tienda muy bonita. Y la selección de té es alucinante.

—Ya decía yo que me resultabas familiar —murmuró, y estudió mis facciones—. Sabía que nos habíamos visto antes, pero no lograba ubicarte.

Sentí un soplo de aire fresco que me puso la piel de gallina. Clavé la mirada en el plato.

—Quién sabe. Quizá me viste en la tienda, o a lo mejor nos hemos cruzado por la calle en más de una ocasión.

«O anoche me pillaste espiándote entre los arbustos.»

—Seguro.

—¿Hace cuánto que tu abuela tiene esa tienda?

—Oh, desde siempre. Se trasladó a Charleston desde Rumanía cuando no era más que una muchacha. Entonces tenía una salita en la trastienda donde leía las hojas de té. Debo decir que se ganó una reputación como quiromántica. Algunos de sus clientes pertenecían a las familias más ricas y poderosas de la ciudad. De hecho, así fue como conoció a mi abuelo.

—¿Le leyó el futuro?

Clementine esbozó una sonrisa.

—En beneficio propio, sin duda. La abuela no tiene un pelo de tonta.

—¿Todavía se dedica a leer las manos?

—De vez en cuando, pero nunca acepta dinero a cambio. Dejó el negocio después de casarse con mi abuelo porque su círculo de amigos lo consideraban como una práctica inapropiada, casi satánica, aunque muchos eran sus mejores clientes. Sin embargo, no dio su brazo a torcer con la tienda, y se la quedó. Según ella, solo una mujer estúpida confiaría en la discreción y generosidad de un hombre, y eso que mi abuelo estaba enamoradísimo de ella. Una opinión muy progresista teniendo en cuenta la época.

—Por lo que dices, parece una mujer muy interesante.

—Y lo es, desde luego. Pásate por la tienda algún día, y te la presentaré —dijo mientras me ofrecía un segundo panecillo, aunque todavía no me había terminado el primero—. Oh, come un poco más, por favor —me animó—. Todo lo que sobre irá directo a mis caderas.

No tuve más remedio que aceptar el ofrecimiento.

—Bueno, ya ves que me enrollo como una persiana —bromeó—. No sé lo que me pasa. —Una pausa—. Es muy fácil hablar contigo.

—¿Ah, sí?

Nunca lo habría dicho. Había pasado la mayor parte de mi vida sin compañía humana, así que no había desarrollado ninguna habilidad social.

—Eres una persona amable, apetece hablar contigo porque desprendes serenidad —dijo, y luego extendió la mano. Esta vez no le tembló ni un ápice—. ¿Puedo?

Me aparté de inmediato.

—Ah, no lo sé. No es algo que me llame la atención. De hecho, siempre he preferido no saber lo que me depara el futuro.

—No te preocupes. Solo sé lo básico. Las dos manos,

por favor. La izquierda muestra el futuro, y la derecha, el pasado.

Posé ambas manos sobre la mesa, con las palmas hacia arriba. Las estudió sin tan siquiera tocarlas.

—¿A qué te dedicas, Amelia?

—A restaurar cementerios.

—¿De veras? Qué interesante. ¿Y en qué consiste exactamente?

Se inclinó y volvió a escudriñar mis manos.

—En resumen, recupero antiguos cementerios que están abandonados, o en estado de deterioro.

—¿Te refieres a sepulcros familiares?

—Y a cementerios públicos también. Después de un par de generaciones, las tumbas caen en el olvido y ya casi nadie las visita. El deterioro es muy rápido. El suelo se hunde, las lápidas se agrietan… Cementerios enteros se ven engullidos por vegetación salvaje que… —Me quedé callada—. Ahora soy yo la que está hablando por los codos.

—En absoluto. Me encantan los cementerios antiguos. Pero nunca me he parado a pensar en el cuidado que exigen. Imagino que el vandalismo supone un gran problema.

—Vandalismo, lluvia ácida, musgo, liquen… Los problemas cambian según el cementerio. El tiempo y la atención que requiere la restauración de un camposanto siempre es diferente. Cada piedra y cada lápida exigen un cuidado distinto. Mi lema es: no causes daños.

—Como el juramento hipocrático —dijo—. Es un lema que podríamos seguir todos.

—Toda la razón.

—Cuando era una niña, me fascinaba pasar las tardes de domingo explorando los cementerios de Charleston. Recuerdo que mi abuela siempre me acompañaba. El Unitarian siempre fue mi favorito. Adoraba las flores silvestres que crecían allí y la historia sobre Annabel Lee. Se supone que fue la inspiración del poema de Poe, ¿lo sabías? Cada vez que visitábamos el cementerio, le rogaba a mi abuela que volviera a explicarme la historia, aunque me aterrorizaba encontrarme con su fantasma. Por suerte, nunca sucedió tal cosa.

Tenía la mirada fija en mis palmas y, de golpe y porrazo, se estremeció.

—Hmm…, qué interesante.

—¿Interesante en el buen o en el mal sentido? —pregunté algo alterada.

—Tienes manos de agua —aclaró—. Di por hecho que serías más de tierra.

—¿Por mi profesión?

—Entre otras cosas.

Suficiente, pensé. Entrelacé los dedos y coloqué las manos sobre el regazo. Clementine no se opuso.

—Tienes unas líneas poco comunes —musitó tras sorber un poco de café—. Pero no soy lo bastante experta para darte una interpretación adecuada. Deberías dejar que mi abuela te leyera la mano. O mi hermana. Posee un gran talento. Me atrevería a decir que es la mejor de la familia.

—Gracias, pero, como ya te he dicho, prefiero no saber lo que me espera.

Se inclinó sobre la mesa.

—Te contaré un secreto. El arte de la quiromancia no se reduce únicamente a una habilidad psíquica. Es un arte, pero también una ciencia. Un buen adivino se parece más a un psicólogo que a un profeta. Basa sus predicciones en una serie de factores que deduce del cliente, y luego sugiere un resultado lógico y probable. Según mi hermana, a nadie le interesa esta metodología. La gente que acude a un vidente lo hace porque se siente atraída por lo místico. En otras palabras, quieren espectáculo, e Isabel se lo proporciona de una forma irreverente. Se hace llamar Madame Sabiduría.

—¿Es una quiromántica profesional?

Madame Sabiduría. Me sonaba de algo, pero ¿de qué?

—Regenta un local en el barrio histórico, cerca de Calhoun.

Empezaba a preocuparme.

—¿Por casualidad no estará enfrente del Instituto de Estudios Parapsicológicos de Charleston?

Clementine abrió los ojos de par en par.

—No me digas que has estado allí. Vaya, vaya, eso sí es una coincidencia.

Ojalá llevaras razón, pensé para mis adentros. Eso tenía un nombre: sincronía.

—El director del instituto es un buen amigo mío —dije—. Cada vez que voy a verle, me fijo en ese local. No tiene pérdida. Hay una mano de neón en la puerta.

—Sí, ese es. Pero que el nombre no te engañe. Isabel se toma su trabajo muy en serio.

La última vez que había estado allí, había pillado a Devlin apoyado en la barandilla de la terraza, junto a una morena de infarto que, entonces, deduje era la vidente. Ahora no me cabía la menor duda: era ella. Por fin las piezas empezaban a encajar; la desconocida con quien le había visto la última noche no era Clementine Perilloux, sino su hermana, Isabel.

Las dos nos quedamos en silencio. Me acabé la taza de café y, dado el nuevo giro de acontecimientos, creí oportuno salir de allí con educación y olvidarme del incidente de la estatua. Había esperado demasiado, por lo que confesar mi indiscreción sería demasiado incómodo para ambas. Pero Clementine me había tratado tan bien que creí que merecía saber la verdad.

Señalé el jardín con la barbilla y dije:

—Uno de los querubines se ha roto.

—¡Ah! Isabel me comentó que anoche John vio a alguien merodeando por el jardín.

El corazón me dio un vuelco.

—¿John?

—Es un detective de policía. Isabel y él… —me acerqué a la mesa—… son muy buenos amigos.

¿Amigos? Tenía la esperanza, y el temor, de que elaborara un poco más la respuesta, pero al ver que no añadía una palabra más, suspiré aliviada.

—¿No estás molesta por lo de la estatua?

Parpadeó.

—Había una muy parecida en el jardín de… donde vivía antes. Aquel lugar no me aportó nada bueno, así que me alegra haberme deshecho de lo único que me lo recordaba.

Por alguna extraña razón, me sentí fuera de lugar.

—Ha sido un desayuno fantástico, pero *Angus* y yo deberíamos irnos —me disculpé mientras notaba un suave cosquilleo en la espalda.

—Os acompañaré hasta la puerta —dijo ella—. Prométeme que vendrás a visitarme algún día. La próxima vez invitaré a Isabel. Me encantaría que la conocieras. Sé que no soy objetiva, pero es…, bueno, tendrás que comprobarlo por ti misma. Creo que os llevaríais la mar de bien. Tenéis mucho en común.

Capítulo 7

*E*sa noche cociné una cena ligera para uno y, tras lavar los platos y secarlos, me preparé una taza de té y me puse a trabajar. Mi despacho, ubicado en la parte trasera de la casa, era una galería reconvertida, que en lugar de paredes lucía grandes ventanales. Durante el día, la luz que se filtraba por los cristales desde el jardín era cálida y relajante, pero, cuando caía la noche, la oscuridad que se extendía tras los ventanales estimulaba mi imaginación, en especial en momentos como aquel, cuando percibía la presencia de un espíritu inquieto.

No estaba dispuesta a que aquel hormigueo en la nuca truncara los planes que me había propuesto. No miraría a mi alrededor. No peinaría el paisaje en busca de una manifestación. Así que encendí el portátil y abrí un nuevo documento de texto. El blog llevaba varias semanas abandonado y, puesto que no tenía pendiente ningún encargo de restauración, el dinero que generaba la publicidad que se anunciaba en *Cavando tumbas* se había convertido en mi principal fuente de ingresos. Ya se me había ocurrido un nuevo tema: «El *voyeur* de criptas: comulgar con los muertos». Iba a ser un artículo sobre la popularidad de los cementerios en la época victoriana. Sin embargo, aquel tema se presumía profético, ya que últimamente había pasado demasiado tiempo charlando con fantasmas.

Me concentré en la tarea y redacté un primer borrador del artículo. Guardé el archivo y entré en Internet para investigar un poco más. Si decidía ayudar a Robert Fremont para encontrar a su asesino, tendría que estudiar toda la información a la que pudiera acceder. No me sentía cómoda en aquel papel de detective, pero siempre me habían fascinado los misterios, y la investigación era la pieza clave de cualquier restauración. Había aprendido a desenterrar hasta los detalles más escabrosos, pero, por desgracia, apenas encontré información útil sobre el asesinato. Según tenía entendido, Fremont estaba trabajando en un caso como agente encubierto, así que supuse que, incluso después de su muerte, ciertos informantes y datos no salieron a la luz. Encontré una página web dedicada a archivar casos antiguos en los que el Departamento de Policía de Charleston estuviera implicado donde le mencionaban. Rastreando la Red me topé con una crónica del tiroteo y un obituario.

Fremont tenía treinta años cuando falleció. Había asumido que rondaba la misma edad que Devlin porque los dos habían asistido a la academia de policía juntos. De hecho, había visto una fotografía de ambos el día de su graduación, junto a un tercer tipo llamado Tom Gerrity, que ahora trabajaba como detective privado en la ciudad. Devlin y él no ocultaban el desprecio que sentían el uno por el otro. Ese resentimiento guardaba alguna relación con la muerte de Fremont, pero no conocía los detalles, y el artículo que leí no mencionaba a ninguno de los dos.

Los testigos del tiroteo jamás se presentaron en la comisaría, y se decidió no revelar información sobre el caso y los sospechosos a la prensa. Por lo visto, tanto la

Oficina del Sheriff del condado de Beaufort como el Departamento de Policía de Charleston archivaron el caso bajo llave.

Tras leer con detenimiento el artículo y la necrológica, hubo dos detalles que llamaron mi atención. Primero, Fremont se había criado cerca de Hammond, en un pueblecito situado en la costa de Carolina del Sur, el mismo lugar donde Mariama había crecido. Y segundo, el tiroteo se había producido el día después del accidente. El departamento había calculado que Fremont había muerto entre las dos y las cuatro de la madrugada, varias horas después de que el coche de Mariama se estrellara contra la valla de contención, y de que tanto madre como hija quedaran atrapadas.

Había visto la lápida de Robert Fremont la primavera anterior, durante la restauración del cementerio de Coffeeville, pero, como por aquel entonces no sabía quién era, no me quedó grabada la fecha de su muerte. Ahora, tras descubrir la relación del agente con Devlin y muy posiblemente con Mariama, la proximidad de sus defunciones me intrigaba.

Cogí un bloc de notas y un bolígrafo, y dibujé un pequeño diagrama de nombres y flechas:

Devlin > Shani > Mariama > Fremont

Y luego añadí:

Clementine > Isabel > Devlin

Mientras observaba aquella serie de nombres, me convencí de una vez por todas de que lo que me había sucedido en las últimas horas no era fruto de la casualidad. Ni el asalto de Mariama ni el ruego lastimoso de Shani ni, por supuesto, el acecho de Fremont. Los tres fantasmas deseaban inmiscuirse en mi vida por una razón. Todo estaba relacionado, y las piezas del rompecabezas empezaban a encajar.

«Por fin los astros se han alineado. Los jugadores están donde les corresponde», había dicho Fremont.

Reanudé mi búsqueda hasta que las palabras de la pantalla se tornaron borrosas y empecé a sentir un dolor agudo en las cervicales. Me levanté y estiré las piernas. Una vocecita en mi cabeza me repetía que debería acostarme pronto e intentar descansar. Estaba agotada y apenas me quedaban fuerzas. No sabía lo que me tenía reservado el destino, ni qué ocurriría en los próximos días, por no hablar de las noches. No me atrevía ni a pensarlo.

Pero después de todo lo que había pasado sería imposible conciliar el sueño. Me había implicado en un asunto que no auguraba nada bueno, y estaba convencida de que me perseguía algo oscuro y maligno. Y Devlin también estaba involucrado. Lo presentía. Por eso me había estado buscando, por eso sentía aquel irresistible imán hacia él.

Las paredes de mi santuario empezaban a caérseme encima. No era la primera vez que renegaba del legado que había heredado. Estaba harta de no poder alejarme de suelo sacro. Durante toda mi vida había seguido las normas de mi padre a rajatabla y me había enclaustrado en mi propia soledad sin protestar, pero ahora sentía una rebeldía hirviendo en mi interior. Una explosión de impulso imprudente que poco tenía que ver con un propósito noble y honesto.

Deseaba ver a Devlin.

No de lejos, como la noche anterior, ni con otra mujer. Le quería aquí, a mi lado, en mi refugio, donde los fantasmas no pudieran atormentarnos. Anhelaba el roce de su piel, su calor, el sonido de mi nombre en sus labios. De pronto, me puse en pie, me dirigí hacia la ventana y apoyé la frente en el frío cristal. «¿Por qué no vas a buscarle? —me pregunté—. ¿Por qué no coges toda tu precaución y la mandas a tomar viento?» Ya había quebrantado las normas. La puerta ya se había entreabierto. Había sido testigo de cosas terribles. ¿Qué más podía ocurrir?

Maldito mensaje.

Miré a *Angus*. Ya estaba acostado en su cama. A juzgar por los párpados caídos, no tardaría en dormirse, señal de que, a pesar de mis miedos, todo andaba bien dentro y fuera de casa. Se le movían los bultos de las orejas, y me pregunté si estaría soñando con su terrible pasado, con la época que pasó como perro de pelea. Tenía la esperanza de que, con el tiempo, los dos pudiéramos dejar nuestras pesadillas atrás.

De pronto, entreabrió un ojo y me lanzó una mirada apenada.

—Lo siento —murmuré—. A mí tampoco me gusta que me observen mientras duermo.

Se acomodó, se lamió las pezuñas y volvió a quedarse roque. Me giré hacia los ventanales para contemplar el jardín de nuevo, con la luz de las estrellas como única iluminación. Se había levantado un viento suave. El musgo que colgaba del viejo roble se balanceaba como una cortina de telaraña y los carillones de viento tintineaban de forma discordante.

Se avecinaba una tormenta, lo cual me sorprendió, porque hacía tan solo una hora el cielo estaba despejado. No sé por qué, pero, de repente, pensé en la ira de Mariama. ¿Lo estaba provocando ella? ¿Qué poder ejercía desde su tumba?

Me llevé una mano al pecho, justo en el punto donde su cólera me había azotado. Desde muy pequeña había notado el roce de un fantasma, que básicamente se reducía a un aliento gélido en la nuca y a unos dedos de hielo peinándome el cabello. Pero con Mariama era distinto. Me sentía físicamente amenazada. Me aterrorizaba más que cualquier otro fantasma.

Quería que me alejara de su marido. Eso era obvio. Por los rumores que me habían llegado, en vida había sido una mujer inestable. Apasionada y tempestuosa. Y temía que la muerte hubiera intensificado aún más su furia iracunda.

Al girarme, capté el destello de mi reflejo en el cristal. Vislumbré una criatura pálida y demacrada con las mejillas hundidas y ojos cadavéricos. No me parecía en nada al recuerdo que debía de guardar Devlin de su esposa, una mujer exótica y exuberante. Ni a la misteriosa Isabel Perilloux.

Me acerqué un poco más a la ventana y aprecié las cicatrices que me había dejado mi estancia en las montañas; unas líneas delgadas y blancas que tenía esparcidas por la cara y los brazos. Eran el testigo de docenas de heridas y cortes profundos. Estuve a punto de perecer en Asher Falls, pero ahora estaba en Charleston y, al igual que esas marcas, el devastador recuerdo de aquel pueblo se estaba desdibujando.

El tiempo que pasé junto a Thane Asher quedó grabado como un sueño lejano y borroso. Había días en que, de golpe y porrazo, me acordaba de él y sentía un pinchazo de arrepentimiento. Lo añoraba, pero no tanto como a Devlin. No lo deseaba en mi cama, ni me despertaba en mitad de la noche creyéndole a mi lado, sintiendo sus caricias por todo mi cuerpo. El recuerdo de Devlin me atormentaba, como a él sus fantasmas.

Estaba obsesionada con ponerme a trabajar, pero no era capaz de concentrarme. Estaba dispersa, y mi refugio se había transformado en un lugar claustrofóbico. Era evidente que salir después del atardecer sería una mala idea, y más teniendo en cuenta que, por ahora, estaba a salvo.

Pero… quizás un poco de aire fresco me vendría bien, me dije. Un paseo corto por la orilla del río Ashley podría tranquilizarme y ayudarme a conciliar el sueño.

Minutos más tarde, me tragué mi propia mentira, me subí al coche y me dirigí hacia la calle donde vivía Devlin.

Capítulo 8

*E*n todos los meses que llevábamos sin vernos, jamás había pasado por delante de su casa, ni me presenté por casualidad en un lugar donde intuía que Devlin podía estar, ni tampoco le llamé por teléfono, puesto que sabía que, en cuanto respondiera la llamada, yo colgaría. Tenía veintisiete años, la edad suficiente como para no recurrir a unas tácticas tan adolescentes, pero, para qué engañarme, nunca las había utilizado.

En mi etapa de juventud apenas hice amigos, por no hablar de novios. Me pasaba el tiempo libre ayudando a mi padre a barrer las tumbas y aprovechaba la menor oportunidad para escabullirme hacia el campo sagrado del cementerio de Rosehill, lejos de los fantasmas y a solas con mis novelas. Y allí, dejada de la mano de Dios, devoraba mis libros favoritos, en especial clásicos románticos: *Jane Eyre*, *Orgullo y prejuicio*, *Rebeca*.

Así pues, no es de extrañar que la noche en que le conocí, cuando Devlin apareció de entre la niebla, tan enigmático y melancólico, con un pasado tan trágico a sus espaldas, se hubiera encendido la mecha, por decirlo de alguna manera. No tenía ninguna posibilidad con él.

En la vida real, jamás había conocido a un héroe

propio de Byron. En una ocasión, mi amiga Temple destacó que, salvo Devlin, siempre había sentido atracción por hombres que me proporcionaban seguridad. Eruditos e intelectuales. Pusilánimes, los había llamado, y me advirtió que me anduviera con mucho cuidado con hombres como John Devlin. Según ella, Mariama habría aprendido un sinfín de artimañas para controlar a su marido. Sin embargo, una chica como yo, solo podía acabar de una forma: con el corazón roto.

En eso había acertado de pleno, pero no era culpa de Devlin. Él no podía evitar que los fantasmas de su esposa e hija le atormentaran. Todavía no estaba preparado para dejarlas marchar.

Entonces, ¿por qué había venido a su casa? ¿Qué esperaba conseguir? No había cambiado nada. Los fantasmas de Devlin seguían aferrados a él, y la advertencia de Mariama no podía haber sido más clara: «Aléjate».

Una advertencia que debería haber tenido en cuenta.

La adrenalina fluía por mis venas y era incapaz de pensar con claridad. Tomé la primera curva y aparqué en la calle donde vivía el detective. Las nubes que se arrastraban desde el océano eclipsaban la luna, así que el vecindario estaba sumido en una negrura atroz.

Por suerte, no me crucé con ningún fantasma mientras correteaba por la acera. Apenas eran las diez de la noche, una hora temprana para los vivos. Advertí unos reflectores de bicicleta en la esquina. No tardé en averiguar que se trataba de una pareja joven que había salido a dar un paseo antes de acostarse. Me dieron las buenas noches al pasar. Todo parecía normal.

Sin embargo, nada de lo que estaba sucediendo podía catalogarse como normal. Mi comportamiento impulsivo desde luego que no lo era. Podía oír a mi madre si me hubiera pillado escabulléndome de casa en mitad de la noche: «Ninguna jovencita decente se presentaría sin avisar en casa de un hombre a estas horas de la noche. Recibiste una buena educación».

Y así era. Sin embargo, ahí estaba.

Mi madre tenía cosas más importantes de las que preocuparse, por supuesto. Su lucha contra el cáncer había dejado huella en ella y, aunque los médicos nos aseguraron que había pasado por la etapa más dura del tratamiento, todavía le quedaba mucho camino por recorrer.

En noches como esas, cuando me sentía sola, confundida y desbordada, lo que más deseaba era estar junto a ella, con la mejilla apoyada en su regazo, y poder desahogarme. Quería contarle mi historia con Devlin, y que ella me acariciara la espalda y murmurara palabras de consuelo, repitiéndome una vez tras otra que, al final, todo saldría bien.

Podía contar con los dedos de una mano las ocasiones en que mi madre me había ofrecido consuelo, incluso antes de que le diagnosticaran cáncer, cuando no era más que una niña. Adoraba a mi madre, pero, hasta donde me alcanzaba la memoria, ella siempre se había mostrado distante. Las circunstancias de mi adopción habían abierto un abismo entre las dos, y le aterrorizaba saltarlo. Y luego estaban los fantasmas. Mi madre no podía verlos. Ese oscuro don solo nos pertenecía a mi padre y a mí. Era la cruz que nos había tocado cargar, y el peso de nuestro secreto también había hecho que mi madre se alejara de nosotros.

El lío en el que me había metido ya era bastante alarmante como para preocuparme por ella. Varios fantasmas habían invadido mi mundo, oía pájaros cantores que me guiaban a lugares prohibidos y no podía quitarme de la cabeza el rompecabezas que me había explicado Robert Fremont. En mi mundo, antes ordenado y angosto, reinaba el caos.

A medida que avanzaba entre la penumbra, me ocurrió algo muy extraño. La noche se tornó más oscura, más fría. Pero algo me decía que la sensación no era real. Nada de aquello era real. Ni el ruiseñor, ni los fantasmas, ni siquiera mi pequeña escapada a la casa de Devlin. Estaba en casa, sana y salva, soñando en mi cama. ¿Cómo, si no, podía explicarse aquel repentino letargo? ¿La misma respiración agitada e idéntica pesadez en las piernas que sentía cuando tenía pesadillas? ¿Por qué, si no, la calle que se extendía ante mí parecía infinita, como un túnel creado de la nada, de la simple negrura?

El miedo me oprimía el pecho y empecé a aminorar el paso, casi arrastrando los pies. Notaba decenas de ojos clavados en mí, observándome y vigilándome mientras un sinfín de brazos trataban de agarrarme.

En un abrir y cerrar de ojos, la angustia desapareció. Los brazos recuperaron el aspecto de ramas y las miradas se desvanecieron. Dejé escapar un suspiro. ¿Qué había sucedido? ¿Acaso era una advertencia?

Sin dejar de temblar, continué caminando calle abajo. Percibí un ligero cambio en el ambiente, un frío que nada tenía que ver con la temperatura. Las dos primeras semanas de octubre habían sido más calurosas de lo habitual; durante las horas de sol, el día se sentía cálido y apacible. Por la noche refrescaba, pero aun así, la sensación seguía siendo agradable. Aquella corriente glacial venía del más allá. De pronto, el mundo de los espíritus se había acercado. De hecho, jamás lo había percibido tan cercano.

Miré de reojo a ambos lados, inquieta. No advertí ningún movimiento extraño, ninguna sombra fuera de lo común, pero sabía que estaba rodeada de entidades que se deslizaban por las calles peatonales y callejones, que flotaban sobre jardines amurallados y edificaciones históricas.

Percibían mi energía, del mismo modo que yo sentía el frío que desprendían.

Una ráfaga de viento agitó las hojas secas que yacían sobre la alcantarilla, y aprecié un parpadeo de luz sobre las copas de los árboles. La casa de Devlin estaba justo ahí, una edificación al más puro estilo Reina Ana que había comprado para Mariama. Titubeé y, una vez más, tuve la impresión de que alguien había arrojado un hechizo sobre mí. Fue precisamente en esa casa donde sucumbí a los encantos de Devlin. Fue allí donde se abrió la puerta que permitió a los otros entrar en este mundo.

Lo más sensato hubiera sido dar media vuelta y marcharme de allí antes de que fuera demasiado tarde, pero no fui capaz. Empecé a revivir la noche que pasé con Devlin, a rememorar cada uno de sus abrazos. Recordé el deseo con que me había besado y el modo en que le había devuelto los besos, como si no pudiera saciarme. Volví a escuchar el ritmo primitivo de la música africana que sonaba en su habitación. El recuerdo era tan vívido, tan real… El calor de su piel mientras le acariciaba el pecho, mientras le besaba el torso…, y luego miré por encima del hombro y descubrí que Mariama me estaba observando desde el espejo.

Me deshice de aquella imagen tan perturbadora y crucé la calle. Unos cuantos truenos resonaron en el puerto. El aire se tornó más húmedo. Noté un escalofrío en la espalda y lo adiviné enseguida. Se avecinaba una tormenta. Las señales no habían podido ser más ominosas. A pesar del mal presagio, continué.

Nunca sabré si hubiera tenido agallas suficientes

para subir los peldaños de su casa y tocar al timbre. Mientras andaba por la acera, con la piel de gallina por culpa de aquella brisa espeluznante, vi que se abría la puerta principal y escuché voces en el recibidor.

Actué por instinto y, por segunda vez en una semana, me escondí entre los arbustos.

Capítulo 9

—Se acerca una tormenta —escuché decir a Devlin.

Estaba hecha un ovillo entre los matorrales, como una acosadora de manual.

—Eso parece —respondió otra voz masculina—. El mal tiempo nunca es pájaro de buen agüero.

—Si crees en ese tipo de cosas, claro.

—Ah, claro. ¿Cómo he podido olvidarme? No hay nada más allá de los cinco sentidos, ¿verdad, John?

—He aprendido a confiar en mis instintos. ¿Eso cuenta para algo?

La voz del detective siempre surtía el mismo efecto en mí. Me encogí un poco más entre los arbustos que crecían junto al porche. Sin embargo, no pude resistir la tentación de asomarme entre las hojas para intentar verle.

No le había vuelto a ver desde que nos despedimos en el cementerio de Chedathy, varios meses atrás, aparte de cuando me había pillado espiándole. No había contestado ninguna de sus llamadas telefónicas ni correos electrónicos porque sabía que el único modo de pasar página era cortar de raíz mi relación con él. Durante mi breve estancia en Asher Falls, traté de convencerme de que ya había superado lo nuestro. Había conocido a un chico que me gustaba, me atraía y con quien podría ser feliz.

Por fin se me había caído la venda de los ojos. No podía pensar en otro hombre que no fuera Devlin, pero mientras esa puerta siguiera abierta, hasta que sus fantasmas no le dejaran libre, no había esperanza.

Entonces, ¿por qué no podía aceptar mi destino y olvidarme de él? Si me las había ingeniado para estar lejos de él durante todos estos meses, ¿por qué me estaba costando tanto mantener esa distancia?

Porque lo había visto con otra mujer. Porque me asustaba que él ya me hubiera olvidado.

Quizá fuera eso. Y entonces se me ocurrió otra explicación: a lo mejor Mariama me había guiado hasta allí a propósito. Me resultaba mucho más fácil culpar a un fantasma que aceptar la responsabilidad de un comportamiento tan cuestionable como el que estaba adoptando.

Fuera cual fuera el motivo, estaba atrapada allí, al menos hasta que el invitado de Devlin se marchara y él volviera a casa. Me moriría de vergüenza si alguno de los dos me pillaba escondida entre los matorrales.

Con sumo cuidado, cambié de postura para ver lo que ocurría en el porche. El detective estaba apoyado en la barandilla del porche, alumbrado únicamente por la luz de la lámpara *chandelier* que se colaba por la puerta. No alcanzaba a verle la cara, pero no me hizo falta. Cada uno de sus rasgos, aquella mirada oscura, aquella boca tan sensual, estaba grabado en mi memoria. Visualicé la cicatriz dentada que tenía debajo de los labios, esa diminuta imperfección que siempre me había fascinado.

La voz de su acompañante me era familiar, pero estaba de espaldas a mí, así que no le reconocí hasta que se giró para escudriñar el jardín. La luz del recibidor le alumbró el rostro, y ahogué un grito.

Era Ethan Shaw, un antropólogo forense con quien había colaborado hacía varios meses. Lo conocí a través de su padre, el doctor Rupert Shaw, que dirigía el Instituto de Estudios Parapsicológicos de Charleston. El doctor Shaw fue uno de los primeros amigos que hice cuando me mudé a la ciudad. Le había intrigado un vídeo «fantasma» que había colgado en mi blog, y me escribió un correo electrónico para concertar una reunión. Un becario que trabajaba con él decidió trasladarse a Europa de repente, y fue el doctor Shaw quien me ofreció quedarme allí, en la casa que se convertiría en mi santuario particular.

Me quedé helada al ver a Ethan en aquel porche. Tras unos segundos, se volvió hacia Devlin.

—Me ha parecido oír algo.

—Lo más seguro es que fuera el viento.

—O mi imaginación.

—También es posible. Toma —dijo, y le ofreció una cerveza.

Los dos abrieron las botellas y distinguí el suave burbujeo de la cerveza.

Devlin estaba con los pies ligeramente separados y los hombros bien cuadrados, como si estuviera preparándose para defenderse de algo desagradable. Era un hombre alto y fuerte, pero, tras tantos años de tormento, se había quedado demasiado delgado, demacrado. Sin embargo, aun así, seguía ostentando algo poderoso, casi amenazador. Estaba contemplando la penumbra con el ceño fruncido cuando Ethan rompió el silencio:

—No me importa admitir que soy un hombre asustadizo —dijo Ethan, y dejó escapar una risita incómoda. Se sentó sobre la barandilla y Devlin apoyó un hombro en la pared del porche—. Ni en un millón de años habría esperado encontrarme a Darius Goodwine en plena calle. Me miraba fijamente. Te lo juro, John, fue una sensación espeluznante. Una coincidencia muy extraña.

—No creerás que es mera coincidencia, ¿verdad?

—Para ser sincero, no le veo otra explicación. Nunca paseo por ese vecindario. De hecho, jamás paso por allí en coche. Y justo hoy me llaman para que acuda a una casa antigua de Nassau, para que examine unos huesos que han descubierto debajo del porche. Lo encontré de camino. Ahí estaba. Llevaba gafas de sol y un sombrero, así que puede ser que lo haya confundido…

—No lo has confundido —corrigió Devlin—. Era él.

—¿Cómo estás tan seguro?

—Algo está sucediendo en esta ciudad.

—¿A qué te refieres?

Devlin se quedó callado, observando las copas de los árboles. Por alguna razón pensé en el canto del ruiseñor y en lo mucho que él había insistido en que el pájaro que había oído era un sinsonte.

—Hace unos días se halló el cadáver de una mujer al este de la ciudad. El análisis toxicológico desveló algunas sustancias químicas bastante peculiares. Una gran cantidad de psicodélicos botánicos, según el forense, junto a otra sustancia que nadie ha sido capaz de identificar.

—¿Y qué tiene que ver eso con Darius?

—Todo apunta a que esa sustancia desconocida es polvo gris.

—¿Polvo gris? Jesús —murmuró Ethan, y volvió a otear la oscuridad. Bajo el suave resplandor de la luz que se colaba por la puerta, parecía pálido y tenso. Habría jurado distinguir una nota de miedo en su voz—. Pensé que eso había desaparecido hace años.

—Pues, por lo visto, ha vuelto a salir a la luz. Justo cuando Darius Goodwine regresa de su año sabático en África —respondió Devlin con tono serio—. Solo existe una fuente de polvo gris y tan solo un puñado de forasteros tienen acceso a ella. Él es uno de ellos.

—Sí, pero no el único.

—Venga ya —espetó Devlin, impaciente—. El encontronazo de hoy no ha sido casual. Quería que le vieras, y punto. Ya se ha encargado de que esos rumores del polvo gris llegaran a mis oídos. Y estoy convencido de que él ha sido el responsable de que esas sustancias químicas aparecieran en la sangre de aquella mujer. Todos sus movimientos tienen un propósito. —Una vez más, Devlin alzó la cabeza, como si quisiera detectar algún sonido lejano. Yo también miré hacia los árboles, pero todo estaba en silencio.

—¿Qué pasa? —preguntó Ethan, que sonaba ansioso.

—Nada. Supongo que también oigo cosas extrañas.

—Darius provoca ese efecto —farfulló Ethan, y se rascó la nuca—. Me cuesta creer que un hombre de su posición esté dispuesto a asumir ese riesgo. No nos engañemos, le sale el dinero por las orejas.

—El dinero nunca ha sido su motivación. El polvo gris le otorga el poder de jugar a ser Dios.

—Quien maneja la vida y la muerte —susurró—. ¿No era eso lo que solía decir?

Devlin se deslizó hasta los peldaños sin apartar la mirada del jardín. Si agachaba la cabeza en el ángulo apropiado, me vería, sin duda. Deseaba pasar desapercibida entre las sombras, pero temía que cualquier sonido llamara su atención. Si me descubría ahí acuclillada, la humillación sería terrible, pero, a decir verdad, la conversación que estaba presenciando me tenía embrujada. El apellido de soltera de Mariama era Goodwine, así que sospeché que la esposa de Devlin tenía algún tipo de conexión con el misterioso Darius.

Lo que no logré explicarme fue por qué la mera

mención del nombre de ese desconocido pareció invocar el terror. Sentí un temblor en el aire que de inmediato me aceleró el pulso.

—Siempre pensé que el polvo gris no era más que un mito —dijo Ethan—. Cuando mi padre y Mariama hablaban sobre ello con tanto respeto y veneración, recuerdo que me burlaba. Sigo diciendo que es un alucinógeno muy potente, ya está.

—Es más que eso —añadió Devlin—. Se sufre un paro cardiaco, y la mayoría de las víctimas muere. Los que logran sobrevivir…

Bajó los escalones y se volvió, de modo que la voz quedó amortiguada y no pude entender el resto del comentario.

—¿Los has visto? —preguntó Ethan.

—Siguen ahí fuera. Solo debes saber dónde buscar. Date una vuelta algún día por la zona este, paséate por la calle América. Suelen esconderse entre los adictos al crac y los heroinómanos, aunque son inconfundibles; tienen la mirada perdida y blanquecina, como la de un cadáver, y se mueven arrastrando los pies, como si cargaran con algo sacado del mismísimo Infierno.

Ethan se quedó mudo.

—Mi padre solía llamarlos muertos vivientes.

—No son zombis —protestó Devlin—, sino hombres ingenuos que confiaron en Darius Goodwine.

Ethan se puso en pie y avanzó hacia la escalera. A pesar de que no podía verles la cara, desde mi escondite los oía alto y claro.

—¿Qué piensas hacer? —preguntó al detective.

—Alguien tendrá que pararle los pies.

—Espero que no seas tú. Es un hombre poderoso, John. Por lo que he oído, tiene discípulos repartidos por toda la ciudad. Y muchos en las altas esferas.

—No me da ningún miedo.

Hubo algo en la voz de Devlin, una chispa de emoción, que me estremeció.

—Pues debería —replicó Ethan.

—¿Y por qué, si puede saberse?

—Ya sabes por qué.

—No, no lo sé, pero deduzco que tú me lo vas a explicar.

Hubo unos momentos de silencio tenso e incómodo, en los que temí que el latido de mi corazón me traicionara y me descubriera. No tenía la menor idea de lo que hablaban. Jamás había oído hablar del polvo gris, pero el término me recordó las palabras que Fremont empleó para describir el lugar que separa la Luz de la Oscuridad: «Se llama el Gris».

—Me refiero a la noche del accidente…, después de que te enteraras de que tu hija y tu esposa habían fallecido —respondió Ethan—. Fuiste a ver a mi padre al instituto, ¿recuerdas?

—¿Y? —espetó Devlin. Su voz sonó brusca y recelosa. Con una pizca de sospecha.

—Le pediste que te ayudara a contactar con el otro lado para poder verlas por última vez. Para poder despedirte. Mi padre no pudo hacerlo, y te pusiste hecho una furia. Violento, me atrevería a decir.

—Todavía estaba muy afectado por la noticia —se disculpó Devlin, exasperado—. El dolor me estaba volviendo loco. Por ese motivo acudí a él. Ya sabes que no me trago ni una palabra del discurso de tu padre.

—Pero los dos sabemos que hubo un tiempo en que sí. Llegaste a ser el protegido de mi padre. Le he oído decir un millón de veces que eres el mejor investigador que jamás ha tenido.

¿Eran celos lo que percibí en la voz de Ethan?

—Eso fue hace mucho tiempo —murmuró Devlin—. En aquella época, quería encontrar una forma de fastidiar a mi abuelo, y la pantomima de Rupert era la novedad del momento.

—Fue algo mucho más que eso. Incluso después de tu dimisión… La verdad, no creo que te importara un comino. Después de todo, te casaste con Mariama.

—¿Adónde quieres llegar? —preguntó Devlin con frialdad.

—La experiencia con mi padre debió de dejar ciertas secuelas. De lo contrario, por mucha pena y dolor que sintieras, jamás hubieras acudido al instituto aquella madrugada.

—Piensa lo que quieras. No sé por qué estás sacando esto ahora.

—Después de que te marcharas hecho una furia, padre me envió a buscarte, pero fue como si te hubieras esfumado de la faz de la Tierra. ¿Dónde estuviste esa noche?

Devlin no musitó palabra.

—Fuiste a ver a Darius, ¿me equivoco? Le pediste polvo gris.

El detective seguía sin soltar prenda.

—Estuve horas aquí, en este mismo porche, esperándote. Quería comprobar que estabas bien. Al día siguiente, cuando regresaste a casa, parecías un cadáver. Como si…

—Acababa de perder a mi esposa y a mi hija —interrumpió Devlin—. ¿Qué esperabas?

—No esperaba ver lo que vi, eso desde luego. Estabas apenado, pero también aterrorizado. No podías dejar de temblar. Jamás te había visto así. Por eso me inventé una coartada para ti cuando la policía se presentó para hacerte unas preguntas acerca del asesinato de Robert Fremont.

—Nunca te pedí que mintieras por mí.

—¿Qué otra opción tenía? —contestó Ethan—.

Apenas eras capaz de subir los peldaños de tu casa, y temía que no soportaras un interrogatorio policial.

—¿Interrogatorio? Lo dices como si hubiera sido sospechoso.

—Ten por seguro que tu nombre habría estado en la lista si hubieran averiguado dónde estuviste esa noche. Todo el departamento estaba al corriente de tus diferencias con Robert. Alguien os oyó discutiendo el día antes de que le dispararan.

Devlin volvió a quedarse callado unos segundos.

—No sé adónde quieres llegar, Ethan, pero ten cuidado con lo que dices.

—Solo quiero llegar a una conclusión lógica. Imaginemos que Robert se hubiera enterado de que Darius te había proporcionado polvo gris. Te habría puesto las cosas muy difíciles. Un agente de policía comprando ese tipo de sustancias...

—Entonces piensas que yo lo maté. —No fue una pregunta, sino una afirmación.

—No, desde luego que no. Pero reconoce que tenías un motivo.

—¿Y tú? —replicó Devlin, sin perder la compostura.

—¿Qué?

—En tu declaración, afirmaste que estuviste toda la noche conmigo. No te inventaste una coartada solo para mí, sino también para ti.

—¿Qué? —exclamó Ethan. Era evidente que la acusación del detective lo pilló desprevenido—. ¿Y por qué iba a necesitar una coartada?

—Eso es lo que siempre me he preguntado.

Un perro ladró desde algún jardín vecino, e incluso advertí el rugido del tráfico de Beaufain, pero ahí, en el porche de Devlin, todo estaba en silencio. La tensión se respiraba en el ambiente y apenas me atrevía a pestañear.

—¿De veras piensas que tuve algo que ver con la muerte de Robert Fremont? —preguntó Ethan, que parecía más dolido que enfadado—. ¿Qué me habría impulsado a hacerlo?

—Olvídalo —respondió Devlin—. No nos distraigamos con otras cosas.

Oí a Ethan soltar un suspiro.

—Tienes razón. Estamos juntos en esto. Han pasado años, pero todavía podrían surgir preguntas sobre aquella noche.

—De las preguntas ya me ocuparé yo. Llámame si vuelves a ver a Darius —ordenó Devlin—. Sea la hora que sea.

Las voces se fueron apagando. El detective acompañó a Ethan hasta la acera, donde tenía el coche aparcado y, unos instantes más tarde, oí que cerraba la puerta y arrancaba el motor. Cuando Devlin entrara en casa, aprovecharía para salir de mi escondite y marcharme pasando inadvertida. Sin embargo, él se sentó en los peldaños para acabarse la cerveza. Me dio la sensación de que buscaba algo entre la oscuridad.

Lo miré de reojo y observé que tenía los hombros caídos y los antebrazos apoyados en las rodillas, como si el peso del mundo descansara sobre su espalda. Deseaba acercarme a él, pero ¿cómo le explicaría mi presencia repentina en su jardín? ¿Qué excusa podría inventarme para justificar que estaba espiándole agazapada entre los arbustos? Sin duda sería una conversación muy incómoda. Seguía dando vueltas a las insinuaciones que acababa de escuchar. Por lo visto, Robert Fremont era la clave del misterio. «Por fin los astros se han alineado.»

Tenía el presentimiento de que, en cuanto abandonara mi escondite, Mariama se materializaría.

El mero hecho de pensar en ella enfrió el aire. Estaba helada y tiritando, así que me abracé la cintura para entrar en calor. Debí de hacer un movimiento involuntario, porque Devlin se giró de repente y deslizó la mano hacia el interior de la gabardina, donde sospechaba que guardaba su pistola.

Un gato salió disparado de un montón de malas hierbas que crecían junto a la acera y atravesó el jardín. Devlin bajó la mano. Poco a poco, se levantó y peinó el jardín con la mirada antes de entrar en casa.

Esperé a que cerrara la puerta para huir de allí, pero aquel frío tan terrible me tenía paralizada. Apenas reaccioné cuando el fantasma de Shani se manifestó a mi lado. Me cogió de la mano, y el frío de su existencia me caló hasta los huesos. La pequeña contemplaba el jardín sin soltarme. El contacto me horrorizó. Mi primer instinto fue apartar la mano. Además, me estaba absorbiendo fuerza vital, pero, fantasma o no, seguía siendo la hija de Devlin, y era incapaz de darle la espalda.

Alzó la mirada y, tras cerciorarse de que tenía toda mi atención, señaló con un dedo minúsculo los matorrales desde donde había salido escopeteado el gato. Me habría esperado encontrarme el espíritu de Mariama suspendido delante de mí.

Sin embargo, en vez de eso, observé el brillo de unos ojos humanos entre la oscuridad.

Capítulo 10

$\mathcal{A}$lguien estaba vigilando la casa. Alguien aparte de mí, claro.

Mi primer impulso fue huir de allí y advertir a Devlin sobre la presencia del intruso, pero el más ligero movimiento o sonido alertaría al desconocido de mi presencia. Me quedé como una estatua y ni siquiera me atreví a respirar para no delatar mi posición. Seguía tiritando por el frío glacial que desprendía el espectro de Shani.

La noche podía confundirse con la boca de un lobo. Apenas podía distinguir las siluetas de los árboles, hasta que la luna apareció tras una nube y, con el jardín iluminado, pude fijarme más. Era un hombre de raza negra de una altura fuera de lo común, aunque quizá las sombras que le rodeaban creaban esa ilusión. Tenía la mirada clavada en la casa de Devlin. Mientras lo observaba, oí de nuevo el canto del ruiseñor. El trino era suave y delicado, como si de un sueño se tratara. El tipo ladeó la cabeza al percibir el sonido, y habría jurado que le vi sonreír.

Se volvió hacia la casa y se llevó una mano a la boca. Extendió los dedos y sopló algo que yacía sobre la palma de su mano. Las partículas relucieron y, durante un breve instante, se quedaron suspendidas en el aire. Luego, una a una, fueron cayendo al suelo hasta desaparecer, dejando a su paso un hedor a azufre.

Me desperté del hechizo de aquellos destellos de luz y volví a la cruda realidad. El extraño se había marchado. Un segundo después, oí un portazo metálico en la calle y acto seguido el zumbido de un motor. Esperé hasta que el vehículo se hubo alejado varios metros antes de mover un solo músculo. Fue entonces cuando caí en la cuenta de que Shani también se había esfumado.

Salí a gatas de mi escondite, algo confundida. Lo único que me apetecía era regresar a casa, a la seguridad que me proporcionaba mi santuario. Deseaba olvidarme de esta noche, de los fantasmas, de las extrañas coincidencias que rodeaban el asesinato de Fremont, de todas las conversaciones que había oído a hurtadillas en los últimos días.

Sin embargo, no podía marcharme sin avisar a Devlin, aunque eso implicara reconocer que estaba agazapada en su jardín. A juzgar por lo poco que sabía, corría un grave peligro. Su charla con Ethan me había dejado descolocada. No sabía qué pensar, pero, en cuanto tuviera unos minutos a solas, repasaría todas las palabras que se habían dedicado, para diseccionar cada matiz y entonación; tenía que tratar de encajar esos nuevos detalles en el rompecabezas.

Subí a toda prisa los escalones y miré por encima del hombro para comprobar que nadie me seguía. Soplaba un viento huracanado que agitaba los palmitos. Cuando llegué frente a la puerta, noté una corriente de aire polar que se filtraba por las ranuras de la casa de Devlin. No quería entrar allí. Era una casa habitada por fantasmas. No solo Shani y Mariama se habían instalado ahí, sino también entidades de otro reino, de más allá del Gris.

John tardó varios minutos en acudir a la puerta y, cuando la abrió, dejé escapar un soplido de dolor. Intuí que se estaba preparando para acostarse, porque tenía la camisa desabrochada y el pelo alborotado, como si se hubiera pasado las manos por la cabeza, o como si lo hubiera hecho alguna mujer.

Hasta entonces no había contemplado la posibilidad de que no estuviera solo, de que tanto Ethan como yo hubiéramos interrumpido una romántica velada.

—¿Amelia? —murmuró, y apoyó una mano en el marco de la puerta—. ¿Qué haces aquí?

—Yo… tenía que verte.

Traté de vislumbrar el vestíbulo, pero no vi nada especial. Cruzamos nuestras miradas y, a pesar de mis esfuerzos, agaché la cabeza. El cuello de la camisa dejaba entrever parte de su pecho y, al fijarme un poco más, advertí que sobre su tez pálida descansaba el medallón de plata. El talismán de la Orden del Ataúd y la Garra, una sociedad secreta cuyos miembros pertenecían a las familias más influyentes e importantes de la ciudad. Devlin renegaba de la educación que había recibido, le había dado la espalda al legado y las expectativas de su abuelo; sin embargo, todavía llevaba ese símbolo colgado del cuello. Por lo visto, seguía anclado a su pasado.

Todo eso me pasó por la mente en cuestión de un segundo. Después, eché un vistazo a la calle.

El detective enseguida se percató de que el asunto era urgente, porque se apresuró a preguntar:

—¿Qué ocurre?

—Acabo de ver algo… No sé qué significa, pero me ha dado miedo.

—Pasa. —Retrocedió un paso para permitirme la entrada.

En cuanto puse un pie en el vestíbulo, me asaltaron

una serie de recuerdos y, de inmediato, desvié la mirada hacia la escalera. Me vi subiendo cada peldaño, con Mariama al lado, tratando de asustarme con su frialdad, mofándose de mí desde el espejo. Casi podía oír el retumbar de aquellos timbales y el latido de mi corazón mientras avanzaba por el pasillo que conducía a la habitación. A la habitación de Mariama.

—¿Qué ha pasado? —preguntó Devlin—. Cuéntamelo.

Me volví.

—Había alguien en tu jardín. Lo vi vigilando la casa —confesé. Fui hacia la puerta y señalé los arbustos donde el intruso se había escondido—. Estaba justo ahí.

Él se alteró enseguida.

—Espera aquí.

Abrió el cajón de una mesita que había en el recibidor y sacó una pistola. Oí varios chasquidos, como si pusiera el arma a punto, y echó un segundo vistazo al jardín. Sin embargo, en lugar de salir por la puerta principal, se escabulló por la majestuosa arcada del comedor principal. Me quedé en el recibidor, pero vi que abría uno de los ventanales del salón y salía al jardín.

La temperatura cayó en picado, lo que significaba que los fantasmas de Devlin andaban cerca. Podía sentirlos. El miedo me paralizó.

Una ráfaga de aire agitó los papeles que había sobre la mesita y la luz empezó a parpadear. Sin embargo, la tormenta todavía estaba lejos. El aire se notaba especialmente pesado y percibí cierto cosquilleo eléctrico en las terminaciones nerviosas. Con suma cautela, eché una ojeada al salón, comprobando cada rincón oscuro.

No era la primera vez que veía aquel cuarto, aunque la sensación fue la misma; las antiguallas y los marcos chapados en oro que decoraban la estancia no encajaban en absoluto con su estilo. Aquella sala pertenecía a Mariama. Estaba segura. De hecho, aquella visión nada tenía que ver con la esencia a verbena de limón que impregnaba la casa.

Sobre la repisa de la chimenea había un retrato de Mariama, que lucía un vestido negro muy sencillo que le cubría los brazos y el cuello. Aquel atuendo no era casual. Lo había escogido porque resaltaba sus ojos avellana, aquellos pómulos, esa sonrisa cautivadora.

La araña que colgaba del recibidor era la única luz encendida. Se balanceaba con suavidad, y las sombras que bañaban las paredes y el retrato de Mariama danzaban sin parar. El movimiento era hipnótico, y a punto estuve de entrar en trance.

Al fondo del salón se abría un ventanal enorme que daba a la calle. El fantasma de Shani estaba allí, inmóvil, observando la noche. Buscando a su padre. Esperando a que regresara a casa, igual que el día en que sufrió el accidente.

Ethan me había contado una vez que Mariama y Devlin tuvieron una tremenda discusión aquel día: «Pero lo peor fue que Shani lo escuchó todo. Recuerdo a la pequeña golpeando la pierna de John para llamar su atención. Creo que intentaba consolarle, pero él estaba furioso…, demasiado inmerso en la discusión. Salió de casa hecho una furia y, cuando se subió al coche Shani se despidió desde detrás de una ventana. Fue la última vez que la vio con vida».

Seguía pegada al cristal, tratando desesperadamente de llamar su atención. Debió de notar mi presencia, o mi calor, porque me miró por el rabillo del ojo y, con un gesto, me indicó que no hiciera ruido.

Desvié la vista hacia lo más alto de la escalera. Me quedé sin aire en los pulmones cuando vi el fantasma de Mariama cerniéndose allí mismo, con una corriente sobrenatural alborotándole el pelo y la falda del camisón. A pesar de encarnar una entidad pálida y fría, su mirada ardía con fuego. Se deslizó por los escalones sin rozar la moqueta con los pies. Los papeles volaron de la mesita al mismo tiempo que la luz parpadeaba, y el aire se tornó tan frío que cada exhalación creaba una nube de vaho.

Bajé la mirada y descubrí que Shani se había colocado a mi lado. Apenas era una silueta transparente, pero el resplandor de su aura era inequívoco. Me cogió de la mano y percibí la rabia que corroía a Mariama.

Me sentía atrapada en una película de terror. Creía que, en cualquier momento, me saldría el corazón por la boca y, aunque quería escapar de allí, no podía moverme ni apartar la mirada de la belleza pervertida de aquel fantasma. No tenía la menor idea de qué era capaz de hacer, del poder que podía ejercer desde el otro lado. Pensé en Devlin. Estaba atrapado en aquella casa con el espíritu de su esposa; su energía menguaba con el paso del tiempo y la mujer que un día le confesó su amor le estaba arrebatando su juventud.

Todavía lo amaba, o eso parecía.

Extendió los brazos a su hija, y mi primer impulso fue interponerme entre las dos. Creo que, pese a estar aterrorizada, habría actuado así, pero, cuando miré a la pequeña, el resplandor de su aura se apagó, como si algo la hubiera empujado hacia el éter.

Mariama no reaccionó del mismo modo. Después de que su hija se esfumara por arte de magia, se transformó en un espíritu más fuerte, más frío, más hambriento. No tardé en notar que me fallaban las piernas, que el hueco donde me imaginaba que se aglutinaba mi fuerza vital estaba vacío.

Me armé de valor e hice acopio de fuerzas para alejarme de la escalera e intentar huir de allí. Devlin había entrado a hurtadillas, así que cuando me volví me topé

con él de frente. Al percatarse de mi inquietud, me agarró de ambos brazos.

—¿Estás bien?

—Sí… Me ha parecido oír algo —jadeé.

—¿Aquí dentro?

—Estoy segura de que me lo he imaginado.

Peinó las escaleras y el pasillo que se abría a mis espaldas.

—Dejé una ventana abierta en el piso de arriba. Lo
más seguro es que el viento haya tirado alguna cosa.

—Seguro que ha sido eso —dije con voz tembло-
rosa—. ¿Has encontrado algo?

—Nada. Fuera quien fuese, ya se ha marchado.

—Oí el motor de un coche. Quizá fuera él.

—¿Podrías darme una descripción?

—La verdad es que solo pude verle de refilón. Era un
hombre de raza negra. Muy alto y delgado, aunque…

Devlin me apretó los antebrazos y me miró con los
ojos encendidos.

—¿Cómo de alto?

—No lo sé. Las sombras distorsionaban la silueta…
—dije, alarmada—. ¿Por qué? ¿Sabes quién puede ser?

—No.

Estaba mintiendo. Me sentía ansiosa por preguntarle
sobre Darius Goodwine, pero si lo hacía no me quedaría
más remedio que admitir que lo había estado espiando.

—He vuelto a oír al ruiseñor —añadí—. No era un
sinsonte. Estoy segura.

—No hay ruiseñores en Charleston —insistió.

—Entonces, ¿por qué no dejo de escucharlo? ¿Quién
era el intruso, John? ¿Por qué te niegas a decírmelo?

—No lo he visto. ¿Cómo quieres que sepa quién es?

—Sopló unos polvos hacia tu casa, una especie de
purpurina de color azul. ¿No te parece raro?

Él prefirió no responder. Me soltó los brazos, pero

seguía muy cerca de mí. Tuve que reprimir el deseo de acariciarle el rostro, de pasar el pulgar por aquella cicatriz tan irresistible y asegurarme de que Devlin era un hombre de carne y hueso, que no estaba viviendo otra de mis fantasías. No, no era ningún sueño. Estábamos ahí, juntos. Pero su esposa, Mariama, también nos acompañaba. Estaba a su lado, rozándole el brazo, dedicándome una sonrisa maléfica. Se mofaba de mí porque poseía lo que yo jamás podría tener.

Miré hacia otro lado.

—¿Por qué has venido? —preguntó Devlin—. Y, por favor, no me digas que pasabas por aquí.

—He venido a verte.

Echó un fugaz vistazo a la puerta principal.

—¿Cómo has venido? No he visto tu coche fuera.

—He aparcado al final de la calle.

—¿Y eso? ¿Sabías que alguien estaba vigilando mi casa?

—No, porque no quería que me vieras —espeté—. No sabía si tendría el valor suficiente de llamar a tu puerta.

—¿Se necesita valor para llamar a mi puerta?

Suspiré.

—Sí, y ya sabes por qué.

Su mera presencia me resultaba tan magnética que tuve que controlarme para no abalanzarme sobre él. Lo miré de arriba abajo. Se había abrochado la camisa. El corte, como siempre, era pura perfección. Tenía buen ojo para la ropa, y el dinero suficiente para permitirse vestir como un hombre refinado. Pero en su atuendo también se apreciaba una gota de la naturaleza rebelde que lo había empujado a repudiar una educación elitista y a enamorarse de Mariama Goodwine.

—Y bien, ¿por qué querías verme? —preguntó al fin.

Todavía tenía un ojo puesto en el panel de cristal emplomado de la puerta. Me fijé en su perfil y me estremecí.

—Recibí tus mensajes. El otro día se me pasó comentártelo.

Poco a poco, se giró hacia mí.

—¿Qué mensajes?

—Los que me enviaste mientras estaba fuera de la ciudad. El último lo recibí cuando volvía de Asher Falls.

—¿Asher Falls?

—Es un pequeño pueblo en la falda de las montañas de Blue Ridge, cerca de Woodberry. Me encargaron una restauración, pero tuve que irme y, cuando estaba en el transbordador, recibí tu mensaje.

Se le ensombreció la expresión.

—No te escribí ningún mensaje.

—Pero… era tu número, de eso estoy segura.

—No lo envié —repitió.

—Entonces, ¿quién lo hizo?

—Ni idea. ¿Lo guardaste?

—Tuve que cambiar de teléfono, y perdí toda la información. Pero se envió desde tu número de teléfono. Estoy convencida. Y antes del mensaje, también recibí un correo electrónico. Supongo que tampoco lo escribiste tú.

—No.

—Qué extraño —dije. Y qué inquietante, pensé para mis adentros—. No sé qué decir. Te prometo que no me lo estoy inventando.

Esbozó una sonrisa.

—Ya lo sé.

En cualquier momento, rompería a llorar. Había creído que Devlin había escrito esos mensajes, pero en realidad nunca había querido volver a contactar conmigo…

Estaba destrozada y, aunque sabía que era ridículo, no podía evitarlo.

—¿Quién pudo haberlos enviado?

—No tengo la menor idea —admitió él—, pero lo descubriré.

Lo observaba, con el corazón encogido y las lágrimas a punto de derramarse, cuando el espectro de su esposa se entrometió entre los dos. Procuré no mirarla para no tentar al destino.

¿Cómo era posible que no percibiera ese frío? ¿Que el mero roce del fantasma no le pusiera la piel de gallina?

«Lárgate de aquí», pensé.

Oía su risa burlona en mi cabeza. «Lárgate tú.»

De repente, me asaltaron las dudas. ¿Había perdido la chaveta? Tras tantos años rodeada de fantasmas, ¿me había vuelto loca? Desde que regresé de Asher Falls, no solo veía espectros, sino que también los oía.

—¿Qué ocurre? —preguntó Devlin.

—Perdona, estaba pensando en por qué alguien se tomaría la molestia de hacerme creer que los mensajes los habías escrito tú. Supongo que se las debió de ingeniar para acceder a tu cuenta de correo electrónico, a tu teléfono…

Por alguna extraña razón, recordé las palabras crípticas de Fremont.

—La verdad, lo dudo mucho —dijo Devlin.

¿Cómo podía estar tan seguro? ¿Fremont se había encargado de enviarme esos mensajes para que picara el anzuelo y regresara a Charleston?

«Tenemos que actuar con rapidez —había dicho—. ¿Lo entiendes? Debe ser ahora.»

Devlin no me quitaba ojo de encima.

—Estás temblando. ¿Seguro que estás bien?

—Sí. El incidente me ha alterado mucho, y en esta casa hace mucho frío. ¿No te habías dado cuenta?

Encogió los hombros.

—Siempre hay mucha corriente de aire.

¿Siempre? ¿O desde que convives con fantasmas?

—¿Qué decían los mensajes?

No quería revelarle lo que había interpretado de ellos, sobre todo ahora que sabía que él no los había enviado.

—En el correo, me preguntabas dónde estaba.

—¿Respondiste?

—No.

—¿Por qué no?

—Si quieres que sea sincera, no lo sé —dije—. Estaba fuera de la ciudad, así que deduje que sería absurdo decirte dónde vivía.

—¿Y qué hay del mensaje?

—Dos palabras: «Te necesito» —farfullé. Continuaba mirándome con detenimiento, y no pude evitar sonrojarme.

Luego se acercó unos centímetros.

—Te necesito —repitió arrastrando cada palabra.

—S..., sí. Eso decía.

—¿Nada más?

Negué con la cabeza.

Se quedó pensativo.

—¿Cuándo dices que recibiste el mensaje?

—Hace varias semanas.

—Y, sin embargo, has esperado hasta ahora para decírmelo.

Tocado y hundido. No podía explicarle por qué había tardado en confesarle mis sentimientos, lo cual me negaba a hacer, rotundamente.

—No pude venir de inmediato. Cuando volví a Charleston, tuve que tomarme un tiempo para recuperarme. No estaba bien.

—¿No estabas bien? —repitió. Posó las manos sobre

mis hombros y me giró hacia la luz de la araña—. Has pasado por algo. Lo veo en tu cara, en tu mirada —susurró—. ¿Qué te ha pasado, Amelia?

No, pensé con tristeza. No pronuncies mi nombre. No me mires así. Soy humana. ¿Cómo no derretirme si me miras así?

—Ahora ya estoy mejor —contesté.

Me rozó la barbilla y, con suma ternura, estudió mi rostro.

—¿Qué son todas esas marcas? ¿Quién te hizo eso? —preguntó. En su voz intuí un trasfondo peligroso y oscuro que me espantó.

—La pregunta no es quién, sino qué —respondí fingiendo normalidad—. Me metí en un zarzal. Gajes del oficio. No fue nada.

—Lo siento, pero no estoy de acuerdo.

No me había dado cuenta, pero me había ido apartando poco a poco y ahora sentía la pared en mi espalda. Devlin me había seguido, sin dejar que la distancia que nos separaba se agrandara. Seguía mirándome de aquella forma tan abrumadora, y me entró el pánico. No intentaría besarme, de eso estaba segura. No después de haberme marchado de su lecho sin dar explicaciones.

Cada vez lo tenía más cerca. En aquellos ojos tenebrosos brillaba una luz a la que preferí no poner nombre. Murmuró mi nombre y bajé la guardia. Anhelaba echarme en sus brazos, pero Mariama estaba ahí, como siempre. Su espectro flotaba entre los dos. Acariciaba a su marido mientras me rozaba el brazo con sus dedos de hielo.

Cogí aire y agaché la cabeza.

—Debería irme. Si no fuiste tú quien envió esos mensajes, supongo que no tenemos nada más de que hablar.

—De hecho, tenemos mucho de que hablar.

—Se está haciendo tarde, y mañana tengo que madrugar...

De pronto, me acarició el pelo.

—No te vayas —rogó.

Cerré los ojos y suspiré.

—Tengo que irme.

Apoyó la palma de la mano sobre la pared que tenía a mi espalda, y me dejó atrapada. No volvió a tocarme, pero sentía el calor de su piel mezclándose con el frío que desprendía la presencia de su esposa. Mariama se deslizó hacia un lado, sin alejarse demasiado. Después se escondió entre las sombras, pero sabía que estaba observándonos.

—¿Algún día piensas decirme qué pasó aquella noche?

Miró de reojo las escaleras. Me estremecí cuando una oleada de recuerdos me invadió: sus labios besándome el cuello, sus dedos acariciándome el interior del muslo...

—Deja que me vaya, por favor —supliqué.

—No pretendo retenerte. Tan solo quiero saber qué ocurrió. El modo en que me miraste antes de salir corriendo de la habitación... Esa imagen me ha perseguido durante meses. He repasado cada momento que pasamos juntos para encontrar una explicación. ¿Qué hice para asustarte tanto? ¿Acaso te hice daño?

—No. ¡No! No hiciste nada mal. Por favor, tienes que creerme. No era el momento apropiado, eso es todo. Tú mismo dijiste que no estabas preparado para olvidarte del pasado, para dejarlas marchar... —balbuceé—. Perdona por no habértelo explicado entonces, pero ni yo misma entendí lo que pasó. No lo comprendí hasta más tarde, hasta que tuve tiempo para pensar...

No pude acabar de soltar aquella excusa tan miserable. Nos sobresaltó un tremendo estruendo desde el salón. Devlin desenfundó la pistola que había guardado bajo la pretina y, sin musitar palabra, me indicó que no gritara. Tras escudriñar la habitación, dejó caer el brazo y encendió la luz.

El retrato de Mariama se había caído al suelo.

—¿Qué ha pasado?

—Maldita sea, ojalá lo supiera. Es imposible que el viento haya tumbado ese cuadro. Pesa una tonelada.

—Entonces, ¿qué lo ha tirado?

Menuda pregunta más estúpida.

—Supongo que los tornillos estaban flojos.

—El cristal se ha roto —apunté.

Sabía que el comentario era tonto, pero no se me ocurrió nada mejor que decir. El mensaje de Mariama no podía ser más claro.

—Se puede arreglar —dijo él—. De todas formas, hacía tiempo que quería quitarlo de ahí, pero no había encontrado el momento. En este salón siempre hace frío, incluso en verano. No he sido capaz de descubrir por dónde se cuela el aire —explicó. Echó un vistazo a la lámpara *chandelier* que colgaba del techo del recibidor—. ¿Ves a lo que me refiero?

Desde el umbral de aquel salón sentí el látigo de la corriente que soplaba procedente de las escaleras. Imaginé que me encontraría el espectro de Mariama cerniéndose sobre lo más alto, pero me equivoqué. La oscuridad que advertí palpitaba, y distinguí varios puntos de luz parpadeantes, como estroboscopios diminutos. Los otros estaban intentando colarse desde el otro lado.

Aquel titileo se fue intensificando. Estaba muerta de miedo. Tenía que salir de esa casa, alejarme de Devlin y deshacerme de las emociones que atraían a aquellas criaturas hambrientas como las moscas a la miel.

—Tengo que irme.

—Amelia, espera.

Me alcanzó cuando estaba bajando los peldaños del porche. Por segunda vez en una noche, me sujetó por los brazos y me giró para estudiar mi rostro.

—¿Qué pasa? ¿Por qué te has marchado así?

—Deja que me vaya. Te lo suplico.

Procuré soltarme, pero él no cedió.

—¿Qué tiene esta casa que tanto te asusta? ¿Qué te he hecho?

Desvié la mirada hacia su casa. Vi a Shani en una ventana, y advertí la silueta de Mariama flotando en la entrada. Quizá fueron imaginaciones mías, pero me pareció ver rostros desconocidos en todos los cristales.

—Ya lo sabes —dije, casi sin aliento.

—¿De qué estás hablando?

—Lo sabes, John. Pero te niegas a admitirlo.

Y justo entonces me soltó y retrocedió varios pasos. A pesar de la oscuridad que nos envolvía, pude ver el terror que cubrió su rostro.

Capítulo 11

*E*n cuanto llegué a casa, dejé salir a *Angus* al jardín trasero para que correteara un poco. Me serví una copa de vino y me la bebí de un trago. Rellené la copa y volví a acabármela en un santiamén. Habría matado por tener algo más fuerte en casa. La tercera copa me la tomé en el jardín, mientras esperaba a que *Angus* satisficiera sus necesidades. Como siempre, se tomó su tiempo y, aunque estaba impaciente por abrir el ordenador, no quise meterle prisa. Se había pasado la mayor parte de su vida encerrado en una jaula de perrera, sufriendo maltratos que mi mente todavía no alcanzaba a imaginar. Lo menos que podía hacer era permitirle que saciara su curiosidad canina.

Una suave brisa agitó los carillones de viento, aunque no percibí ninguna presencia espectral en el jardín. Por suerte, esta noche Shani no me había seguido hasta casa.

Tiritaba de frío, así que subí la cremallera de la chaqueta hasta arriba. La noche era fresca, pero al menos la tormenta ya había pasado. O quizá los nubarrones habían decidido cernirse sobre la casa de Devlin. Aquí, a varias manzanas, la luna brillaba con todo su esplendor y los truenos habían enmudecido. Incluso distinguí el parpadeo de un puñado de estrellas.

Me pregunté si el anillo de bruma que perfilaba la luna presagiaba algo malo. Busqué el talismán que llevaba alrededor del cuello y acaricié la superficie con los dedos. Había cogido aquella piedra pulida de un pequeño montículo situado en el campo sagrado del cementerio de Rosehill, el patio de juegos de mi infancia. Me había pasado tardes infinitas acurrucada bajo un gigantesco roble, o apoyada sobre el granito cálido de un ángel caído, devorando las páginas de mis novelas góticas favoritas, alimentando mi imaginación. Por aquel entonces soñaba con enamorarme de alguien como Devlin, de un tipo carismático que guardaba secretos muy oscuros. Para una adolescente solitaria no había nada más romántico que un amor imposible, nada más melancólico que una pasión no correspondida.

Qué tonta e inocente había sido. Que el amor de tu vida te rechazara no tenía nada de hermoso ni de deseable. Lo había vivido en mis propias carnes. Jugara la baza de los otros o no, Mariama siempre hallaría un modo de separarnos.

El vino se me estaba subiendo a la cabeza. El alcohol siempre había tenido un extraño efecto en mí; me volvía algo histérica y me entraban ganas de llorar. *Angus* merodeaba por el jardín, pero mi mente estaba en otro lugar. Devlin había estado a punto de besarme, pero aquel maldito retrato se cayó al suelo. Visualicé el fantasma de Mariama, suspendido sobre el último peldaño de la escalera, y a Shani cogiéndome de la mano.

En cierto modo, aquel gesto de la pequeña me resultaba lo más inquietante de todo. Mariama era más aterradora que su hija, desde luego, pero me perturbaba porque era la prueba de que había quebrantado las normas de mi padre. Me recordaba que, de forma involuntaria, había traspasado una línea de no retorno.

Asumía la culpa de todo lo que me estaba pasando.

¿Cuántas veces me había avisado mi padre? Al permitir que un hombre acechado entrara en mi vida, me había vuelto susceptible a sus fantasmas. Y esos espectros habían llamado la atención de otras entidades. Con las defensas bajas, me había expuesto a una invasión, y no solo de Shani, Mariama y Robert Fremont, sino seguramente de otros espíritus que se las habían ingeniado para llegar hasta mí.

Era muy fácil y bonito reflexionar sobre mi propósito en la vida, pero cuando mis delirios de grandeza se presentaban en forma de cruda realidad, me sentía perdida, sin saber qué hacer. No tenía ni idea de qué se esperaba de mí, o lo que me tenía preparado el destino. Quizá no interpretaba bien las señales, porque no era capaz de adivinar adónde me conduciría todo eso. Pensé que había acertado al no aceptar el ofrecimiento de Clementine Perilloux de leerme el futuro. Nunca había querido saber qué me deparaba el mañana, y ahora menos que nunca.

Tomé otro fortalecedor sorbo de vino y procuré desviar mis pensamientos hacia la conversación que había oído entre Devlin y Ethan. Esa noche, la investigación del asesinato de Robert Fremont había tomado un giro inesperado, y la implicación del detective en el crimen añadía una complicación más al entuerto.

Y así, sin más, se me vinieron a la mente unas palabras de Fremont: «Seguiremos las pistas, sin importar hacia dónde nos lleven. ¿Entendido?».

¿Aunque esas pistas nos guiaran hacia Devlin? ¿Se refería a eso?

Repetí esa conversación una y otra vez en mi cabeza, porque me resultaba más sencillo cavilar en lo que había escuchado a hurtadillas que ahondar en lo que había pasado dentro de la casa de Devlin.

Por fin *Angus* terminó su paseo, y volvimos aden-

tro. Merodeó por todas las habitaciones antes de aco-
modarse en su cama. Me di una ducha caliente, me
puse el pijama y luego me senté frente al escritorio.
Con la botella de vino al alcance, ignoré la oscuridad
que se abría tras los cristales y encendí el portátil. Te-
cleé el nombre de Darius Goodwine en Google. Esperaba obtener los mismos resultados que en mi búsqueda anterior. Sin embargo, encontré varias páginas
web que incluían ese nombre. Entusiasmada ante la
idea de sumergirme en un nuevo proyecto, empecé a
investigar cada página.

No sé qué esperaba descubrir de Darius Goodwine,
pero desde luego superó todas mis expectativas. A juzgar por el modo en que Devlin y Ethan habían hablado
sobre él, deduje que sería un criminal peligroso que pululaba por la periferia de la ciudad. Sin embargo, Darius
Goodwine podía presumir de tener un currículo bastante impresionante. Para empezar, se había doctorado
en biología molecular en la Universidad de Miami; su
especialidad era la etnobotánica. No estaba familiarizada con el término, así que busqué la definición en Wi-
kipedia: «La etnobotánica estudia las relaciones entre
los grupos humanos y su entorno vegetal, es decir, el
uso y el aprovechamiento de las plantas en los diferen-
tes espacios culturales y en el tiempo».

El doctor Goodwine había realizado la mayor parte
de su trabajo de campo en la República de Gabón,
donde pasó varios años como aprendiz de un chamán
bwiti. Su estancia en el continente africano había inspi-
rado varios libros que profundizaban en la compleja relación entre ciertas culturas y plantas, en particular las
que se utilizaban para practicar la adivinación. Tras re-
nunciar a su cátedra en el estado de Carolina del Norte
y de dimitir como asesor en una empresa farmacéutica
de Atlanta, ahora el doctor Goodwine pasaba largas

temporadas en el oeste de África, dedicando su tiempo a escribir e investigar.

Él también había crecido en el condado de Beaufort, en una minúscula comunidad gullah cerca de Hammond. Y ese dato me sirvió para recuperar mi hipótesis inicial: estaba emparentado con Mariama. Su abuela había criado a Mariama y a un primo de esta.

Darius debía de rondar los treinta y muchos, de modo que tan solo era unos años mayor que ella. La única fotografía que pude encontrar fue una instantánea borrosa que le tomaron en Gabón. Era un hombre muy alto, pero no habría puesto la mano en el fuego respecto a que fuera el mismo intruso al que había cazado espiando en el jardín de Devlin.

Seguí con mi búsqueda y pasé al polvo gris. En esta ocasión, me topé con un muro. El primer enlace me dirigió hacia un artículo publicado por la Universidad de Cornwell sobre quásares y el segundo a un juego de fantasía *on-line*. Ni rastro sobre ese poderoso alucinógeno que paralizaba el corazón y, en muchos casos, causaba la muerte.

No podía hurgar más en el tema, así que repasé todos los artículos relacionados con Darius Goodwine, con la esperanza de encontrar una fotografía más clara. Mientras le daba vueltas a la información, copié y pegué ciertos fragmentos, y anoté varias cosas en mi libreta:

Devlin > Shani > Mariama > Fremont
Darius > Mariama > Devlin > Ethan
Clementine > Isabel > Devlin

Era evidente que el detective estaba relacionado con todos los implicados, pero me costaba imaginar que hubiera coqueteado con las drogas o con el misticismo. Su desprecio por el trabajo del doctor Shaw no era ningún secreto. De hecho, detestaba por igual al director y al instituto.

Y, sin embargo, había sido uno de los pupilos del doctor Shaw. Un investigador con gran talento, según Ethan. Devlin había contraído matrimonio con una mujer cuyas raíces apuntaban a una herencia gullah y, por lo visto, mantenía alguna especie de relación con Isabel Perilloux, una quiromántica. Eso me recordó lo poco que conocía al verdadero John Devlin. En cierto modo, seguía siendo un desconocido, pero, en vez de desanimarme, su secretismo avivó mis fantasías surrealistas.

Estaba tan absorta en mi investigación que apenas me había dado cuenta del frío que hacía en el estudio. Cuando las temperaturas empezaron a bajar por las noches, guardé todos los ventiladores y aparatos de aire acondicionado en el sótano, pero todavía no quería encender la calefacción. Era un frío soportable. Solo necesitaba taparme los brazos con algo.

Me levanté para buscar un jersey y, mientras avanzaba por el pasillo hacia mi habitación, me percaté de un ruidito de fondo, muy sutil pero molesto. Me detuve para escuchar con más atención. La casa siempre estaba muy tranquila por la noche, puesto que el inquilino que vivía en el piso de arriba solía acostarse pronto. Me pregunté si habría regresado del viaje, pero aquel suave goteo venía de mi apartamento. A pesar de que la casa era antigua, jamás había tenido problemas de tuberías rotas o en mal estado, y por eso sospechaba que no se trataba de una fuga de agua.

Seguí el sonido hasta el cuarto de baño. Encendí la luz y eché un vistazo. Enseguida percibí el aroma a romero, y luego comprobé todos los grifos, empezando por el de la bañera. El espejo biselado estaba empañado y, sin pensármelo dos veces, me dispuse a pasar una toalla por encima. Me quedé petrificada.

Sobre el vaho se estaba formando un dibujo. El contorno de un corazón.

Shani. El nombre de cesta de la pequeña significaba «mi corazón».

Ya había utilizado esa artimaña para comunicarse conmigo antes. Trazó un corazón sobre la ventana del estudio para hacerme saber que estaba allí. Para que supiera quién era. Observé fijamente el corazón, atemorizada.

Jamás había visto una manifestación dentro de mi casa, de mi santuario. El campo sagrado era mi refugio espiritual, al menos hasta ahora.

¿Seguiría allí?

Conseguí controlar mis impulsos y, en lugar de girarme y registrar cada rincón de la casa, procuré mantener la calma. Solo así podía lidiar con los fantasmas. Cuando era niña, mi padre solía llevarme al cementerio cada domingo por la tarde para que me acostumbrara a los espectros que traspasaban el velo al atardecer.

Siempre había hecho especial hincapié en la importancia de controlar la reacción: «No los mires, no les hables, no permitas que huelan tu miedo. No reacciones, ni siquiera cuando te toquen».

A decir verdad, me había vuelto una experta en poner cara de póquer cuando los espectros aparecían de repente ante mí. Incluso cuando me acariciaban el pelo, o la espalda, con sus manos gélidas. Había aprendido a contener temblores y escalofríos, a mirar a través de ellos.

Pero esto era distinto. Jamás ninguna entidad había logrado invadir la santidad de mi espacio.

Dejé caer la mano, como por casualidad, y me volví. Pero no vi nada. Ni a Shani. Ni su aura. Ni siquiera un mero resplandor. No obstante, no podía quitarme de la cabeza la idea de que algo me estaba siguiendo. Repasé cada habitación, cerciorándome de que todas las puertas y ventanas estuvieran bien cerradas. Era consciente de que una cerradura no supondría un obstáculo para los fantasmas, pero tenía que hacer algo, porque si algo había violado la tranquilidad de mi santuario…

No podía permitirme pensar en eso ahora. Quizás el corazón del espejo llevaba años ahí, pero solo aparecía cuando el cristal se empañaba. Lo cierto era que nunca había reparado en él, pero el trazo era muy débil, aunque lo había limpiado infinidad de veces desde que me mudé a esa casa…

Resistí la tentación de mirar por encima del hombro y regresé al estudio. *Angus* se había levantado de su cama y ahora gruñía a uno de los ventanales. Aquel sonido gutural indicaba la presencia de un fantasma. O del propio mal.

El cristal estaba tan empañado que apenas podía ver el exterior, y mucho menos distinguir a la entidad que merodeaba por el jardín, pero, al igual que *Angus*, percibía una presencia de otro mundo. De repente, silenció el gruñido y trotó hasta mí. Le acaricié el pelaje del lomo; lo tenía erizado por el miedo. Agradecí el calor que liberaba.

De pronto, me embriagó la esencia del jazmín. El olor era tan intenso que, por un instante, creí haberme dejado una ventana abierta. Luego recapacité. En esta época del año, las flores ya se habían marchitado, de modo que el perfume no provenía de mi jardín, sino del fantasma de Shani. Quería comunicarme que estaba ahí.

—Estás aquí —susurré—. ¿Qué quieres ahora?

La pantalla del ordenador emitía un resplandor espeluznante sobre los cristales esmerilados y me pareció ver algo ahí fuera, un rostro sin expresión alguna que trataba de fisgar en el estudio.

Desapareció en un abrir y cerrar de ojos. El aroma a jazmín continuaba siendo muy fuerte, pero el nuevo olor que se filtró en mi casa no me pasó desapercibido: azufre.

Sentí un pinchazo en el corazón, algo que me impedía respirar. Tenía la mano apoyada sobre la espalda de *Angus* cuando, de repente, tuve una revelación terrible.

Shani no estaba sola. Algo la había seguido hasta mi casa. Algo oscuro y maléfico que se ocultaba en el jardín.

Angus gimoteó y se pegó a mí. A mí también me entraron ganas de llorar, pero me controlé y me mantuve en silencio. Me quedé ahí quieta, acariciando como una histérica la superficie de piedra pulida que había cogido cuando era niña. Clavé la mirada en uno de los ventanales, donde un nuevo mensaje empezaba a aparecer. Esta vez no fue un corazón, ni una petición, ni un ruego, sino una exigencia descarada y furiosa que se repetía una y otra vez:

AYÚDAME AYÚDAME AYÚDAME AYÚDAME
AYÚDAME AYÚDAME

Capítulo 12

Como era de esperar, no pegué ojo en toda la noche. Después de que la escarcha se derritiera, me quedé en el estudio cavilando sobre lo ocurrido. Nunca antes me había sentido amenazada por un fantasma en mi casa. Jamás una entidad se había atrevido a traspasar las fronteras de mi santuario y, sin embargo, Shani había dibujado un corazón en el espejo del cuarto de baño.

¿Por qué en el espejo y no en una ventana? ¿Quería que supiera que había descubierto una forma de entrar en mi refugio espiritual? ¿O simplemente quería cerciorarse de que no ignorara el mensaje? ¿Y qué era aquella otra presencia?

Procuré convencerme de que el rostro que había vislumbrado tras el ventanal no era más que una manifestación de mi propio miedo, o una alucinación que me habían provocado las copas de vino que me tomé.

Hacía varios días que no dormía bien y que comía poco. Fremont había reconocido que se estaba nutriendo de mi fuerza vital. Además, mi excursioncita a casa de Devlin me había desestabilizado y no podía pensar con claridad. Así pues, concluí que, en ese estado mental tan deplorable, seguramente la cabeza me había jugado alguna mala pasada.

Pero ¿a *Angus* también?

Me quedé en el despacho vigilando hasta bien pasada la medianoche. El agotamiento me venció, así que al fin me metí en la cama, donde me pasé varias horas dando vueltas.

A pesar de no haber descansado, me levanté por la mañana a la hora de siempre, aunque tenía la agenda vacía. No tenía una restauración programada hasta el mes siguiente y, aparte de alguna que otra lápida que reparar, no tenía pendiente ningún encargo. Pero, entre mis ahorros y los ingresos por publicidad que generaba *Cavando tumbas*, podía estar tranquila: durante un tiempo me las arreglaría.

De hecho, podía estar más que tranquila. Había recibido una herencia inesperada muy generosa que me servía como colchón, pero prefería guardar el dinero hasta tomar una decisión de cuándo y cómo gastarlo. Teniendo en cuenta las circunstancias de mi nacimiento, había rechazado toda herencia que pudiera legarme mi familia biológica, los Asher, pero luego recapacité y pensé que, con toda probabilidad, la enfermedad de mi madre habría consumido los ahorros de mi padre. Si podía ayudarlos económicamente, quizás el calvario que había pasado en Asher Falls hubiese valido para algo.

Me vestí para mi paseo matutino. Escogí una chaqueta deportiva y la camiseta de mi universidad. Dejé que *Angus* correteara un poco por el jardín antes de partir. Luego, mientras avanzaba por Rutledge, de camino al puerto, admiré el suave resplandor que iluminaba el horizonte. Tras unos ejercicios de calentamiento, aceleré el paso. Era una mañana fresca pero soleada y, para ser honesta, la chaqueta no me sobró hasta que llegué a la calle Broad.

Me la até alrededor de la cintura y tomé la calle

Meeting a mi izquierda, donde se erigían un sinfín de iglesias históricas y varias mansiones antiguas. Otro giro hacia la izquierda y me planté en Tradd, la avenida más pintoresca de toda la ciudad, famosa por sus preciosos bulevares y sus tiendecitas. Era la única calle en Charleston donde uno podía disfrutar de unas vistas espectaculares, ya que se veían los dos ríos que cruzaban la ciudad, el Ashley y el Cooper, pero esa mañana decidí no contemplar el paisaje y me dirigí hacia East Bay, donde una neblina matutina envolvía las casitas de colores construidas a ambos lados de la calle.

Apenas me crucé con un puñado de pájaros madrugadores en el puerto. Me deslicé hacia mi lugar favorito y contemplé el alba, ese momento del día en que el sol se asomaba por el horizonte y el océano parecía brillar con luz propia. No podía cansarme de admirar esa imagen.

Sobre el fuerte Sumter, que se veía diminuto por la distancia, una bandada de pelícanos planeaba alrededor de sus aguas, buscando el centelleo plateado que delataba a los peces bajo la superficie marina. Era mi rincón favorito porque se respiraba tranquilidad. Oía las gaviotas que sobrevolaban el puerto y el murmullo de los turistas que habían madrugado a propósito para presenciar el amanecer. Pero todos esos ruidos no alteraban mi estado de paz.

De pronto, noté que alguien se apoyaba sobre la barandilla, justo a mi lado. Seguía con los ojos pegados al espectáculo de luz y color, pero sabía quién era. Ni más ni menos que el fantasma de Fremont. Fue precisamente allí donde lo había visto por primera vez, hacía ya varios meses. En aquel entonces, pensé que se trataba de un hombre de carne y hueso, e incluso contemplé la posibilidad de que fuera un asesino.

—No tienes buen aspecto —comentó.

—He venido caminando desde casa. Y es un largo camino.

—No, no es eso. Pareces enferma. ¿Qué te pasa?

Lo fulminé con la mirada.

—Ah, déjame que lo piense. ¿No será porque me estás acechando? —pregunté con una nota de sarcasmo.

Llevaba gafas de sol, así que no podía verle los ojos, pero intuía que me observaba con su inconfundible frialdad. Era una sensación inquietante.

—No te estoy acechando.

—¿De veras? Porque, si la memoria no me falla, admitiste que te estabas nutriendo de mi energía para poder moverte entre el mundo de los vivos. ¿O no lo dijiste?

—Eso forma parte del pasado. Necesitaba encontrar un modo de llamar tu atención y de que accedieras a ayudarme. Pero, puesto que llegamos a un acuerdo, me retiré.

Arqueé una ceja, incrédula.

—Me alejé a propósito, para que recuperaras fuerzas. —Hizo una pausa, y luego sentí de nuevo esa mirada glacial sobre mí—. Créeme, vas a necesitarlas.

—Suena a profecía.

—Tómatelo como tal.

Hice caso omiso a su tono funesto y me incliné sobre el pasamanos.

—Si no eres tú quien absorbe mis fuerzas, ¿quién puede ser? O mejor dicho, ¿el qué?

—Otro fantasma, diría yo.

Otro fantasma. No sé por qué, pero me sorprendió que, a pesar de su apariencia humana, Fremont se considerara un fantasma. No se engañaba, ni pretendía quedarse en el mundo de los vivos. Su propósito no era ese. Él solo quería resolver su asesinato y pasar página.

Me coloqué un mechón de pelo tras la oreja.

—Eres muy distinto a los otros fantasmas. Careces de aura, de transparencia. ¿Cómo consigues manifestarte a plena luz del día? ¿No tienes que esperar al ocaso? Estás aquí y está amaneciendo, ¿cómo lo haces?

—Requiere mucha energía y concentración.

—Si no estás consumiendo mi energía, ¿de dónde la sacas?

—¿Qué importa? —replicó con cierta sequedad—. No tiene nada que ver contigo.

—Todo lo que afecta a nuestro acuerdo, me afecta a mí también. Fuiste tú quien recurrió a mí, ¿recuerdas? Y, hasta donde yo sé, no has venido solo; has traído otra entidad que sí me está chupando la vitalidad como un maldito vampiro. —Pensé en la silueta que observaba expectante el estudio tras el cristal y un escalofrío me recorrió todo el cuerpo—. Entiendo que estés harto de responder a todas mis preguntas, pero este asunto es importante. Mi casa está construida sobre campo sagrado y, sin embargo, te colaste y te sentaste en mi porche. Lograste quebrantar mi santuario, y no fuiste el único.

—Ya te lo he dicho, no fui yo.

—Lo sé, pero asumamos que quisieras hacerlo, ¿podrías manifestarte dentro de mi casa?

—No, dentro no.

Un alivio saberlo, pensé. Pero luego me invadieron las dudas.

—¿Me dices la verdad o solo lo que quiero oír?

—¿Quieres saber la verdad? Nunca lo he probado.

—¿Por qué no?

—Porque, lo creas o no, no pretendo causarte más molestias de las necesarias.

¿Causarme molestias? Una forma muy interesante de expresarlo.

—Agradezco tu consideración —dije—, pero, por

desgracia, alguien ha violado mi santuario. Ayer mismo alguien trazó un corazón sobre el espejo del baño. La única explicación es que un fantasma haya entrado en casa.

—Psicoquinesia —contestó.

—¿Podéis hacer eso?

—De vez en cuando. Si te preocupa recibir una visita no deseada, quema un poco de salvia y esparce las cenizas sobre los espejos y las ventanas.

—¿En serio funciona? ¿La salvia repele a los fantasmas?

Esbozó una sonrisita.

—A mí no, pero servirá para disuadir a ciertas entidades.

—¿Y a una niña fantasma?

Encogió los hombros.

—Apostaría a que Shani es quien se está nutriendo de mi energía —musité.

—¿Shani? —dijo con voz afilada.

—La hija de John Devlin. Al parecer, se ha encaprichado de mí.

—Se ahogó —murmuró.

El comentario me dejó estupefacta.

—¿La has visto?

Una mujer que paseaba por el puerto me miró como si estuviera chiflada, así que desvié la mirada hacia el océano y bajé el tono de voz.

—¿Has visto a Shani Devlin?

—Te repito que prefiero mantener cierta distancia con los demás fantasmas.

—¿Y entonces cómo te has enterado?

—Alguien debió de contármelo, supongo.

Me quedé muda durante unos instantes.

—Aseguras no recordar nada del tiroteo ni de los momentos previos. No tienes ni la más remota idea de por qué estabas en el cementerio, ni de la identidad de la mujer, que suponemos conocías, la que llevaba el mismo perfume que ahora impregna tu ropa. Y, sin embargo, sabes que ocurrió una desgracia horas antes de que perdieras la vida. El accidente tuvo lugar durante el atardecer. El coche en el que iba Shani se estrelló contra una valla de contención y se desplomó sobre un río. Madre e hija quedaron atrapadas dentro. Te dispararon entre las dos y las cuatro de la madrugada, de modo que deduzco que alguien te informó del trágico accidente antes del tiroteo. Podría ser un hecho importante porque nos ayudaría a establecer una cronología. ¿Alguien te llamó para contarte lo ocurrido?

—No recuerdo nada.

—Falso. Recuerdas que se ahogó. No podemos pasar por alto ese detalle.

—Era un agente de policía, ¿de acuerdo? Me llegaban informes de accidentes constantemente. Si la hija de otro detective hubiera sufrido una desgracia, la noticia habría corrido como la pólvora.

Un tipo se acercó a la barandilla para admirar el alba.

—Es precioso, ¿verdad?

—Sí, encantador —murmuré.

—He visto amaneceres en todo el mundo —añadió.

—Pero seguro que ninguno supera al de Charleston.

Le dediqué una sonrisa evasiva. Uno de los pelícanos se separó del grupo para descender en picado sobre el mar y sumergir el pico. Un segundo más tarde, volvió a alzar el vuelo con un pez plateado en la boca.

—Que tenga un buen día —comentó el extraño, y se marchó.

Comprobé que Robert Fremont no se hubiera evaporado. Seguía a mi lado.

—Hubo algo peculiar en la muerte de aquella niña —murmuró.

—¿El qué? —pregunté, ansiosa.

—No lo sé. Háblame más de su fantasma. ¿Dices que se ha encaprichado de ti?

—Al igual que tú, tiene asuntos que resolver. Me está pidiendo ayuda, pero todavía no sé qué espera de mí.

—Todavía no has averiguado quién eres, ¿verdad? —dijo en voz baja—. Sigues sin comprender por qué acudimos a ti.

—Porque puedo veros.

«Y porque desobedecí a mi padre.»

Asintió vagamente y se giró hacia el puerto.

—¿Por qué crees que esa cría se resiste a dejar el mundo de los humanos?

Inspiré hondo en un intento de aplacar una corazonada.

—No lo sé seguro. Solo tenía cuatro años cuando murió. No charla conmigo, como tú, pero puede comunicarse.

—¿Lo dices por el corazón?

—Y a veces la oigo en mi cabeza. Creo que es incapaz de seguir adelante porque su padre no está preparado para dejarla marchar.

—Eso tiene sentido. Los vi juntos en varias ocasiones. Estaban muy unidos.

—Su madre también se quedó atrapada dentro del coche, pero dudo mucho que quiera desaparecer de este mundo para siempre. Tiene a John justo donde quiere.

—De Mariama, no me extrañaría —murmuró, mirando al horizonte.

Me sorprendió que la nombrara. Me volví hacia él.

—¿La conociste?

—Nos criamos juntos —contestó con esa voz hueca tan rara.

—¿Fuisteis amigos?

—¿Amigos? Qué va...

—¿Amantes?

—Cualquier hombre que se cruzaba con ella se enamoraba perdidamente.

—¿Tú también?

—Durante un tiempo. Después me trasladé a Charleston y descubrí que el mundo no giraba alrededor de Mariama Goodwine.

—¿Cómo se lo tomó ella?

—No muy bien.

—¿Vino a Charleston por ti?

—Se mudó a la ciudad porque vio una oportunidad y la aprovechó. Un tipo llamado Rupert Shaw se ofreció a financiarle los estudios.

—Conozco al doctor Shaw. Es amigo mío —expliqué.

De pronto, hubo una pausa incómoda, porque ambos sentimos una fractura en el aire, como si algo invisible se hubiera interpuesto entre ambos.

—Shaw solía pasar largas temporadas en el condado de Beaufort.

—¿Haciendo qué?

—Investigación —dijo—. Estaba muy interesado en Essie Goodwine, la abuela de Mariama. Era la médica naturista más destacada de la zona. Quería aprender conjuros medicinales, pero, conociendo a Essie, estoy seguro de que solo le enseñó un puñado de hechizos y ensalmos inofensivos. Jamás le habría desvelado a nadie cómo utilizar las plantas medicinales para hacer el mal.

—¿El mal? Me cuesta creer que el doctor Shaw buscara eso —farfullé, y me vino a la memoria mi visita a Essie Goodwine. Fue ella quien me regaló una bolsa de vida eterna, un amuleto para alejar a los malos espíritus.

Aquel día, la anciana me aseguró que llegaría el día en que tendría que explicarle a Devlin que su hija fantasma seguía anclada a él, porque se vería obligado a escoger entre los vivos y los muertos. Entonces, me pareció que revelarle esa información era una locura, pero la última noche había estado a punto de soltárselo.

«Él lo sabe», había dicho Essie. Luego se había llevado la mano al corazón y había añadido: «Aquí, lo sabe».

La abuela de Mariama no debía de ir desencaminada. La brisa, las habitaciones frías…, los sonidos inexplicables en mitad de la noche, el vello erizado de la nuca, el tacto gélido de su espalda…

Centré mi atención en el asunto que me ocupaba.

Robert Fremont me observaba con tal intensidad que, por un momento, pensé que podía leerme la mente. Había desarrollado la habilidad de hacerse pasar por un ser humano. ¿Qué más era capaz de hacer?

—¿Qué sabes de naturopatía? —preguntó.

—He leído alguna cosa acerca del tema. Todos los que hemos nacido en Carolina del Sur sabemos algo sobre plantas medicinales, por muy rudimentaria que haya sido nuestra educación. Proviene del oeste de África, ¿verdad?

Mi propio comentario me hizo pensar en Darius Goodwine.

—Los más devotos creen que todas las cosas poseen una esencia espiritual, incluso un alma, podría decirse. Un experto en esta ciencia puede emplear ese poder universal del mundo espiritual para bien, para curar a enfermos. Mariama creció en un entorno donde se respetaban las raíces. Estaba destinada a seguir los pasos de Essie. Y, personalmente, creo que esa fue la razón por la que Shaw la trajo a Charleston.

—¿Para utilizarla y poder acceder al mundo de los

espíritus? Supongo que tiene sentido. Siempre ha mostrado gran interés por el más allá, pero no para lucrarse. Su mujer padeció una larga enfermedad, que, al final, acabó con su vida. Sé de buena tinta que incluso intentó contactar con ella en sesiones de espiritismo, pero, según Devlin, Mariama se negó a participar. Le asustaba lo que el doctor Shaw pretendía hacer.

—Tenía miedo a los muertos, un miedo más que justificado.

—¿Porque la muerte no menoscaba el poder de una persona?

—Porque sabía que uno no siempre puede controlar lo que atrae del otro mundo —murmuró.

Un escalofrío me recorrió la espalda.

—¿Veías a menudo a Mariama cuando se mudó aquí?

—Al principio, pero poco después conoció a otro.

—¿A John?

—Él era un tabú para ella, lo que le hacía el tipo más irresistible de la ciudad.

—¿Un tabú?

—En ciertas comunidades, los viejos resentimientos siguen muy arraigados. La desconfianza hacia el hombre blanco continúa latente y, en fin, fueron muchos los que consideraron el matrimonio de John Devlin y Mariama como una traición. No solo era blanco, sino también rico. Pertenecía a una de las familias más pudientes de Charleston.

—Entonces deduzco que la familia de Mariama no dio su aprobación a la relación.

—Iba más allá de la disconformidad. Un asunto muy complicado.

Me moría de curiosidad por ahondar en la relación del detective y su misteriosa esposa, pero pasé a otro tema.

—Compartió casa con el doctor Shaw cuando llegó a Charleston, ¿verdad? ¿Conociste a Ethan Shaw?

—Lo bastante para darme cuenta de que también se había enamorado de Mariama.

Abrí los ojos como platos.

—¿Ethan?

—Como ya he dicho…

—Cualquier hombre que se cruzaba con ella se enamoraba perdidamente —repetí. Pero ¿Ethan?—. ¿Devlin lo sabía?

—Quizá, pero Mariama cegaba a todos los hombres.

—¿Crees que pasó algo entre ellos?

Hizo una mueca desdeñosa.

—No habría dedicado ni un minuto de su tiempo a alguien como Shaw. Pero estoy seguro de que, si hubiera surgido la necesidad, le habría utilizado como a una marioneta.

—¿Utilizarlo? ¿Cómo?

Tardó unos instantes en contestar.

—Mariama ejercía un poder sobrenatural sobre los hombres. Siempre que quería algo, que necesitaba algo, encontraba a alguien dispuesto a complacerla.

Aquella explicación no respondió a mi pregunta, pero de forma súbita recordé algo que Devlin le había dicho a Ethan en el porche: «En tu declaración, afirmaste que estuviste toda la noche conmigo. No te inventaste una coartada solo para mí, sino también para ti».

Era imposible que esa noche estuviera complaciendo a Mariama, porque ya estaba muerta.

—¿Qué ocurre? —quiso saber Fremont al verme tan pensativa.

—Me preguntaba por qué tantos hombres listos cayeron en sus redes. Entiendo que era hermosa, que tenía carisma, pero, por lo que he oído, también era una mujer egoísta y cruel.

—No siempre fue así. Era salvaje e impulsiva y, demasiadas veces, un poco peligrosa. Pero en ningún caso cruel. No hasta que Darius la cambió.

Me quedé maravillada al ver que, incluso muerto, enseguida salió en su defensa.

—¿Darius Goodwine? ¿Qué relación tenían?

—Primos hermanos, pero crecieron como hermanos.

—¿En qué sentido la cambió?

—Sabía cómo utilizar su talón de Aquiles.

—¿A qué te refieres?

—John Devlin era su mayor debilidad. Había una parte de él que Mariama no podía tocar ni poseer. La resistencia del detective la volvió loca. Habría hecho cualquier cosa para debilitarle. Darius lo sabía, así que explotó su vulnerabilidad.

—¿Cómo?

—La persuadió para que viajara a África con la niña. Devlin tardó semanas en encontrarlas. Regresó a casa con Shani, pero Mariama prefirió quedarse con Darius. Cuando por fin volvió, él ya la había transformado.

—¿De qué tipo de transformación estamos hablando?

—De chamán a *tagati*.

—¿Qué es un *tagati*?

—La traducción más acertada sería hechicera. O bruja. Alguien que utiliza conjuros medicinales con propósitos malignos.

¿Conjuros medicinales como el polvo gris?, me pregunté.

—Los *tagati* más poderosos son mujeres, así que Darius logró convencer a Mariama de que, con la sabiduría de él y el poder de ella, formarían una fuerza invencible. La siguió hasta Charleston, y la influencia que ejerció sobre ella fue muy negativa.

—¿Porque empezó a creerle?

—No, porque sabía que era cierto. Para un forastero puede resultar difícil de creer, pero en nuestra comunidad el concepto de magia se acepta igual que el de Dios. Existe un viejo refrán que dice que practicamos una religión públicamente los domingos, y otra en secreto cada día de la semana —respondió. Hasta ahora, no se había dignado a mirarme a los ojos—. Muchos no creen en fantasmas, pero eso no significa que yo no sea real.

Su lógica era aplastante, así que no pude discutirle nada.

—Acabas de decir que Darius la siguió hasta Charleston. ¿Fue entonces cuando trajo polvo gris?

—¿Qué sabes sobre esa sustancia? —preguntó en voz baja.

—Es un polvo alucinógeno que provoca infartos.

Miró a su alrededor, nervioso. Me dio la sensación de que temía que alguien pudiera escuchar nuestra conversación, lo que me pareció, por cierto, un tanto extraño. Cualquier transeúnte que pasara por allí, me vería hablando sola, me tomaría por una pirada y no se atrevería a acercarse.

—¿Con quién has estado hablando? —preguntó.

—Con nadie. Tan solo he hecho ciertas averiguaciones. ¿Acaso no es eso lo que esperabas de mí? ¿Que fuera una chica con recursos? —pregunté, pero no le di opción a replicar—. Dado que estabas investigando a Darius cuando te asesinaron, él es nuestro principal sospechoso.

—No solo abrí una investigación —corrigió Fremont—. Quise detenerle.

—¿Para que no traficara?

Hizo una pausa.

—Sí.

Otro escalofrío.

—¿Trabajabas con Devlin?

Murmuró unas palabras que fui incapaz de comprender. Tuve la impresión de que había articulado un cántico o un encantamiento.

—¿Qué estás haciendo?

No hubo respuesta.

—¿Por qué todo el mundo teme a Darius Goodwine? —pregunté, al borde de la histeria—. Ya no supone ninguna amenaza para ti.

El fantasma tampoco contestó a eso. Ya estaba empezando a desvanecerse cuando, de repente, se evaporó. Me quedé sola junto a la barandilla, temblando de frío. Mi premonición, al igual que el viento, era cada vez más intensa. El puerto brillaba bajo la luz del sol, pero en la distancia advertí oscuridad.

Capítulo 13

*C*ualquier otra mañana habría continuado mi paseo por el puerto, luego habría caminado por el bulevar Murray, pasando por la avenida Rutledge, y habría bordeado el parque del lago Colonial hasta por fin llegar a casa. Sin embargo, ese día cambié mi rutina. Atravesé los jardines de White Point, caminé por delante de los monumentos y cañones de la guerra civil e hice una breve parada en el mirador del embarcadero, donde en aquel instante se estaba celebrando una boda.

Tras un fugaz vistazo a la feliz pareja, aproveché el momento para admirar el lecho de margaritas púrpura que cubría el suelo. Después, me dirigí hacia la calle King, en pleno bullicio, porque todos los restaurantes y las pastelerías estaban a punto de abrir. El aroma a café y pastas recién sacadas del horno impregnaba el ambiente, todavía fresco, y tuve que reprimir la tentación de sentarme en una de las terrazas para darme el capricho de un desayuno de campeonato. Las calles empezaban a cobrar vida, y me habría encantado sentarme allí y observar a los transeúntes mientras saboreaba una tostada francesa de vainilla o una magdalena de melocotón y almendras, al tiempo que repasaba mi conversación con el fantasma de Fremont. Pero consideré que ya había dado demasiadas vueltas a las cosas en los últimos dos días. Lo que necesitaba era divertirme.

Así que pasé frente a todas las cafeterías de moda y tiendas *gourmet* y llegué a Cumberland. Aminoré el paso para ubicar El Jardín Secreto. Estaba a mi derecha. Era una tiendecita muy pintoresca con una marquesina metálica sobre la puerta principal y, tal y como recordaba, un jardín vallado y una fuente en la parte trasera, donde cualquier cliente podía sentarse con un libro y disfrutar de una taza de té.

Me llevé un chasco al ver que estaba cerrada, aunque, teniendo en cuenta la hora que era, no sé por qué me sorprendió. Aun así, una infusión exótica y una charla agradable con Clementine Perilloux habría sido lo ideal para olvidarme de mi encuentro con Robert Fremont. Tenía que admitir que, pese a las circunstancias, me habría gustado hacerle una visita. Me alegré de albergar ese sentimiento incluso sabiendo que era la hermana de la amiguita morena de Devlin.

Aquella excursión espontánea a la tienda a esas horas de la mañana no era más que la prueba definitiva de lo sola que estaba. En toda mi vida había hecho muy pocos amigos. En realidad, no tenía a nadie a quien llamar para tomar un café o almorzar, a nadie con quien charlar sobre libros, películas o sobre Devlin.

Devlin. Daba lo mismo el tiempo o la distancia que nos separara, mis pensamientos siempre volvían a él. En ningún momento pensé que pudiera estar implicado en el asesinato de Fremont, por supuesto, pero estaba relacionado de algún modo. Todo estaba relacionado. Ahora estaba más segura que nunca. El ahogamiento de Shani, la desaparición del detective tras el accidente, la coartada que le dio Ethan a la policía.

No lograba imaginarme cuánto habría sufrido Devlin la noche del accidente. «El dolor me estaba volviendo loco», había dicho él. Habría sido más que entendible que hubiera recurrido a ciertos medicamentos para anestesiar el dolor. Pero el polvo gris no era ningún tranquilizante, ni tampoco tenía el efecto de un sedante. Era un alucinógeno muy potente. ¿Cómo una sustancia así podría haberle ayudado a lidiar con su pérdida?

Sin embargo, según Devlin, el polvo gris no era solo un alucinógeno. Paralizaba el corazón y causaba la muerte. Y los pocos que lograban sobrevivir sufrían unos efectos secundarios terribles. «Tienen la mirada perdida y blanquecina, como la de un cadáver, y se mueven arrastrando los pies, como si cargaran con algo sacado del mismísimo Infierno.» Esas habían sido sus palabras exactas.

Aquella conversación evocaba unas imágenes demasiado perturbadoras y macabras para recordarlas en una mañana tan soleada. Procuré deshacerme de esa escena y me asomé al escaparate. Una taza de té me habría sentado de maravilla.

No sé cuánto tiempo tardé en darme cuenta de que alguien me estaba vigilando. Y esta vez no era ningún fantasma. No sentí un aliento frío en la nuca, ni el roce de unos dedos de hielo acariciándome la espalda. No, la sensación fue inequívoca. Alguien me estaba observando desde alguna parte.

Me di la vuelta y peiné la acera con disimulo, fingiendo comprobar la hora en el teléfono móvil. Enseguida me fijé en un tipo que había al otro lado de la calle. Lo único que distinguí fue que era un hombre blanco un poco más bajito y regordete que Devlin. Llevaba un pantalón caqui con una chaqueta de madrás y un sombrerito de paja que le ensombrecía parte del rostro. El típico atuendo de alguien criado en Charleston. Aquella indumentaria tan anodina armonizaba con turistas y locales por igual. Pero todavía era demasiado temprano para que las calles estuvieran abarrotadas de gente, y por eso destacaba tanto.

Cuando alcé la cabeza para echar un vistazo al tráfico, se volvió y, con paso ligero, se dirigió hacia un callejón privado.

No me asusté. Hasta donde sabía, podía tratarse de un simple admirador. No era una mujer que causara furor, como Mariama. Era evidente que no inspiraba tanta pasión, pero era una jovencita rubia que se mantenía en buena forma por el esfuerzo físico que exigía mi profesión. Y por eso, de vez en cuando, llamaba la atención de algún hombre.

A pesar de esa explicación lógica, seguía pensando que aquel tipo no me estaba mirando, sino espiando.

Me giré de nuevo hacia el escaparate de la librería, y simulé estar echando un vistazo a la tienda. Entonces advertí un rostro reflejado en el cristal, el de un hombre de raza negra muy atractivo. Estaba justo detrás de mí, pero, al volverme, desapareció. El único sonido que se oía era el murmullo de las palmeras. A pesar de que el cielo estaba despejado, tenía la impresión de que se estaba formando una tormenta en el horizonte. Durante un segundo, algo eclipsó la luz del sol. Un pájaro, pensé. Qué más ominoso que un cuervo o un gorrión.

De pronto, el desconocido del sombrero emergió del callejón, y me habría jugado el cuello a que me estaba espiando. Movía los labios, pero no estaba sujetando ningún teléfono móvil y no había nadie más a su alrededor. Al menos, que yo pudiera ver.

Afloró el miedo y me asaltó una duda. ¿Me estaba volviendo paranoica? No había dicho ni una palabra a nadie acerca del asesinato de Fremont, de modo que era imposible que alguien se hubiera enterado de la investigación que habíamos iniciado. Además, estaba segura de que el desconocido que pillé agazapado en el jardín de Devlin no me había visto. Así que, ¿por qué iba a estar bajo vigilancia?

Empecé a caminar, muy lentamente al principio, haciendo como que miraba escaparates para poder seguirle el rastro. Pero, o bien se percató de que le había cazado, o bien era un peatón inocente, porque enseguida giró hacia la calle Market, se mezcló entre el tráfico, y no volví a verlo.

Paré en un mercadillo al aire libre y compré un ramo de flores silvestres y algo de salvia. Al llegar a casa, *Angus* me recibió como siempre, emocionado por verme. Le até la correa, dimos un paseo rápido por el vecindario y luego desayunamos juntos en el jardín.

Me pasé el día pululando por casa; hice el cambio de armario y guardé toda la ropa de verano, invertí un buen rato en actualizar *Cavando tumbas* y hablé con mi madre y mi tía Lynrose por teléfono. Todo ese ajetreo me distrajo durante varias horas, pero a media tarde empecé a ponerme nerviosa. Tras realizar un par de llamadas, me aseguré de dejar a *Angus* a buen recaudo y me subí al coche, camino del Instituto de Estudios Parapsicológicos de Charleston para reunirme con Rupert Shaw.

El instituto estaba en la planta baja de un edificio restaurado anterior a la guerra civil, en pleno corazón histórico de la ciudad. Tenía cierto aire colonial, con inmensas columnas y cestas repletas de helechos que se balanceaban desde las terrazas de las tres plantas. Aparqué en la parte posterior y, tras rodear la esquina, me fijé, como era habitual, en la mano de neón que adornaba la casa de enfrente. Madame Sabiduría.

Siempre había sentido curiosidad por aquel local y me divertía que estuviera tan cerca del noble y destacado Instituto de Estudios Parapsicológicos de Charleston. Ahora que sabía que la quiromántica tenía relación con Devlin, mi fascinación se multiplicó. Clementine había dejado caer que el detective e Isabel eran muy buenos amigos, pero había visto con mis propios ojos la delicadeza con que le había rodeado la cintura, la intimidad con que hablaban entre murmullos. Eran más que amigos. Pero ¿hasta qué punto?

Seguía allí parada cuando, de pronto, un lujoso Buick de color azul frenó junto a la curva y, sin apagar el motor, permaneció ahí parado. El conductor llevaba unas gafas de aviador que le cubrían la parte superior del rostro. Entre los cristales ahumados y la luz del sol, apenas pude distinguir los rasgos, pero el instinto me decía que quizás era el mismo tipo que había visto por la mañana.

No se apeó del coche. Se quedó en el asiento mirando fijamente uno de los balcones. En esta ocasión no me preocupó que pudiera verme, puesto que tenía una gigantesca azalea delante para encubrirme. El corazón cada vez me latía más deprisa. ¿Me estaba siguiendo?

—¿Amelia?

Después de tantos años viendo fantasmas, había aprendido a dominar los nervios con una maestría inigualable, de modo que al oír mi nombre me giré como si nada. Ethan Shaw estaba detrás de mí, pero se había deslizado con tal sigilo que no me había dado cuenta.

—Sabía que eras tú.

Esbozó una amplia sonrisa genuina y se acercó varios pasos. Era un tipo alto, con una elegancia envidiable y una cultura infinita. Tenía un aire despreocupado que, desde que lo conocí, me pareció atractivo. Sin embargo, había conocido otra parte de él la noche en que le escuché hablar con Devlin. Aquella charla me hizo ver su lado más oscuro, y eso me puso el vello de punta. ¿De veras se había enamorado de la esposa del detective? ¿Había cumplido con las exigencias de Mariama?

—Hola, Ethan. No te he oído.

—He venido por detrás —explicó—. He estado paseando por el jardín con mi padre.

—Ah, ¿entonces está aquí?

—Sí. —Me miraba algo perplejo—. ¿Por qué estás escondida entre estos matorrales?

—No me escondo, tan solo observo.

—¿Qué estás observando, si puede saberse?

—¿Te suena de algo ese coche azul? —pregunté ansiosa. Ethan echó un vistazo a la acera y encogió los hombros—. No, ¿por?

—Creí que me habían seguido hasta aquí.

Arqueó una ceja con escepticismo.

—¿Y por qué creerías tal cosa?

No podía contarle la investigación que me traía entre manos, así que me limité a murmurar:

—No lo sé. Supongo que me estoy volviendo paranoica.

Su sonrisa se tornó compasiva.

—Es comprensible después de todo por lo que has pasado.

—Podría ser.

Echó una segunda ojeada a la calle.

—¿Y qué te trae por aquí?

—He venido a ver al doctor Shaw. No he concertado una reunión, pero espero que tenga un hueco para mí.

—Mi padre siempre tendrá tiempo para ti. Igual que yo —contestó Ethan, haciendo gala de su educación; sin embargo, el cumplido no sonó sincero y me dio la sensación de que tenía la mente en otro sitio.

Hice acopio de fuerza de voluntad para no mirar por encima del hombro.

—¿Puedo preguntarte algo?

—Desde luego.

—La casita que hay al otro lado de la calle siempre me ha fascinado.

—¿El estudio de tatuajes de Bodine?

Solté una carcajada.

—No, la casa de al lado. El local de Madame Sabiduría. ¿Qué sabes acerca de la quiromántica?

—Su verdadero nombre es Isabel Perilloux. Si necesitas los servicios de una vidente, permíteme que te diga que presume de una reputación excelente.

—La verdad es que lo último que necesito es conocer el futuro. Es simple curiosidad.

Me lanzó una mirada de recelo y me pregunté si estaría al corriente de la relación entre Isabel y Devlin.

—En cualquier caso…, no quiero entretenerte.

—No te preocupes, Ethan. Me alegro de haberte visto. Por cierto, Temple está en la ciudad. Hemos quedado para cenar mañana, así que, si estás libre, nos encantaría que nos acompañaras.

Temple Lee era mi antigua jefa. Había trabajado para ella durante dos años en el Departamento de Arqueología del Estado, antes de mudarme a Charleston y fundar mi propio negocio. Manteníamos el contacto gracias al correo electrónico y a los mensajes de texto. La consideraba mi mejor amiga, lo cual, teniendo en cuenta lo poco que nos veíamos, era un tanto lamentable.

—Claro que sí, si no es demasiada intromisión.

—Es una cena de amigos, nada más —dije—. Últimamente no pasa mucho tiempo en Charleston, así que nos pondremos al día. Te llamo más tarde para darte los detalles.

—Gracias.

Me despedí de Ethan y entré en el instituto. Di por hecho que se encaminaría hacia el aparcamiento, pero desde uno de los ventanales del vestíbulo lo pillé con la nariz pegada en el parabrisas del Buick. Vi cómo rodeaba el vehículo, ahora vacío, y miraba en todas las direcciones, como si estuviera buscando al conductor.

Parecía agitado, casi enfadado, y eso disparó mi intriga. Lo observé durante un breve instante y luego me aparté del ventanal.

Capítulo 14

*L*os tablones de madera crujían bajo mis pies. Me alejé del vestíbulo y entré en lo que antaño había sido el vestíbulo principal del edificio. Ahora alojaba la zona de recepción, donde trabajaba una nueva secretaria que se ocupaba de las llamadas telefónicas. Al entrar, me miró con una media sonrisa algo curiosa. Al percatarse de que llevaba una coleta y zapatillas deportivas, hizo una mueca de desdén. Tenía unos ojos color chocolate preciosos y vestía una camisa de seda azul de última moda que le sentaba de maravilla.

—¿En qué puedo ayudarla? —preguntó con un acento imposible de ubicar.

—Soy Amelia Gray. No tengo cita programada, pero me gustaría ver al doctor Shaw.

—Tiene un día muy ocupado.

—¿Podría decirle que estoy aquí? Si no puede atenderme ahora, puedo venir más tarde.

Titubeó, como si mi repentina aparición no le hubiera agradado.

—Somos amigos —añadí, pero no la convencí.

—Espere aquí —ordenó.

Se levantó del escritorio y desapareció pasillo abajo. Oí que abría una puerta, un murmullo de voces y, finalmente, el enérgico paso de sus tacones de aguja hasta el escritorio.

—Por aquí —espetó con expresión de disconformidad.

—Gracias.

Había estado en el instituto incontables veces y sabía dónde estaba el despacho del doctor Shaw, por supuesto, pero la seguí por el pasillo en silencio hasta una puerta corredera. No musitó palabra, tan solo se limitó a hacerse a un lado para que pasara y luego cerró la puerta.

Me quedé contemplando lo que, a primera vista, parecía un despacho vacío. Tardé unos segundos en encontrar al doctor Shaw, que se balanceaba peligrosamente sobre una escalera mientras cogía un volumen polvoriento de la repisa más alta de una estantería a rebosar de libros. No dije nada por miedo a sobresaltarlo, aunque sabía que la recepcionista me había anunciado y, sin duda, habría oído la puerta.

El despacho estaba tan abarrotado como siempre. Era como una cueva del tesoro, repleta de tomos antiguos que pedían a gritos que los exploraran. Apenas había muebles, pero la salita era acogedora y agradable. Tenía una chimenea de mármol perfecta para las tardes de invierno y varios ventanales que daban a un jardín muy cuidado. El suelo de roble estaba cubierto de alfombras descoloridas y pilas de libros. Respiré hondo para embriagarme del aroma que reinaba en esa habitación, una mezcla de cuero con una pizca de tabaco, aunque jamás había visto al doctor Shaw fumando. Sin embargo, no me costaba imaginarlo con una pipa curvada en la boca, mientras reflexionaba sobre las complejidades de este mundo y del más allá.

—Hola —dijo desde el último peldaño de la escalera—. Tome asiento. Estaré con usted dentro de un momento.

—Tómese su tiempo.

Dejé el bolso en el suelo, al lado de la silla, y me acerqué al cristal para admirar el jardín. Los ventanales estaban entreabiertos, y la suave brisa que se colaba arrastraba la esencia del heliotropo que crecía en las macetas de cemento que bordeaban el patio. Era una fragancia fresca que me recordaba a los polvos de talco. Un gato pardo bastante regordete que tomaba el sol sobre los adoquines de piedra me observaba con los ojos entornados. De pronto, algo llamó su atención, porque levantó las orejas y se volvió hacia la verja. No advertí nada sospechoso, aunque la hilera de sal que marcaba el umbral me pareció, cuando menos, curiosa.

El doctor Shaw descendió la escalera y vino a saludarme. Era algo más alto que su hijo, con una elegancia natural que sugería una vida de finura pudiente. Tenía una cabellera espesa del mismo color que la nieve y los ojos azules más asombrosos que jamás había visto. A pesar de su aspecto de hombre de dinero, llevaba su atuendo habitual: un pañuelo con estampado de cuadritos de franela, deshilachado y viejo, y unos pantalones y chaqueta dos tallas más grandes.

Al estrecharme la mano, me invadió un ligero olor a humedad y hierbas. Luego me dedicó la más amable de sus sonrisas.

—Ha pasado mucho tiempo.

—Sí, demasiado. ¿Cómo está, doctor Shaw?

—Muy bien, Amelia. ¿Y usted?

—Bien, gracias.

Ladeó la cabeza.

—¿Qué ha estado haciendo últimamente? Perdóneme la indiscreción, pero no tiene buen aspecto.

—No me encuentro demasiado bien —admití—, pero no es nada serio.

A menos que estar al borde de la muerte se considerara como algo serio. O a menos que el acecho de fantasmas se considerara como algo serio. Pero no pensaba mencionar nada de eso al doctor Shaw porque, pese a que valorara su conocimiento de lo paranormal, jamás le había confiado que veía fantasmas. Era un tema personal y privado que no me gustaba compartir con nadie. Además, hablar sobre ello sería otro modo de reconocer a los muertos que podía verlos.

—Sentémonos, ¿le parece? —ofreció mientras señalaba la silla frente a su escritorio—. ¿Le apetece un té? —preguntó.

—No, muchas gracias. No le robaré mucho tiempo. La cuestión es que me he topado con algo que me gustaría comentar con usted.

Me dio la impresión de que alzaba las orejas con la misma curiosidad que el gato que descansaba sobre la alfombra. Se inclinó hacia delante con la mirada encendida.

—Déjeme adivinar. Se ha encontrado con otro ser de sombras.

—No, no es eso.

—¿Un vampiro psíquico?

—Tampoco.

Entrelazó los dedos y, una vez más, me fijé en el anillo que llevaba en el meñique: una serpiente enroscada alrededor de una garra. El mismo emblema que el del medallón de Devlin, el talismán de la Orden del Ataúd y la Garra. Una sociedad secreta para la élite de Charleston.

Desvié la vista hacia aquellos ojos azules y me estremecí.

—¿Tiene frío? —preguntó, algo preocupado, mientras se ponía de pie para cerrar un poco los ventanales.

—No, no. Estoy bien. La razón por la que he venido a verle…

De pronto, hizo un gesto para silenciarme.

—Aunque reconozco que estoy ansioso por saber

qué motivo la ha traído hasta mi despacho esta vez, preferiría, si me lo permite, abordar otro tema antes. De lo contrario, se me olvidará por completo. Me estoy volviendo un viejo despistado y olvidadizo —dijo, y una sombra le oscureció los rasgos. Esa sombra me inquietó. Quería creer que sus problemas de memoria no eran consecuencia de una enfermedad, pero, tras observarle, caí en la cuenta de que parecía más frágil de lo habitual.

—¿Y de qué tema se trata? —quise saber.

—Necesito pedirle algo, y me temo que mi petición le traerá recuerdos desagradables.

—¿Qué quiere saber? —pregunté nerviosa.

—¿Le ha llegado alguna noticia de Oak Grove?

Otro escalofrío, pero de una naturaleza distinta esta vez. La mención de ese antiguo cementerio invocó un sinfín de sentimientos oscuros.

—¿Qué ha pasado?

—La policía por fin ha terminado la investigación. El cementerio ha vuelto a manos de la Universidad de Emerson, y la junta directiva ha decidido continuar con la restauración. Me han pedido que le informe al respecto, pero, teniendo en cuenta su historia con el cementerio, nadie le reprochará que prefiera rescindir el contrato. No me malinterprete, usted sigue siendo nuestra primera opción.

¿Volver a Oak Grove? ¿Después de todo lo que había pasado allí? Inspiré hondo y procuré apartar la imagen de mujeres torturadas de mi cabeza.

—¿Cuándo querrían que empezara?

—Lo antes posible. Se acerca el bicentenario de Emerson, y nos gustaría que la restauración hubiera acabado antes de finales de año. Sería una buena forma de cerrar ese capítulo tan horrible de su vida. Hace mucho tiempo que trabaja con Temple Lee. Entiendo que se llevan bien, ¿verdad?

—Sí. Es amiga mía.

Asintió.

—Puesto que las tumbas más dañadas son ancestrales, debo suponer que entrarán en su jurisdicción. Pero dado que se conocen, espero que el acuerdo sea amigable y confío en que no se produzcan disputas territoriales. Eso siempre y cuando… usted decida retomar la tarea. Tómese un par de días para pensárselo y dígame qué ha decidido a finales de esta semana.

—No será necesario —dije—. Ya que empecé la restauración, me encantaría acabarla.

—¿Está segura? —preguntó con ojos bondadosos—. Como he dicho, nadie le reprochará que decline la oferta, y una negativa no afectaría a recomendaciones futuras.

—Se lo agradezco, pero preferiría acabar lo que empecé.

Era una cuestión de orgullo profesional, pero también pensé que me iría de perlas. Me serviría para ocupar la mente y dejar de pensar en Devlin y en sus fantasmas, y en Robert Fremont y en su asesinato. Sufría cierta inclinación a obsesionarme, así que mejor tener algo con que distraerme.

El doctor Shaw se recostó en su asiento.

—Asunto solucionado, entonces. Informaré a la junta de que Oak Grove vuelve a estar en sus manos.

—Gracias.

—Y ahora pasemos al asunto que la ha traído hasta aquí —comentó arqueando una ceja.

—Ah, no es nada importante —dije—, me ha surgido una duda, y tenía la esperanza de que usted pudiera contestarme algunas preguntas.

—No es un ser de sombras, ni un vampiro psíquico… Mmmm —musitó—. Me pica la curiosidad.

—¿Ha oído hablar de una sustancia denominada polvo gris?

En cuanto las palabras salieron de mi boca, habría jurado que la suave brisa que entraba por el ventanal se tornó huracanada. Vapuleó las páginas del libro que el doctor Shaw tenía abierto sobre su escritorio, pero seguí con la mirada fija en su expresión. Detecté un ligero cambio en sus rasgos que me heló la sangre. Sorpresa, sin duda, con una pizca de miedo. Pero lo que me puso la piel de gallina fue su mirada malévola, un gesto que jamás habría creído si no lo hubiera visto con mis propios ojos. Al menos no del refinado y elegante doctor Shaw.

Cerró el libro de golpe y recordé que Robert Fremont me había hablado esa misma mañana de la relación de Essie con el doctor Shaw. La anciana jamás le habría desvelado sus secretos a un hombre cuya intención era hacer el mal.

—¿Dónde ha oído ese término? —preguntó, como si nada. Utilizó un tono tan falto de malicia, y me miraba de un modo tan poco inquisitivo, que por un momento pensé que quizá me habría imaginado su nerviosismo.

—Entiendo, entonces, que sabe qué es —respondí con mi experta serenidad.

—He oído hablar de él, sí.

—¿Qué puede decirme sobre la sustancia?

Cogió un abrecartas de plata y acarició el filo con el pulgar.

—Para entender el polvo gris, antes debe saber de dónde procede.

—De África, ¿me equivoco?

—De Gabón, para ser más precisos. ¿Qué sabe de ese país?

—Solo sé que en el mapa se ve diminuto y que hace frontera con Camerún, el Congo y Guinea Ecuatorial. —Y que Darius Goodwine pasó gran parte de su vida allí, escribiendo, investigando y, por lo visto, estudiando junto a un chamán. Y que luego se transformó en un *tagati*.

El doctor Shaw se quedó pensativo.

—Se dice que Gabón es el Tíbet de África…, el epicentro espiritual de todo un continente.

Sentí el azote del viento otra vez. El doctor Shaw se levantó para cerrar los ventanales. Echó el cerrojo con suma lentitud, e intuí que estaba aprovechando para observar el jardín mientras decidía cómo continuar con la conversación. Verle titubear me inquietó.

Rodeó el escritorio y se acomodó con cierta rigidez en el sillón. Después de verle haciendo malabarismos sobre una escalera de biblioteca, esa súbita torpeza me extrañó.

—Gabón es una de las naciones más misteriosas del mundo —continuó—. Desde siempre, sus tierras han fascinado a investigadores y aventureros por igual. Gran parte del país está cubierto de bosques impenetrables, un disuasivo natural a influencias indeseadas. Durante generaciones se han preservado las creencias naturales que el mundo exterior no ha logrado corromper, incluida la integración de ciertas plantas en sus rituales y ceremonias.

Hizo una pausa cuando la secretaria deslizó las puertas y asomó la cabeza.

—Son las tres, doctor Shaw. Me pidió que se lo recordara.

—Así es. Gracias, Layla.

—Le he preparado un té —dijo, y entró en el despacho con una bandeja de plata que sostenía únicamente una taza de café y un platillo que enseguida colocó en la esquina del escritorio.

—¿Está segura de que no le apetece? —ofreció el doctor Shaw mientras alcanzaba su taza.

Layla me fulminó con la mirada, así que me apresuré a decir:

—No, gracias. Pero… ¿debería irme? ¿Tiene una reunión?

Hizo un gesto con la mano para indicarme que no era un asunto de vida o muerte.

—Es una pequeña cosa que exige mi atención. Gracias por recordármelo, Layla.

—De nada. Para eso estoy.

Y salió de la habitación sin mirar atrás.

De inmediato, el doctor Shaw abrió un cajón del escritorio y extrajo una diminuta bolsa de plástico. Deslizó el cierre y espolvoreó el contenido sobre el té. Olía a humedad y hierbas, el mismo aroma que había percibido al entrar en su despacho. Luego removió el líquido con la cuchara y tomó un sorbo.

No abrí la boca durante ese interludio, pero me moría por saber qué tipo de hierba utilizaba para modificar el té. Quería pensar que la fragilidad del doctor Shaw era consecuencia de demasiadas horas de trabajo, y no de una enfermedad.

Se acercó la taza a los labios, cerró los ojos y, tras unos segundos, empecé a pensar que se había quedado dormido. El silencio se prolongó hasta el punto de volverse incómodo. No sabía si decir algo o marcharme a hurtadillas. Y justo cuando creía que no tendría más remedio que avisar a Layla, pestañeó varias veces y regresó al mundo real.

—¿Dónde estábamos? —quiso saber.

—Gabón —contesté con indecisión—. ¿De veras no le estoy robando demasiado tiempo? Puedo pasar por aquí cualquier otro día.

No respondió, sino que retomó la conversación donde la habíamos dejado, como si la interrupción nunca hubiera sucedido.

—En la mayoría de las religiones africanas todavía sigue muy arraigada la creencia de que la vida no termina con la muerte, sino que continúa en otro reino. Incluso algunas culturas celebran un ritual de iniciación en el que los jóvenes deben adentrarse en el mundo espiritual y hablar con los ancestros antes de que la secta los acepte.

—¿Y cómo logran acceder al mundo de los muertos? ¿O hablar con sus ancestros?

¿Quién querría hacerlo? En el mundo en que me había tocado vivir, todo el mundo evitaba a los fantasmas.

—Son capaces de cruzar la frontera de los reinos si consumen plantas con propiedades mágicas. O, dicho en otras palabras, si ingieren un alucinógeno muy fuerte.

—¿Como el polvo gris?

Parpadeó. No pude evitar fijarme en que sus pupilas se habían dilatado tras beber unos sorbos de té.

—Como la raíz de *Tabernanthe iboga*, una planta que conforma los cimientos de la religión bwiti.

—¿Qué efectos produce?

—Una pequeña dosis puede provocar ansiedad e insomnio. En cambio, una dosis más elevada causa alucinaciones e induce a un estado de letargo que puede durar hasta cinco días.

—¿Cinco días? Qué barbaridad. ¿Es peligroso?

—Una sobredosis puede llegar a paralizar los músculos respiratorios y, por lo tanto, ocasionar la muerte.

—Entonces, esta planta, iboga… —balbuceé—. ¿El polvo gris se sustrae de ahí?

—No. El polvo gris es un derivado de una planta que nadie fuera de la secta ha sido capaz de identificar. El efecto nada tiene que ver con la ibogaína.

—¿Puede ser más específico?

Se revolvió en el asiento.

—Las alucinaciones, por ejemplo. Cuando el neófito

mastica la raíz de la iboga, cae en un sueño profundo y no tiene conciencia real del mundo que le rodea. En su universo, se enfrenta a una serie de obstáculos que debe superar para entrar al mundo de los espíritus. Cuando por fin consigue pasar la frontera, un guía, en general un ancestro que falleció hace mucho tiempo, le acompaña en su viaje espiritual, donde atestiguará un sinfín de vivencias fantásticas. Verá legiones de cadáveres, casi siempre con las caras pintadas y los cuerpos abiertos en canal debido a las autopsias ceremoniales. Allí, será capaz de contemplar a los dioses y hablar con sus antepasados. Cuando los efectos de la iboga desaparecen, recobra la conciencia y relata su viaje a los más ancianos de la secta.

—¿Y el polvo gris?

—El polvo gris no tiene nada que ver con visiones alucinógenas —sentenció el doctor Shaw—. Tiene la propiedad de paralizar el corazón, en el sentido más literal de la palabra. El iniciado perece. Tras unos segundos o minutos, se le considera clínicamente muerto. Durante ese intervalo de tiempo, su espíritu puede abandonar el cuerpo y penetrar en el reino de los muertos, pero no a través de visiones, sino porque su vida en este mundo se ha detenido. Y puesto que ha fallecido, no hay obstáculos que superar ni fronteras que cruzar. Puede merodear por el mundo de los espíritus con la misma libertad que sus ancestros y, a través de visiones y alucinaciones, puede viajar a lugares inimaginables. El peligro, por supuesto, es alejarse demasiado y perderse. Pasado cierto tiempo, el cuerpo físico no puede resucitar. La carcasa se pudre, muere y, en algunos casos, es ocupada por otro espíritu. Al menos… eso se dice.

No podía parar de temblar. Aquella conversación había tomado un giro singular a la par que turbador. El doctor Shaw no había perdido la chaveta; yo sabía mejor que nadie que el universo que estaba describiendo existía, pero la idea de que alguien viajara por voluntad propia al más allá se me hacía incomprensible. Todavía tenía muy presentes las normas impuestas por mi padre, aunque eso no bastó para impedirme llegar a un acuerdo con Robert Fremont. Una vez más me sentí atrapada entre los dos mundos, solo que esta vez la batalla se libraba entre mi pasado y mi futuro. Entre la red de seguridad que me proporcionaba lo conocido, pero temido, y mi deseo de alcanzar un objetivo mayor. Sin embargo, no podía permanecer en ese limbo para siempre. Los fantasmas no me lo permitirían. De hecho, ya habían salido en mi búsqueda.

—¿Y qué les ocurre a quienes regresan del reino de los muertos? —pregunté—. Los que resucitan. ¿Sufren algún tipo de efecto secundario?

—Algunos afirman gozar de episodios de iluminación espiritual y sensación de euforia, y otros sufren estrés postraumático. Y hay unos pocos quienes experimentan transformaciones drásticas, tanto mentales como físicas, por culpa de lo que vivieron en el más allá. O por culpa de lo que se trajeron consigo.

—¿Lo que trajeron consigo? ¿Se refiere a algo como un fantasma?

Enseguida pensé en Shani y Mariama. ¿Devlin las habría traído tras viajar al Gris? ¿Era eso lo que la pequeña ansiaba decirle?

—Si gracias a la ingesta de polvo gris los vivos pueden entrar en el reino de los muertos, no sería descabellado pensar que también podría producirse a la inversa, ¿verdad?

—Sí, supongo que lleva razón.

Removió el té con la cucharilla.

—En la comunidad gullah, todavía hay quien cree que algo tan sencillo como un entierro inapropiado puede abrir una puerta a los muertos, que no dudan en colarse para controlar las vidas de los vivos. Un experto en raíces con poder suficiente es capaz de sumergirse en el mundo espiritual y guiarlos hasta nosotros. También puede atacar a sus enemigos en ese reino soñado, donde son más vulnerables.

Recordé algo que Fremont había insinuado; según él, el doctor Shaw estaba interesado en conocer las propiedades de plantas y raíces para hacer el mal. Seguía sin creérmelo. Rupert Shaw era un hombre de buen corazón.

—¿El uso de hierbas medicinales se originó en Gabón?

—Como la mayoría de las artes hechiceras del sur, se basa en las creencias y prácticas de varias religiones de la parte central y occidental de África. Se podría decir que es una especie de sopa espiritual sazonada con cristianismo. Los cimientos de esa ciencia, al igual que los bwitis, se construyen sobre la calidad mística y medicinal de ciertas plantas. Una pomada de raíz cura las irritaciones de la piel, un poco de hidrastis del Canadá ayuda a una mejor digestión —explicó. Y, con la mirada clavada en la taza, añadió—: Una pizca de celidonia alejará a los malos espíritus, o a cualquier otra criatura que la acose como un sabueso...

Se había quedado dormido como un tronco, y me acerqué a él, preocupada.

—¿Doctor Shaw? ¿Se encuentra bien?

Se despertó de aquel letargo repentino y se levantó para coger otro tomo de una estantería. Le quitó el polvo de la cubierta y me lo entregó. Eché un vistazo al título: *Ramas y piedras. Raíces y huesos*.

—Empiece por aquí —dijo—. Si después de leerlo todavía tiene dudas, venga a verme. Si quiere, puedo organizar una reunión con un experto en raíces.

—¿Con Essie Goodwine?

Levantó una ceja.

—Si se ve con ánimo de recorrer cientos de kilómetros, perfecto. Si no, siempre podemos dar un paseo y charlar con un viejo amigo mío, Primus...

Vi que se balanceaba, así que dejé el libro a un lado y me levanté de un salto para cogerle del brazo.

—¿Está bien?

—No es nada. Me he mareado un poco —murmuró.

Se tambaleó de nuevo, y lo sujeté con más fuerza.

—¿Qué puedo hacer por usted?

—Ayúdeme a sentarme, por favor —contestó con voz fatigada. Me llamó la atención que tuviera la frente cubierta de sudor—. Se me pasará en un segundo.

Lo acompañé hasta el sillón y no le solté del brazo hasta que se hubo sentado. Se cubrió los ojos con una mano, y advertí que estaba temblando.

—¿Le ocurre a menudo? —pregunté, preocupada.

—De vez en cuando.

—Sé que no debería meterme en sus asuntos, pero ¿no cree que subirse a esa escalera es un poco insensato por su parte? ¿Sobre todo cuando está solo?

—En general, el cuerpo me avisa antes de sufrir un episodio —se defendió, y dejó caer la mano—. En cualquier caso, ya se me ha pasado. Ya estoy bien.

—¿Está seguro? ¿No quiere que llame a alguien?

—Por favor, no se tome tantas molestias. No ha sido nada, de verdad. Aunque preferiría que continuáramos la conversación en otro momento.

—Por supuesto. No quisiera importunarle —susurré, y rodeé el escritorio para recoger mis cosas.

—Antes de que se marche... —Bajó la voz y miró de reojo hacia el jardín, como si temiera que alguien pudiera estar escuchando nuestra conversación—. Hay algo que debo decirle.

Lo miré alarmada.

—¿De qué se trata?

Sus ojos azules destilaban perturbación. Incluso miedo.

—Ándese con mucho cuidado. Sea precavida, y no le cuente a cualquiera lo que sabe sobre esa sustancia. Y no repita ni una palabra de lo que se ha dicho hoy aquí.

Me puse tan nerviosa que apreté el asa del bolso con todas mis fuerzas.

—Claro, pero… ¿puedo preguntarle por qué?

—El polvo gris es el término inofensivo de una sustancia sagrada que hasta los chamanes y expertos en raíces más destacados optan por utilizar con moderación. El hecho de que alguien que no pertenezca a la secta muestre un interés indecoroso por esa sustancia podría tomarse como una blasfemia, y eso podría ponerla en peligro.

—¿En peligro? ¿Está diciendo que alguien podría hacerme daño?

—Quizá no físicamente…, pero dígame, querida, ¿tiene laurel en su casa? ¿Velas de hierba de limón, quizá? ¿O unas ramitas de eucalipto? Un poco de sangre de dragón bajo la almohada sería la mejor opción.

—¿Por qué necesito todo eso?

Por lo visto, no me escuchó. Se había quedado roque. Tras unos segundos, me marché sin hacer ruido.

Capítulo 15

Salí del instituto y oí que alguien gritaba mi nombre desde la acera. Fue un saludo prudente de alguien que creía conocerme, pero tenía ciertas dudas. Me solía ocurrir bastante a menudo. Todavía había quien me reconocía como la Reina del cementerio, la chica que colgó un vídeo en Internet en el que aparecían fantasmas. Ahora que el vídeo había perdido fuelle, mi notoriedad también lo había hecho. Más habituales eran las miraditas desconcertadas de tafofílicos que me reconocían pero que no lograban ubicarme.

Clementine Perilloux se apresuró en aparcar el coche. Hizo varios gestos con los brazos para llamar mi atención y luego me indicó que me reuniera con ella. Y eso hice. Atravesé la entrada del instituto y crucé la calle para saludarla.

—¡Qué casualidad encontrarte por aquí! —exclamó. El viento soplaba con fuerza y despeinaba su hermosa cabellera. Se había vestido con unos vaqueros y una chaqueta color oliva que resaltaba su mirada y las puntas cobrizas de sus rizos—. Aunque, si la memoria no me falla, me comentaste que solías venir a este sitio de vez en cuando. —Admiró las elegantes columnas y balcones del edificio—. Esta casa siempre me ha fascinado.

Parece sacada de las páginas de *Lo que el viento se llevó*, ¿cierto? ¿Qué tal es por dentro?

—La mayor parte está muy bien conservada. Muchos libros y antigüedades —dije, y contemplé la construcción.

Sí, la casa era preciosa. Pero mi preocupación por el estado de salud del doctor Shaw no me dejaba disfrutar de la belleza del edificio. En cuestión de minutos, el profesor distraído pero encantador al que tanto cariño profesaba, se había transformado en un anciano frágil y renqueante cuyos síntomas se exacerbaban cada vez que tomaba ese puñado de hierbas que había arrojado sobre el té.

¿Y Layla? No era una chica joven y apasionada, ni tampoco siniestra o sureña, como la mayoría de sus predecesoras; era refinada y sofisticada, y su comportamiento territorial me resultaba tan intrigante como perturbador.

—Aunque debo reconocer que solo he visitado la planta baja —añadí—. Los demás pisos son zonas privadas del doctor Shaw.

—¿Cómo es él?

—¿El doctor Shaw?

Lo había descrito tantas veces. Elegante. Refinado. Profesional. Pero ahora no podía dejar de pensar en su expresión cuando mencioné el polvo gris. Esa sombra malévola todavía me daba escalofríos.

—¿Qué ocurre ahí dentro? —preguntó Clementine con cierta desazón—. ¿Sesiones de espiritismo? ¿Experimentos? ¿Rituales secretos? —enumeró, y abrió los ojos de par en par antes de decir—: ¿Sacrificios?

Forcé una sonrisa.

—No, mujer. Al menos no que yo sepa. El doctor Shaw se centra en la investigación. Deja el trabajo de campo a su equipo, a menos que se tope con un caso especialmente jugoso.

—¿Y qué se considera un caso jugoso? —preguntó Clementine, y se abotonó la chaqueta hasta el cuello—. Aunque no sé si quiero saberlo.

—No estoy familiarizada con su criterio. Pero si te interesa el tema, te animo a que pases por su despacho y charles un buen rato con él. Estoy convencida de que le encantaría conocer la historia de una familia quiro-mántica.

—Quizá lo haga —murmuró, y lanzó una mirada sesgada hacia el instituto—. En fin, y hablando de qui-románticos, he venido a llevarle a Isabel una cesta de magdalenas de parte de la abuela. Si no tienes mucha prisa, ¿por qué no me acompañas? Me muero de ganas de que la conozcas.

Se me ocurrieron decenas de excusas, pero quería co-nocer a Isabel Perilloux. Madame Sabiduría había des-pertado mi curiosidad antes de haberla visto junto a De-vlin, incluso antes de conocerlo a él, y llevaba mucho tiempo siendo una fiel admiradora de la ironía e ingenio de tal apodo.

Pero… ¿y si Devlin estaba con ella en aquel ins-tante? Con solo pensarlo, me horrorizaba. Esa situación tenía todos los elementos para crear un momento incó-modo y extraño, un momento que deseaba evitar a toda costa. Nuestro último encuentro me había dejado sin fuerzas. Necesitaba un poco de tiempo para recupe-rarme antes de volver a enfrentarme a Devlin y a sus fantasmas.

Sentí el impulso de escudriñar la calle. No vi su co-che, pero sí el Buick azul, que estaba aparcado en una esquina, a un par de manzanas. El conductor estaba apo-yado sobre el capó, con las piernas cruzadas, como si es-tuviera esperando a alguien. Miraba hacia el otro lado de la calle, así que no fui capaz de distinguir sus rasgos. Pero había algo en aquel extraño que me fastidiaba. Le conocía. Aunque no conseguía ubicarlo, sabía que nuestros caminos se habían cruzado en algún momento. De eso no me cabía la menor duda.

¿Era el mismo tipo que había visto en la calle King esa misma mañana? ¿Me habría seguido hasta aquí?

Me rasqué la nuca para deshacerme de un cosquilleo que no presagiaba nada bueno.

—¿Qué ocurre? —preguntó Clementine.

—Es ese hombre de ahí, el del coche azul... ¿Le has visto alguna vez rondando por aquí?

Entrecerró los ojos para enfocar al extraño.

—No, nunca. ¿Por? ¿Lo conoces?

—Me resulta un poco familiar, pero no sé dónde lo he visto.

Clementine se encogió de hombros.

—Yo, en tu lugar, no le daría más importancia. Parece inofensivo. Aunque —añadió con entusiasmo— también decían eso de Ted Bundy. ¿O se llamaba Jeffrey Dahmer?

Al menos no había nombrado a un asesino del condado.

Aparté la mirada del enigmático Buick y observé el instituto. Layla estaba tras el cristal de uno de los gigantescos ventanales, vigilándome. La secretaria ni se inmutó cuando la pillé espiándome y me sostuvo la mirada hasta que al final me volví hacia Clementine.

—En fin —dijo—. ¿Tienes tiempo para que te presente a mi hermana?

—¿No le importará que aparezca así, por sorpresa?

—Desde luego que no. ¿Por qué iba a importarle? Está acostumbrada a que la gente pase por aquí sin avisar. Lleva toda la vida dándome la lata para que haga amigas. Vamos. Será toda una experiencia.

¿Una experiencia? Me daba un poco de miedo.

A regañadientes, seguí a Clementine no sin antes

echar una última ojeada al instituto y al desconocido de gafas oscuras. ¿Por qué no podía acordarme de dónde lo había visto?

Procuré relajarme un poco, olvidar por unas horas mis recelos. Clementine no dejaba de parlotear como un loro. Aproveché el momento para fijarme en el local que regentaba su hermana, una casita blanca con persianas verdes y una terracita muy acogedora. Mientras subíamos los peldaños del porche, vi el gato pardo del doctor Shaw. Estaba tumbado sobre un balancín de mimbre, estudiándonos atentamente.

—Hola, *Úrsula* —saludó Clementine, que no dudó en acercarse al felino para acariciarle la cabeza.

—Es una gatita preciosa —susurré.

—Y lo sabe. Eres una princesa, ¿verdad, cariño?

Úrsula bostezó.

—¿Es polidáctil?

Antes no me había percatado de que tenía seis pulgares.

—Me recuerda a la ilustración de un cuento. Tiene una cara muy peculiar.

Clementine soltó una ruidosa carcajada.

—Parece que, en cualquier momento, se vaya a poner a hablar, ¿verdad? Aunque no quiero ni imaginarme lo que diría. Está tan por encima de todo. De hecho, Isabel mantiene largas conversaciones con ella, lo que ocurre es que nadie más puede entenderlas.

Luego se puso en pie y llamó a la puerta. Como nadie contestó, sacó la llave.

—Isabel ya me avisó de que quizá llegaría un poco tarde.

Abrió la puerta de tela metálica para que *Úrsula* y yo pasáramos. La gatita entró dando brincos, y yo la seguí dócilmente.

—Prepararé un poco de té —anunció mientras dejaba la bufanda y el bolso en el diminuto recibidor. Después me invitó a pasar al salón, que estaba a la izquierda—. Ponte cómoda. Vuelvo ahora mismo.

Asomé la cabeza para fisgonear un poco. Era una habitación algo pequeña, pero decorada con mucho estilo. Imperaba el color verde pastel y crema, con ligeras pinceladas negras, y me llamó la atención la cantidad de cojines que había esparcidos por todos los rincones. Distinguí una hilera de ventanas con vistas al porche, y me acerqué al cristal para comprobar si el Buick seguía allí aparcado. Enseguida pensé que estaba comportándome como una estúpida. Déjalo de una vez, me reprendí.

Al otro lado del recibidor, se advertía otra arcada que anunciaba lo que antaño habría sido el comedor. Sin embargo, Madame Sabiduría lo había reconvertido en el espacio donde realizaba sus lecturas de manos. No pude resistirme a inspeccionar la sala. La decoración era sin duda más dramática que la del salón, con pañuelos rojos colgados por aquí y por allá, cortinas engalanadas con cuentas y velas aromáticas estratégicamente colocadas para proporcionar una iluminación de ambiente. Me paseé por aquella habitación un buen rato y admiré las postales *vintage* que la quiromántica había enmarcado y colgado de la pared. En el centro había una mesita con cuatro sillas alrededor y, sobre la mesa, una baraja de cartas del tarot, otra de cartas Zener, usadas para estudiar la clarividencia, y una bola de cristal.

Un ojo más sofisticado se hubiera horrorizado al ver el resto de los elementos decorativos de la sala, pero yo apreciaba las rarezas.

Una sombra se cernió sobre mí y, de repente, distinguí el aroma de un perfume exquisito, una esencia deliciosa e hipnótica. Acechante, me atrevería a decir.

Me volví, con un desagradable hormigueo en las terminaciones nerviosas. Ahí estaba, apoyada en el marco de la puerta, observándome. La amiga de Devlin.

Fuera cual fuese el motivo, Robert Fremont escogió ese preciso momento para meterse en mi cabeza: «Solo me acuerdo de la esencia de su perfume. Cuando fallecí, toda mi ropa estaba impregnada de aquel olor».

Capítulo 16

Había aprendido a no alterarme en este tipo de situaciones, pero, en cuanto cruzamos las miradas, el pulso se me disparó. Procuré mirarla sin prejuicios, sin las palabras de Fremont rondándome por la cabeza y sin el espectro de los brazos de Devlin rodeándole la cintura, pero me fue imposible. Podía ver al detective deslizándose detrás de ella, murmurándole algo al oído.

Era una mujer espectacular. Su belleza me hizo sentir diminuta, y no pude evitar notar la punzada de los celos rasgándome el orgullo. Era esbelta y lucía una cabellera azabache que le caía ligera y sedosa sobre los hombros. Su mirada me resultaba hipnótica. Unas pestañas largas y espesas intensificaban el poder de sus ojos color avellana. Se había pintado los labios de un color pálido, pero intuía que el rubor de las mejillas era natural. Se parecía mucho a Clementine, aunque carecía de la efervescencia que tanto caracterizaba a su hermana. Isabel era mucho más sumisa, más reservada, pero lo bastante valiente como para sostenerme la mirada.

Antes de que una de las dos rompiera el silencio, caí en la cuenta de que debía de haber entrado por una puerta trasera, ya que no había oído la puerta principal, ni sus pasos. Apareció en el umbral de forma súbita. A pesar de que el clima era agradable y cálido, llevaba un abrigo de estilo militar que realzaba su silueta. Se lo desabrochó y entró en la salita.

—Espero que no te importe que eche un vistazo —dije—. Estaba esperando a Clementine.

—En absoluto. Debes de ser Amelia. He oído hablar mucho de ti.

«¿Quién te ha hablado de mí?», me pregunté.

Se acercó y extendió la mano.

—Isabel.

—Clementine también me ha hablado mucho de ti —contesté.

El apretón de manos fue breve pero firme. Me miró directamente a los ojos, y eso me gustó.

—Así que tú eres Amelia —murmuró de nuevo, y me repasó de arriba abajo durante varios segundos, un detalle que, a mi parecer, rozaba la mala educación.

Desconcertada ante tal escrutinio, me volví.

—Es una habitación muy interesante.

—Me alegro de que te guste. Está un poco abarrotada, pero cumple su función.

Se quitó el abrigo y lo acomodó en el respaldo de una silla. Rodeó la mesa y percibí su esencia una vez más, soñadora y exótica. Me recordó la fragancia que había olido justo antes de entrar en el jardín de Clementine. Si cualquier otra persona hubiera usado ese perfume, me habría resultado demasiado dulzón, incluso empalagoso, pero Isabel lo llevaba como si formara parte de ella.

Cogió la baraja de cartas del tarot y con ademán ocioso tiró un puñado sobre la mesa. Reconocí la Justicia, la Sota de Espadas, la Luna y otra en la que aparecían los amantes, pero ella las recogió enseguida. Me dio la sensación de que había montado ese numerito para leerme las cartas y, a juzgar por la rapidez con que las recogió y guardó de nuevo en la baraja, sospeché que no le había gustado lo que había visto.

Clementine apareció con una bandeja.

—Ya veo que os habéis conocido. Vayamos al salón a tomar el té. La abuela te envía tus *macarons* favoritos.

—Bendita sea —farfulló Isabel, y salimos de la habitación.

Eché un último vistazo a las cartas del tarot y seguí a las dos hermanas hacia la sala contigua. Me acomodé en el borde de un sillón de cuero negro, y ellas se sentaron juntas en el sofá de chenilla color crema. *Úrsula* también se puso cómoda sobre el regazo de Isabel mientras Clementine servía el té en las tazas.

—Es una mezcla completamente nueva —informó—. Es exquisita.

—Oh, sabe a melocotón —adiviné tras probar el té—. Tienes razón, es deliciosa.

—Su origen único es lo que marca la diferencia —dijo—. Hoy en día, cuesta mucho encontrarla, excepto en tiendas especializadas, como la nuestra.

—Compraré la próxima vez que vaya.

Isabel se estaba aburriendo como una ostra de *Úrsula* y de nuestra pequeña charla. Espantó al gato y tomó un sorbo del té.

—¿Cómo os conocisteis? Me pareció entender que erais vecinas, ¿verdad?

—No —la corrigió Clementine—. Una mañana vi a Amelia paseando con *Angus* y los invité a desayunar.

—¿*Angus* es…?

—Mi perro.

Clementine se giró hacia su hermana.

—Algún día tienes que conocerle, Isabel. Es un amor de perro, y tiene unos ojos adorables.

—No lo pongo en duda, pero ya me conoces, soy más de gatos.

¿Fue una nota de reproche lo que advertí en su tono?

—Sin ánimo de ofender —añadió.

—Faltaría más. *Úrsula* es un gato precioso.

—Es la abeja reina del vecindario —dijo Isabel—. Es un gato muy especial. —Tomó otro sorbo de té—. Mi hermana me ha comentado que eres restauradora de cementerios. Le causaste muy buena impresión, ¿verdad, Clem? A mi abuela y a ella les encanta husmear las tumbas de cementerios antiguos. ¿Cómo es que elegiste esa profesión?

¿Por qué tenía la sensación de que me conocía más de lo que daba a entender?

—Mi padre era guarda del cementerio que había junto a nuestra casa. De niña me fascinaba jugar allí. Siempre me han parecido lugares muy bonitos, donde se respira tranquilidad.

Clementine se inclinó hacia delante.

—¿Alguna vez has visto un fantasma?

—Pues, sí —admití—. En los cementerios antiguos habitan muchos fantasmas.

Parecía aterrorizada.

—¿De veras?

—Te está tomando el pelo, Clem —me regañó Isabel entre risas. Aquel sonido gutural y seductor me hizo pensar en Devlin—. Estoy segura de que si hicieras una incursión en un cementerio abandonado a medianoche, los criminales y drogadictos resultarían más peligrosos que un espíritu.

—Los crímenes en cementerios son más habituales de lo que nos pensamos —dije pensando en Oak Grove.

Era cuestión de tiempo que volviera allí, al lugar

donde todo había empezado. Rememoré la noche en que conocí a Devlin; se movía entre las lápidas sin perder ese porte estoico y profesional, a pesar de la brutalidad del descubrimiento.

Sentí el peso de la mirada de Isabel y tomé un poco de té para sofocar un escalofrío.

—La idea de que alguien pueda levantarse y volver del mundo de los muertos me pone los pelos de punta —dijo Clementine.

—No te preocupes —murmuró Isabel, y colocó una mano sobre el brazo de su hermana—. Nadie vuelve del mundo de los muertos.

No supe por qué, pero sus palabras me inquietaron sobremanera, y por enésima vez me vinieron a la mente las palabras de Robert Fremont: «Todavía huelo su perfume en la ropa. Incluso ahora puedo distinguirlo».

Miré a las dos hermanas. Formaban una pareja muy peculiar ahí, sentadas en el sofá. Eran como dos gotas de agua; el mismo pelo oscuro, los mismos ojos color avellana. Las mismas sonrisas educadas.

Quizá fuera por mi desasosiego con las circunstancias, o quizá por el espectro de Devlin, que seguía presente, pero me dio la impresión de que había algo de las hermanas Perilloux que se me escapaba. Recordé el momento en que Clementine me contó que había comprado la casa para establecerse en la ciudad. Detecté un ligero titubeo, como si algo desagradable la hubiera empujado a tomar esa decisión. Y ahora había hecho referencia a los fantasmas…, dejando claro que temía que alguien pudiera regresar del mundo de los espíritus.

Me convencí de que todo era producto de mi imaginación. Aquel día se comportó como una excelente anfitriona conmigo y, de momento, nada había cambiado, a excepción de mi actitud. Traté de enterrar mi malestar, y me dirigí a Isabel.

—Espero que no te importe mi indiscreción, pero tu perfume… es tan evocador. Casi hipnótico.

Y lo era, sin duda. Entre el calor del té, mi desbocada imaginación y la fragancia de Isabel empezaba a sentirme algo embotada.

—Te agradezco el cumplido —contestó—. Un perfume debería evocar algo, ¿no crees? Un recuerdo escurridizo, por ejemplo.

Me pregunté si esa esencia evocaría alguna cosa en Devlin.

—Desde que nos hemos sentado, he tratado de identificar las notas más destacadas. ¿Nardo? ¿Fresia? ¿Azahar?

—Jamás revelará el secreto —intercedió Clementine—. Llevo años suplicándole que comparta la fórmula.

—Es una esencia poco apropiada para ti —replicó Isabel—. Y lo sabes. Nuestra madre es perfumista. Ideó una fragancia distintiva para cada una y nos la regaló el día de nuestro decimoctavo cumpleaños.

—Qué regalo tan acertado —dije.

—Sí, lo fue. Pero Clem nunca usa el suyo.

—Y bien sabes por qué.

Se fusilaron con la mirada. Era evidente que podían comunicarse con gestos casi imperceptibles. Mi madre y la tía Lynrose hacían exactamente lo mismo. Solían utilizar acertijos y hablaban en clave, de forma que, cuando era niña, no podía comprender la mayoría de sus conversaciones. Me gustaba escucharlas porque el murmullo de su voz me serenaba, y porque su acento sureño me resultaba cautivador. No fue hasta mucho más tarde cuando me percaté de que yo solía ser el tema principal de sus charlas en voz baja.

Estaba acalorada e incómoda. No había nada que me apeteciera más que abrir una ventana y respirar una bocanada de aire fresco que diluyera los efectos del perfume de Isabel. Si bien en un primer momento me había parecido exquisito y delicioso, ahora lo encontré sofocante.

¿Eran ilusiones mías o Fremont estaba intentando comunicarse conmigo?

No tenía motivos que me incitaran a pensar que alguna de las hermanas Perilloux había conocido a Robert Fremont, pero mi instinto me decía que me alejara de ellas lo antes posible. Era una sensación apremiante.

Dejé la taza en la mesa.

—Muchas gracias por el té, pero tengo que irme. Todavía me queda trabajo por hacer esta tarde —mentí. Y luego, dirigiéndome a Isabel, agregué—: Un placer haberte conocido.

—El placer ha sido mío, de veras. Como ya te he dicho, había oído hablar de ti. —De pronto, sonó el teléfono y se levantó para responder la llamada—. ¿Me perdonas?

—Desde luego.

Clementine también se puso en pie.

—Si esperas cinco minutos, te traeré un poco de ese té de melocotón.

—Oh, no gracias. Ya compraré en la tienda. Por favor, no te molestes.

—No es molestia. Siempre puedo traer a Isabel otra caja.

Ignoró mis protestas y desapareció por el estrecho pasillo que conducía hasta la cocina. Me quedé a solas en el salón, donde oía la voz amortiguada de Isabel en la habitación contigua. Hablaba en voz baja, pero, como la casa estaba en silencio, pude oír la conversación.

—No, no pasa nada. Está a punto de irse.

Una pausa.

—Por cierto, tenías razón.

Otra pausa, esta vez más larga.

—Ven cuando quieras. Te estaré esperando…

Capítulo 17

*B*ajé los escalones de dos en dos, feliz de poder respirar al fin aire fresco. La brisa me resucitó de inmediato y se llevó consigo los restos de aquel rico y empalagoso perfume. Pero, aun así, me dio la sensación de que el aroma seguía impregnando mi ropa, por lo que me desabroché la chaqueta y la arrojé al asiento trasero del coche. Mi comportamiento había sido inadmisible, incluso infantil.

Aquella era una mujer de armas tomar, y habría sido absurdo negar que mis celos habían interferido en mi buen juicio, pues ya había comenzado a sospechar de ella. Unas sospechas, por cierto, infundadas, porque no existía ninguna prueba que relacionara a alguna de las hermanas con Robert Fremont. A excepción de John Devlin. ¿Acaso el detective no era uno de los implicados en todo el asunto?

Quizá las miraditas cómplices y las entonaciones sutiles no eran más que gestos cariñosos de dos hermanas que se querían, como mi madre y la tía Lynrose. Que hubiera querido leer entre líneas demostraba que, mentalmente, no estaba en mi mejor momento. Por mucho que me gustara resolver rompecabezas, cabía la posibilidad de que no sirviera para el trabajo de detective. Aunque, por otro lado, era obvio que, cuando se trataba de investigaciones que implicaban a John Devlin, perdía toda objetividad. Meter las narices donde no debía, rodearme de paranoias y llegar a conclusiones erróneas era algo agotador. Había llegado a creer que alguien me estaba siguiendo, incluso antes de averiguar qué era el polvo gris o pronunciar el nombre de Darius Goodwine.

Sin embargo, racionalizar todo lo ocurrido no servía de consuelo. Estaba atada de pies y manos; no podía llamar a Fremont y decirle que había cambiado de opinión, porque el acuerdo ya no me compensaba. Me había prometido que mantendría las distancias, siempre y cuando le ayudara, pero estaba segura de que, si rompía el trato, Fremont haría todo lo necesario para coaccionarme y obligarme a cooperar. El fantasma necesitaba pasar página, y yo precisaba recuperar el control.

«Olvídate de las hermanas Perilloux», me dije. No formaban parte de eso. También tenía que dejar de pensar en Devlin, si quería concentrarme y cavilar acerca de lo que me había explicado el doctor Shaw. Me había facilitado mucha información, y ansiaba llegar a casa y sentarme frente al ordenador para hacer un par de búsquedas. Pero antes debía recoger el libro que me había prestado. Lo dejé sobre la mesa de su despacho para ayudarle y, al irme, se me pasó cogerlo.

Crucé la calle y fui corriendo hacia la entrada lateral del edificio sin echar un último vistazo al local de Isabel. Ya había mitigado mi curiosidad por la quiromántica, y había tomado una determinación: jamás me volvería a cruzar en su camino. Sería más complicado evitar a Clementine, puesto que vivía muy cerca de mi casa. Por un instante, me sentí culpable por querer apartarla de mi vida de un modo tan repentino. A lo mejor tampoco servía para la amistad. Un lobo solitario como yo difícilmente cambiaba.

Layla no estaba en su puesto de trabajo, y no esperé a que llegara para atenderme. Fui directa al despacho del doctor Shaw. Las puertas correderas estaban abiertas de par en par, así que me quedé en el umbral y me asomé para buscarle.

No estaba tras el escritorio ni encaramado a la escalera. Pero supuse que no debía de andar muy lejos, porque oí un murmullo de voces en el jardín. Entré con la intención de decirle que había vuelto a por el libro.

Y justo cuando estaba a punto de entrar en la terraza, le oí gritar.

—¡Pero cómo puedes ser tan descarado!

Reculé de inmediato, perpleja ante su indignación. Él no se percató de mi presencia, y tampoco su compañero, el hombre del Buick azul. Se había quitado las gafas de sol y, por primera vez, vislumbré su rostro. Por fin adiviné quién era: Tom Gerrity. El detective privado que en sus años de juventud había trabajado como agente de policía. Le había conocido hacía varios meses, en su despacho. En aquel entonces, Robert Fremont se había hecho pasar por Gerrity. Me había embaucado para que creyera que seguía vivo. Pero en la oficina de Gerrity había visto una fotografía de los tres, de Gerrity, Devlin y Fremont, el día en que se graduaron en la academia de policía. Solo uno de ellos seguía siendo agente, pero tenía el presentimiento de que todos estaban implicados en la muerte de Fremont.

—Te dije que no vinieras nunca aquí —espetó el doctor Shaw con frialdad.

—Esto es lo que pasa cuando no me devuelves las llamadas —contestó Gerrity—, o me dejas tirado.

—Me ha surgido algo y no he podido acudir a nuestra reunión.

—Qué lástima. Si no cumples con tu parte del trato, yo tampoco. Es tan fácil como eso.

—¿De qué estás hablando? Fuiste tú quien faltó a su palabra. Y de eso ya ha pasado mucho tiempo. ¿A qué has venido?

—Son tiempos difíciles, doctor. En épocas de crisis, todo el mundo se aprieta el cinturón. Los profesionales del sector nos volvemos prescindibles.

—¿Del sector? ¿Te refieres a trapicheos y negocios turbios?

Gerrity se echó a reír.

—He oído cosas peores. Al menos nadie puede acusarme de asesinato.

¿Asesinato? Pensar que el doctor Shaw podía estar implicado en un crimen me horrorizó.

El anciano sacó un sobre del bolsillo interior de su chaqueta y se lo entregó a Gerrity.

—Es el último. ¿Me has entendido? Y no vuelvas a aparecer por aquí.

Gerrity aceptó el sobre, comprobó que contuviera lo que esperaba, y lo guardó sin más dilación.

—Un placer hacer negocios contigo, como siempre.

Se despidió con una mueca burlona y desapareció.

El doctor Shaw se dejó caer con pesadez sobre un sillón cercano y enterró la cara entre las manos.

No sabía qué hacer. Me aparté del ventanal con el mayor cuidado posible. El libro que había venido a buscar estaba en el suelo, junto a la silla. Me agaché para recogerlo y advertí un minúsculo tornillo de hierro bajo el escritorio del doctor Shaw. Entonces, justo cuando estaba alargando el brazo para alcanzarlo, noté una mano sobre el hombro.

Capítulo 18

$\mathcal{M}$e giré y me encontré a Layla detrás de mí. Me pregunté cuánto tiempo llevaba ahí y si, al igual que yo, habría oído la discusión entre el doctor Shaw y Gerrity.

—¿Puedo ayudarla? —preguntó con frialdad.

—Solo he pasado a buscar un libro que el doctor Shaw me ha prestado —balbuceé, y le mostré el volumen, pero la secretaria no se molestó ni en mirar la cubierta—. ¿Le importaría decirle que he venido?

—Quizá debería decírselo usted misma —espetó, y levantó la barbilla hacia el jardín.

El doctor Shaw estaba tras el ventanal, observando su despacho como si acabara de ver un fantasma. Advertí una palidez poco habitual en su rostro y una mirada vidriosa clavada a mis espaldas. Me costó Dios y ayuda no mirar atrás.

—Sylvia… —murmuró, y levantó una mano.

No pude contenerme y peiné todo el despacho, pero no había ningún fantasma. Ni siquiera noté el frío de una presencia invisible. Lo que debió de haber visto sin duda tuvo que ser producto de su imaginación.

—Doctor Shaw, ¿se encuentra bien?

—¿No la han visto?

—¿Ver a quién? —pregunté, preocupada.

Desvió la mirada hacia su secretaria, y habría jurado ver un destello de miedo. De repente, le empezaron a temblar las rodillas y las dos nos apresuramos a sujetarlo para evitar que se desplomara.

—Era ella… Lo juro…

—Aquí no hay nadie —sentenció Layla—. Está delirando otra vez. Trabaja demasiado. Necesita un descanso, doctor, ya hace tiempo que se lo vengo diciendo.

La severidad de aquella mujer lo enfureció.

—No me trate como a un niño. Era ella, lo sé.

Lo ayudamos a sentarse tras su escritorio.

—Tranquilícese —murmuró Layla—. Le prepararé un té.

—Creo que deberíamos llamar a un médico —propuse.

—No, nada de médicos —protestó. Posó una mano frágil y débil sobre mi brazo—. Gracias por preocuparse, pero no es nada.

—Al menos déjeme llamar a Ethan —repliqué.

—No, por favor… —dijo, y me apretó el brazo—. No querría preocuparle.

—Pero a su hijo le gustaría estar al corriente.

—No hay nada que un sueño reparador no cure —resolvió Layla.

—Sí, tiene toda la razón —susurró el doctor Shaw—. Si no le importa, querría tomarme ese té.

—Por supuesto —aceptó—. ¿La acompaño hasta la salida, señorita Gray? —sugirió.

Miré al doctor Shaw, que seguía cogiéndome del brazo.

—¿Está seguro de que no puedo hacer nada por usted?

Le temblaban las manos, pero parecía haber recuperado la lucidez.

—Tan solo recuerde lo que le he dicho antes. No comente nada de lo que se ha hablado hoy en este despacho. No se lo cuente a nadie.

Cuando tomé la avenida Rutledge, me percaté de que el Buick azul estaba delante de mí.

No pretendía seguir a Tom Gerrity. Minutos antes había decidido abandonar mi obsesión por indagar asuntos en los que no estaba involucrada y llegar a conclusiones precipitadas. Y, sin querer, había vuelto a escuchar una conversación ajena. Así que ahí estaba otra vez, atrapada en un rompecabezas.

No hacía falta ser un genio para deducir que Gerrity había chantajeado al doctor Shaw. Pero ¿por qué? ¿De veras había insinuado que el doctor Shaw había participado en un asesinato? ¿O le había malinterpretado y no había sido más que un comentario sarcástico?

Estaba claro que la relación entre ambos hombres venía de lejos. Me estrujé los sesos en un intento de recordar todo lo que Devlin y Temple me habían explicado de Rupert Shaw antes de conocerlo en persona. Solía trabajar como profesor en la Universidad de Emerson, pero lo habían despedido cuando empezaron a circular rumores infundados sobre su estado mental. Se decía que reclutaba a estudiantes para participar en sesiones de espiritismo a medianoche, y muchos eran los que afirmaban que estaba obsesionado con la muerte. Algunos alumnos abrieron la caja de Pandora y los altos cargos de la institución decidieron prescindir de sus servicios. Fue entonces cuando abrió el Instituto de Estudios Parapsicológicos de Charleston.

Siempre había creído que el doctor Shaw estaba en sus cabales, aunque a veces pudiera despistarse un poco. Pero hoy ese algo, o alguien, que había visto en su despacho le había confundido. Aunque, por otro lado, sospechaba que se lo había imaginado. Si hubiera sido un fantasma, me habría dado cuenta enseguida, pero las alucinaciones eran un tema muy distinto.

El Buick giró hacia Canon y, en lugar de continuar mi camino, seguí a Gerrity hacia la zona este de la ciudad. Tras atravesar la calle King hacia Mary, tomamos un pequeño atajo por America, antaño considerada como una de las calles más peligrosas de Charleston. El aburguesamiento de los vecinos había reducido los índices de criminalidad, al menos durante el día, porque cuando caía la noche el barrio cobraba un halo sórdido.

Todavía no había anochecido y el vecindario era un hormiguero de gente. Frente al colmado advertí a varios ancianos sentados en sillas de jardín. Se ponían al día de los últimos chismorreos mientras las madres vigilaban a sus hijos desde los porches de sus casas. En las calles se apreciaba el habitual ruido del tráfico; el rugir de motores, la música a todo trapo y el ocasional chirrido de un frenazo. A pesar del estruendo, se respiraba una camaradería sana entre los vecinos, algo que contrastaba con los recientes tiroteos a altas horas de la madrugada.

Me aseguré de que tenía el seguro echado y aparqué a varios metros de Gerrity. Vi que se apeaba del coche y cruzaba la calle, donde se alzaba una casa de tres pisos de estilo victoriano aparentemente abandonada. Era evidente que en su época había sido gloriosa, pero la pintura azul estaba descolorida y desconchada, y casi toda la madera estaba podrida. Sobre los escalones del porche vislumbré a dos muchachos ataviados con vaqueros holgados y sudaderas del equipo de fútbol de los Panthers que le increparon al verle. El detective privado ninguneó las mofas con tan solo una mirada. A pesar de tener las ventanillas subidas, les oí reírse a carcajadas cuando Gerrity entró en la casa.

Habían pasado alrededor de diez minutos cuando decidí que no había sido buena idea ir hasta allí. No podía esperar a que saliera porque llamaría la atención. Lo mínimo que podía hacer era dar un par de vueltas a la manzana, así que encendí el motor y, justo cuando estaba a punto de tomar la curva, eché un vistazo al último balcón de la casa. Un tipo me estaba observando. Estaba apoyado sobre la barandilla, pero, aun así, capté algunos rasgos. Era un hombre muy alto con la tez de color caoba. Llevaba una camisa de lino blanco muy holgada y un collar. Me estaba vigilando, de eso no me cabía la menor duda. Pese a los metros que nos separaban, noté la fuerza de su mirada y de su voluntad. De pronto, sentí un escalofrío por todo el cuerpo. El tipo estaba sonriéndome. De eso, también estaba convencida.

Sabía que estaba mirando los ojos de Darius Goodwine.

Habría puesto la mano en el fuego, y no me habría quemado. No sé por qué adiviné la identidad de aquel hombre. Quizá fuera por su altura, por su mirada. O quizá porque Ethan había dejado caer que había visto a Darius en esta zona de la ciudad, donde se habían desenterrado huesos humanos.

Quizá fuera porque lo sentía dentro de mi cabeza, hurgando entre mis recuerdos.

De pronto, algo se estrelló contra la ventanilla del copiloto, rompiendo el hechizo de aquella mirada desafiante. Me di la vuelta y vi a uno de aquellos muchachos mirándome con lascivia desde el porche. El otro había rodeado el coche y apareció junto a mi ventanilla. Le escuché dedicarme unas palabras obscenas a través del cristal. Pisé el acelerador y salí disparada como una bala. No quise mirar por el retrovisor, pero sabía que se estarían desternillando de la risa.

Igual que Darius Goodwine.

Capítulo 19

*D*ecidí hacer una breve parada en casa de mi tía Lynrose, para ver a mi madre. Estaba echándose una siesta, así que prometí a mi tía que volvería al cabo de un par de días a visitarlas. Ahora que estaba de vuelta en Charleston, procuraba cenar con ellas al menos dos veces por semana; en ocasiones, nos íbamos las tres de compras o al cine, si mi madre se sentía en condiciones para hacerlo.

De vez en cuando, mi padre también iba a verla cuando yo estaba allí, pero, como siempre, se mostraba reservado. Cuando ella estaba en la ciudad, él prefería matar el tiempo en su casita de Trinity y se entretenía cuidando el cementerio. Aunque se había jubilado hacía varios años, de vez en cuando echaba una mano al guarda actual. Además, la tarea de restaurar los ángeles de Rosehill era interminable.

Mi madre estaba a punto de terminar la quimioterapia y parecía haber recuperado la chispa que tanto la caracterizaba. Apenas sabía nada de lo ocurrido en Asher Falls, puesto que mi padre y yo le habíamos ocultado la mayor parte de los detalles. Sin embargo, al igual que Devlin, con solo una mirada podía entrever el calvario por el que había pasado.

A decir verdad, prefería no pensar en mi estancia en las montañas. Lo último que necesitaba era obsesionarme con un legado que me atormentaría para siempre. Las cosas ya eran muy complicadas aquí, en Charleston. Sin comerlo ni beberlo, había sido testigo de lo que a primera vista parecía un chantaje en toda regla, además de escuchar una conversación privada entre Devlin y Ethan de la que concluí que los dos estaban de algún modo relacionados con el asesinato de Fremont. Devlin había desaparecido la noche que su mujer y su hija perdieron la vida en un trágico accidente, quizá para conseguir el polvo gris de Darius Goodwine, y Ethan se había sacado de la manga una coartada falsa. Además, era muy probable que Ethan se hubiera enamorado de la esposa del detective, aunque no estaba del todo segura. Todos estos tejemanejes y sospechas rondaban sin cesar por mi cabeza, pero no lograba encontrar un motivo, y mucho menos al asesino. Seguía considerando a Darius Goodwine como sospechoso, pero quería evitar a toda costa enfrentarme con él. No sabía si tenía un poder supernatural o si, sencillamente, poseía gran capacidad de persuasión, pero su presencia me resultaba aterradora.

Me dolía la cabeza de tanto pensar, de tanto té y del perfume embriagador que todavía despedía mi chaqueta. Lo primero que hice al llegar a casa fue meterla en la lavadora; luego salí con *Angus* a dar un paseo por el vecindario. Después de eso, cogí el libro del doctor Shaw y me senté a leer en la terraza, mientras hubiera luz. No me habría sorprendido encontrarme a Robert Fremont o a Shani deslizándose entre las sombras, pero el jardín estaba desierto y tranquilo.

Me quedé allí sentada un buen rato, atrapada por las páginas de ese libro. Desde pequeña había oído hablar de las propiedades de plantas y raíces. Era una práctica muy habitual en las Sea Islands y en la costa de Georgia y Carolina, pero incluso en una zona tan interior como Trinity, había una mujer que esparcía polvos junto a los umbrales de las puertas y presumía de hacer desaparecer por arte de magia las verrugas con un hechizo especial. Algunos niños del pueblo juraban haberla visto matar una gallina y enterrarla en el jardín, pero yo jamás había presenciado nada tan siniestro, aunque recordaba verla colgar fardos de pimientos de las vigas del porche. Sin embargo, una vez mi padre y yo descubrimos un altar muy extraño cerca de una tumba en el cementerio de Rosehill, decorado con decenas de velas y retratos de santos y con trozos de papel alrededor donde se leían notas para los difuntos.

Ahora ese episodio parecía una niñería, comparado con las prácticas que había descrito el doctor Shaw. Autopsias ceremoniales. Sustancias alucinógenas. Adentrarse en el mundo de los espíritus para hablar con ancestros. Atacar a enemigos en el reino del ensueño.

De pronto me vino a la cabeza la imagen de Darius Goodwine, mirándome desde el balcón de aquella casa. Eso suponiendo que aquel tipo fuera Darius, por supuesto. Fue de los pocos que, estando fuera de la secta, tuvo acceso al polvo gris, una sustancia tan poderosa que podía detener el corazón y permitir la entrada al mundo de los espíritus sin padecer alucinaciones. Un polvo tan sagrado que incluso los chamanes y hechiceros más destacados utilizaban con cuentagotas.

Me costaba imaginarme que alguien quisiera deslizarse por el velo. No sentía ninguna curiosidad por saber qué había más allá, ni por asomo deseaba arrastrar a un espíritu hasta aquí. Ya había demasiados pululando por el mundo de los vivos.

—¿Amelia?

Y hablando de fantasmas...

Vislumbré una sombra que se cernía sobre el césped. Un espejismo, me dije. Una ilusión creada por los recuerdos, la soledad y el delicioso aroma de las trompetas de ángel.

Angus gruñó.

—Tienes un perro —dijo Devlin.

Me levanté de la mecedora y me di cuenta de que el ocaso estaba a punto de llamar a mi puerta. El jardín estaba sumido en penumbras, pero tras Devlin vi el inconfundible resplandor que anunciaba la llegada de sus fantasmas.

Noté un nudo en la garganta que me impedía respirar y cierto mareo, como si hubiera hecho una caminata de varios kilómetros en plena naturaleza. ¿Cuántas veces había soñado con encontrarle frente a mi casa? ¿Cuántas noches había pasado en vela pensando en qué le diría? Y, ahora que lo tenía delante, me había quedado sin palabras.

En mi cabeza revoloteaban miles de ideas, pero no me atrevía a compartir ninguna con él. ¿Cómo hacerlo sin que mi armadura se desmoronara?

Deslizó el pestillo y *Angus* volvió a gruñir.

—¿Corro peligro si entro? —preguntó.

Sí, claro que sí. Era arriesgado para él… y para mí. Su presencia en mi vida nos ponía en una situación peligrosa a ambos. Mariama lo había dejado bien claro. Haría todo lo que estuviera en su mano para distanciarnos. Me resultaba imposible saber el poder que ejercía desde el otro lado, pero lo último que quería era provocarla.

Al hablar procuré sonar tranquila.

—Perdona a *Angus*. Se comporta de forma muy protectora conmigo.

—Ya lo veo —dijo Devlin, arrastrando cada una de las palabras.

Ese acento me excitó. Sentía sus ojos sobre mí, oscuros e inquisitivos. De pronto, me sacudió un calambre eléctrico que me erizó el vello de la nuca.

—¿Me quedo aquí fuera entonces? —pidió.

—No, pero entra poco a poco. Dale un poco de tiempo, deja que se acostumbre a ti.

Devlin lo hizo y echó el cerrojo. Se quedó inmóvil y luego *Angus* correteó hacia él. Tras unos segundos, el detective se arrodilló y extendió la mano. *Angus* dibujó varios círculos a su alrededor para inspeccionarle. Lo olisqueó durante un rato y después se pegó a él para que le acariciara el lomo.

—¿Crees que me he ganado entrar?

—Eso parece.

Todavía no me creía que estuviera allí, y no comprendía por qué me asombraba tanto, si yo misma había ido a verle la noche anterior. ¿Qué le impedía pasar a visitarme sin avisar? ¿Qué me hacía pensar que no querría pedirme explicaciones una vez más por haber salido huyendo de su casa?

Cualquier chica lista lo hubiera despachado antes de que sus fantasmas se manifestaran. A Mariama no le gustaría verme, y ya había demostrado que era capaz de hacerme daño. Tentarla era una locura.

Sin embargo, me quedé callada. Asumí que venía directamente de comisaría porque llevaba su atuendo de trabajo habitual, que consistía en un abrigo y pantalones negros, y una camisa gris desabotonada en el cuello. Todo le quedaba como un guante. Suspiré.

—¿Lo han utilizado como perro de pelea? —preguntó Devlin, que en ese momento estaba rascándole los muñones que tenía como orejas.

—Sí. Debió de pasar un infierno.

—Pobre animal. ¿Dónde lo encontraste?

—En Asher Falls. Lo abandonaron en el bosque para

que muriera de hambre. Un día lo vi agazapado entre los árboles, y desde entonces no nos hemos separado.

—Asher Falls —repitió Devlin—. Un lugar interesante, ¿cierto?

—¿Has estado allí? —pregunté algo sorprendida.

—No, pero ayer, cuando lo mencionaste, me resultó familiar. En cuanto te marchaste, lo busqué en Internet, por curiosidad. El pueblo es histórico, desde luego, pero no me sonaba por eso. Salió hace poco en las noticias porque sufrió varios desprendimientos de barro.

—¿Por qué te molestaste en buscarlo cuando podías haberme preguntado?

—Porque teníamos otras cosas de que hablar. O eso creía. —Se puso en pie con suma lentitud, sin apartar de mí la mirada—. Algo te ocurrió en ese pueblo, ¿verdad?

—No sé a qué te refieres.

—He leído los artículos publicados en los periódicos. Hubo quien murió atrapado entre el lodo, y sospecho que la tragedia, u otra cosa, te afectó bastante.

Me coloqué un mechón del cabello tras la oreja. Se había levantado una brisa fresca que se filtraba por mi camiseta, pero esa no era la razón por la que estaba tiritando.

—No importa. Eso se acabó. Ahora ya estoy en casa.

—Quizá no haya acabado —rebatió con tono algo imperativo—. Lo que sucedió allí te cambió. Lo sé con solo mirarte.

Intenté restarle importancia al asunto.

—Ya te dije que me quedé atrapada en un zarzal.

—No estoy hablando de las cicatrices. Las marcas se han difuminado, pero hay algo en tu interior que ha cambiado. Estás diferente. Dime por qué, Amelia.

Que Dios me amparara. Me derretí al oírle pronunciar mi nombre. Deseaba ser fuerte y pragmática, ser lo bastante lista para no olvidar que los espíritus de su familia siempre se interpondrían entre nosotros. Pero al decir mi nombre mientras me miraba como si fuera la única mujer en el mundo… ¿Cómo no fundirme por dentro?

Por suerte, sus fantasmas todavía no habían aparecido, aunque *Angus* ya presentía sus auras. Se apartó de Devlin y se dirigió a la valla que cercaba el jardín. Estaban justo detrás, ávidos y ansiosos, esperando el ocaso.

—Quizá deberíamos entrar —propuse, y me froté los brazos—. Está empezando a refrescar.

—No me quedaré mucho tiempo.

¿Acaso tenía otros planes?

No quería pensar en eso. Una especulación infundada me enloquecería. Me negaba a recordar la imagen de sus brazos alrededor de la cintura de Isabel Perilloux, o aquella invitación entre murmullos por teléfono: «Ven cuando quieras. Te estaré esperando…».

Recogí el libro y la chaqueta de la terraza. Todavía no había logrado ahogar esas voces burlonas de mi cabeza, ni borrar las imágenes desagradables que evocaban, pero al menos mi santuario me protegería de las iras de Mariama, aunque no había lugar en el mundo que pudiera protegerme de Devlin.

Entramos por la puerta lateral y le guie hasta el despacho, donde podría vigilar a *Angus* y a los fantasmas al mismo tiempo. Devlin caminaba incansable por la sala, con las manos en los bolsillos, estudiando los libros que ocupaban las estanterías y las fotografías colgadas de la pared. Parecía inquieto y sin rumbo, como una pantera acechando a su presa.

—¿Te apetece tomar algo? ¿Un té o un café? ¿Una copa de vino quizá? —invité.

—Estoy bien. He quedado para cenar. He visto tu coche aparcado en la acera y he pensado que estarías en casa.

Asentí, reprimiendo las ganas de abalanzarme sobre él. Estaba tan cerca, y me sentía tan sola sin él. Pero a esas alturas Mariama ya estaría pululando entre las sombras. Espiándonos. Mofándose de mí.

—Esas imágenes siempre me han intrigado —comentó señalando las fotografías de doble exposición que había tomado. Eran instantáneas de cementerios antiguos superpuestas sobre paisajes metropolitanos.

—La primera vez que las vi imaginé que eran una percepción propia del mundo. Me parecieron solitarias e inquietantes, pero me llamaron la atención de inmediato.

El pulso se me disparó.

—Ya te dije que no eran más que fotografías.

—Fotografías muy reveladoras —puntualizó con mirada taciturna—. Esto te molesta, ¿verdad? Te incomoda que alguien entre en tu mundo.

—Podría decir lo mismo sobre ti.

—A veces mi mundo es un agujero inhóspito —murmuró, y revisó las diversas estanterías hasta llegar al ventanal.

Observé su reflejo en el cristal, y me quedé mirándole como una boba, con una opresión en el pecho cada vez más intensa. No se imaginaba lo que, de forma inconsciente, me había hecho. No tenía la menor idea de que ahí mismo, en mi santuario, alejado de sus fantasmas, había recuperado su mermada energía absorbiendo la mía.

—Esta habitación me trae muchos recuerdos —dijo.

A mí también. Fue precisamente allí donde trabajamos juntos en una investigación, donde nos besamos por primera vez. En esa habitación, me enamoré de él. Bueno, eso no era del todo cierto. Me conquistó en el momento en que le vi emergiendo de la bruma. Pero me negué a admitirlo hasta aquella noche que pasamos juntos trabajando en un caso.

Se dio la vuelta.

—Te he echado de menos —susurró.

Cerré los ojos.

—Y yo a ti —respondí con voz temblorosa.

—¿Entonces por qué te marchaste a toda prisa anoche?

—Estaba asustada.

—¿De qué?

Al darse cuenta de que no respondía a su pregunta, apretó los puños.

—No te imaginas cuánto me he estrujado los sesos para intentar comprenderte. Cuando viniste a casa la primavera pasada... Habría jurado que me deseabas tanto como yo a ti. ¿O acaso lo interpreté mal?

—No te equivocaste.

—¿Pues qué pasó?

—Tus fantasmas, eso fue lo que pasó.

Se quedó mirándome con detenimiento durante una eternidad. Vislumbré un brillo en su mirada. ¿Duda? ¿Miedo? ¿Incredulidad?

—¿Mis fantasmas?

—Tus recuerdos. Tu culpa. Siguen presentes, ¿no es así?

—Sí —reconoció, y suspiró—. Siguen presentes.

Clavó la mirada en la oscuridad que invadía el jardín y aproveché para estudiar su reflejo en el cristal. Durante los últimos meses, muchas habían sido las ocasiones en que me había preguntado si idealizaba sus rasgos; esos ojos insondables, la nariz perfecta, la minúscula cicatriz bajo el labio. Todavía soñaba con ese rostro y pasaba noches en vela fantaseando con aquella boca sensual y lo que podría hacerme.

Hubo una época en la que de veras creí que podía seguir adelante con mi vida sin él, pero de eso hacía ya mucho tiempo. Lo único que Devlin tenía que hacer era mirarme, pronunciar mi nombre con ese acento sureño tan arrollador. Eso bastaba para saber que mi amor por él no se había apagado. Estaría atrapada en ese limbo para siempre. Suspendida en ese espacio intermedio que separaba lo seguro de lo que deseaba desesperadamente.

Al fin se apartó del ventanal.

—Esta conversación no está yendo tal y como había planeado —dijo con cierta ironía.

Alcé una ceja.

—¿Y cómo la habías planeado, si puede saberse?

—No pretendía venir a tu casa a importunarte con preguntas ni a desenterrar viejos rencores. El momento para eso ya pasó. En realidad, he venido porque anoche me dio la impresión de que huiste de mí.

Observó cada centímetro de mi rostro hasta llegar a mis labios, y sentí un revoloteo de mariposas en el estómago.

—¿Cuándo has llegado a esa conclusión? —pregunté con frialdad, aunque sabía que era una ridiculez por mi parte sentirme herida y rechazada cuando, de hecho, fui yo la que salió disparada como una bala de su casa. Por una buena razón, desde luego, pero él no lo sabía.

—Ha surgido algo. Estoy metido en un asunto que podría ponerse feo. No querría que acabara por salpicarte a ti también.

De modo que… su rechazo no era personal. Quizá sus fantasmas le estaban ahuyentando, o incluso otra mujer. Sentí una oleada de alivio seguida de un temor que me obligó a volver a la realidad. Recordé la charla que oí a escondidas en su porche y entonces comprendí por qué estaba tan inquieto. Por fin adiviné a qué se debía aquel nerviosismo. Estaba tras la pista de Darius Goodwine.

Me acerqué a la ventana poco a poco, conteniendo el impulso de acariciarle el brazo para consolarle.

—Ese asunto… ¿tiene que ver con una investigación policial?

—Es extraoficial.

—¿Qué significa eso?

Encogió los hombros.

—Estoy indagando algo sin seguir el manual al pie de la letra. Eso es todo lo que puedo decirte. Cuanto menos sepas, mejor.

—¿Y qué pinto yo en todo eso? —pregunté, confundida.

—Nada, salvo que sospecho que alguien podría utilizarte para detenerme.

—¿Cómo? —exclamé alarmada. No podía quitarme el nombre de Darius Goodwine de la cabeza.

—Da lo mismo, porque no pienso dejar que ocurra.

Le observé con detenimiento durante unos segundos, tratando de entrever las emociones que afloraban tras aquel porte estoico.

—Sea lo que sea, parece peligroso.

—No si haces lo que te digo.

—No me refería a mí.

Por un instante, bajó la guardia y vislumbré el rastro de una sonrisa que me deshizo por dentro.

—Por favor, no te preocupes por mí. Sé lo que hago.

Y no lo dudaba. Si algo le caracterizaba era su profesionalidad. Nunca había conocido a alguien tan competente en su trabajo, capaz de concentrarse en las circunstancias más adversas. Pero ese destello de emoción que percibí en su mirada me perturbó. Aquella tensión contenida me preocupaba todavía más. No estaba en absoluto asustado. La idea de perseguir a Darius, un hombre que, según el propio Ethan, tenía fieles admiradores por toda la ciudad, parecía divertirle. Fremont había asegurado que en África había pasado de ser chamán a ser hechicero.

—¿Cómo no voy a preocuparme? —rebatí—. Después de lo que me has dicho, es imposible.

—Lo siento. No era mi intención. Solo quería hacerte entender por qué tenemos que mantener cierta distancia.

—Ya he pillado el mensaje. Alto y claro.

Aquella contestación le tomó por sorpresa.

—Cuando pueda darte más detalles, lo haré —prometió.

—Vaya consuelo.

Todavía seguía pasmado por mi reacción, pero no parecía intrigado.

—Es todo lo que puedo hacer por ahora, aunque necesito pedirte una cosa más. Es muy importante.

—¿De qué se trata?

Colocó ambas manos sobre mis hombros y me miró a los ojos.

—Si desaparezco, no vengas a buscarme.

—¿Qué? —balbuceé. La rabia e impotencia que sentía se transformaron en pánico—. ¿Qué quieres decir con si desapareces?

Me apretó los hombros.

—Si no tienes noticias mías, por favor, no me llames, no pases por mi casa, no hagas preguntas. Y, por el amor de Dios, no informes a la policía.

Tuve que hacer un tremendo esfuerzo para disimular el miedo de mi voz.

—¿Cómo pretendes que me quede de brazos cruzados? Me estás pidiendo demasiado.

—Debes hacerlo —sentenció, fulminándome con la mirada—. Prométemelo.

—Me estás asustando.

Me rozó la cara con el pulgar.

—No tengas miedo —susurró.

Su acento del sur invocó imágenes prohibidas. Cuando deslizó sus manos por mi pelo, no pude evitar estremecerme. Acercó sus labios a los míos, con cierta cautela al principio. Me aferré a sus brazos por miedo a desfallecer, y en su boca observé una pasión desaforada. Cerré los ojos y me dejé llevar. Llevaba meses deseando ese beso y, a pesar de Isabel Perilloux, a pesar de sus fantasmas, parecía que él también.

Después alzó la cabeza y pronunció mi nombre en un susurro rasgado. Nos fundimos en un profundo abrazo y permanecimos así, en silencio, durante varios segundos. Pegué la mejilla a su pecho para oír el latido de su corazón y saborear su perfume mientras pudiera.

Y antes de lo que me habría gustado, dejó caer los brazos. Tenía que marcharse. Aquella escena parecía el final de una película, pero me negaba a aceptarlo. Daba lo mismo lo que el destino tenía preparado para nosotros. Confiaba en que nuestra historia de amor no acabara ahí. Le acompañé hasta el porche y le vi partir sin mirar atrás. Ni una sola vez se volvió para darme un último adiós. Atravesó el jardín y, en cuanto puso un pie en la acera, sus fantasmas se reunieron con él. Mariama flotaba a su lado, acariciándole el brazo, arruinando el atisbo de esperanza que había brotado de nuestro beso.

Shani seguía a sus padres rezagada. Una brisa inexistente agitaba la falda del vestidito azul de la pequeña. Ladeó la cabeza hacia mí y, antes de desvanecerse, me indicó que me quedara callada.

Unos segundos más tarde, noté una presencia tan fría como un témpano de hielo y me quedé paralizada. Era Shani. Me cogió de la mano y nos quedamos en el porche, observando a Devlin encaminarse hacia el ocaso.

Υ

Esperé a que la hija del detective se esfumara para entrar en casa. Cada vez eran más frecuentes las visitas de Shani, cuyas manifestaciones eran audaces y valientes. Por fin había descifrado el porqué de su insistencia, y sabía que no dejaría de acecharme hasta que hallara un modo de ayudarla a pasar página. Por otro lado, estaba segura de que Mariama haría todo lo que estuviera en su poder para impedirlo, ya que Shani era el lazo que le permitía seguir anclada a Devlin.

En la casa reinaba el silencio más absoluto, aunque tenía los nervios a flor de piel. Me dirigí hacia la puerta trasera y llamé a *Angus*, que vino enseguida. Por lo visto, ansiaba mi compañía tanto como yo la suya. No percibí nada extraño en el crepúsculo de ese día, pero el instinto me decía que varios espíritus estaban al acecho. Sospechaba que tenían mi santuario rodeado, aunque no sabía si porque Shani los había guiado hasta mi casa o porque mi propia transformación los había atraído hasta allí. Pero estaban ahí fuera, procurando llegar a mí mientras yo rastreaba las sombras.

Me quedé en el umbral hasta ver caer la noche, momento en que el polemonio desprendía su aroma a vainilla. Una luna menguante se asomaba sobre las copas de los árboles, bañando la oreja de liebre y la salvia con un resplandor plateado. El jardín se transformó en un paisaje propio de un cuento de hadas, delicado y etéreo. El canto del ruiseñor que vagaba entre las hojas habría encajado a la perfección con aquel mundo de ensueño si no hubiera sido porque en Charleston no había ruiseñores. «Lo que oíste fue un sinsonte.»

Y entonces lo vi, agazapado tras el columpio, oculto entre las sombras más oscuras del jardín. No era un fantasma, sino un hombre de carne y hueso, excepcionalmente alto e hipnótico, incluso en la penumbra. Alzó una mano y, acto seguido, se levantó una suave brisa que arrastraba la esencia del azufre. Aquel hedor se mezcló con el estramonio de floración nocturna y me envolvió con una telaraña invisible. Me tenía apresada, y no podía moverme, ni siquiera respirar. Pese a que la sensación debería haber sido aterradora, no sentí ni una pizca de miedo. Tan solo una extraña fascinación.

Y, de repente, como si alguien hubiera chasqueado los dedos, todo volvió a la normalidad. La esencia se evaporó con aquel tipo. Traté de convencerme de que debía de haber sido un fantasma, o un conjuro de mi propia imaginación. Ningún ser humano podía mimetizarse con las sombras. Ni siquiera un *tagati*.

Sin embargo, a pesar de mis intentos de dar sentido a lo que acababa de presenciar, en el fondo seguía pensando que quien había venido a hacerme una visita era el infame Darius Goodwine.

Capítulo 20

Aquella noche tuve sueños muy extraños. Por la mañana, me levanté con un dolor de cabeza espantoso. La sensación era la de una resaca horrible, pero me había acostado pronto y tan solo había tomado un sorbo de vino. Apenas recordaba la visita de Devlin, y no lograba recordar bien el incidente del jardín. Los dos acontecimientos se habían mezclado con la procesión de visiones surrealistas que había desfilado por mis sueños.

Tal y como el doctor Shaw había propuesto, había concertado una reunión con Temple en el cementerio de Oak Grove esa misma mañana, a las nueve en punto. Llegué un poco antes de la hora acordada, y decidí quedarme en el coche. No me atrevía a entrar en aquel cementerio abandonado a solas. Lo ocurrido en Oak Grove todavía era muy reciente.

Era mi primera incursión desde que la policía acordonó y cerró el cementerio a finales de la primavera pasada. Tras varios meses de excavaciones tediosas y metódicas, se recuperaron todos los cadáveres y por fin se cerró la investigación. Pero mis pesadillas tardarían años en desaparecer. No estaba segura de poder lidiar con la restauración, pero ya era demasiado tarde para echarme atrás. Le había dado mi palabra al doctor Shaw.

Me tomé mi tiempo en atarme los cordones de las botas de trabajo, abotonar la chaqueta y comprobar que la cámara funcionaba bien. Temple seguía sin aparecer. Así pues, me apeé del coche y comprobé los alrededores. Estaba inquieta, a pesar de que el sol brillaba con toda su fuerza. El silencio de la necrópolis me hacía sentir sola. Sola... y aislada. Había olvidado ese silencio, la profunda quietud que solía instalarse en parajes frondosos y descuidados.

Oak Grove siempre había sido un cementerio desconcertante. Rodeado por varias hectáreas de bosque impenetrable y accesible únicamente a pie, el camposanto era propiedad de la prestigiosa Universidad de Emerson. La institución había permitido que se pudriera con el pretexto de que había dejado de interesar a los ciudadanos del condado. Los únicos que merodeaban por el lugar eran estudiantes con ganas de fiesta y un asesino enfermo que enterraba allí los cuerpos de sus víctimas.

Puesto que estaba familiarizada con aquellos crímenes, decidí actuar con cautela al abrirme camino entre las malas hierbas que cubrían la verja. Se me enredaron varias zarzas en los vaqueros y, a pesar de que el verano había quedado atrás, aplasté un par de mosquitos molestos que zumbaban a mi alrededor.

Era un consuelo, al menos, saber que no tenía que angustiarme por los fantasmas. Se podían contar con los dedos de una mano los cementerios en los que los muertos no osaban entrar, y Oak Grove era uno de ellos. Sin embargo, mientras me ocupaba de la restauración, un día, a última hora de la tarde, vislumbré en el lindero del bosque una entidad aún más perturbadora que un espíritu inquieto. Basándose en mi descripción, el doctor Shaw sugirió que podía tratarse de un ser de sombras, y estuvo a un tris de convencerme de que esas experiencias extrañas no eran más que un producto de mi imaginación, o trucos de luces y sombras. Ya no era tan ingenua. Los seres de sombras eran reales, pero, a diferencia de los fantasmas, que esperaban ansiosos el ocaso para deslizarse por el velo, estos preferían la luz tenue y cálida que precedía al crepúsculo.

Arrinconé ese recuerdo y me giré hacia el sol. Hacía un día de otoño estupendo, soleado pero fresco, el clima idóneo para empezar una restauración. La idea de implicarme de nuevo en un proyecto, de sumergirme en mi pequeño mundo, me tenía entusiasmada, aunque eso significara regresar a Oak Grove.

Aunque la emoción se marchitó en cuanto empujé la puerta de entrada. El oscuro pasado del cementerio se distinguía en cada esquina, sobre las lápidas ennegrecidas y las estatuas cubiertas de musgo. Contemplé espeluznada la necrópolis.

Antaño, Oak Grove había albergado una gigantesca plantación con habitaciones subterráneas para esclavos en las que todavía retumbaba la tristeza. Encima de aquel laberinto de pasadizos y cuartos individuales se había diseñado un parque típico del Movimiento de Cementerios Rurales que habían fundado los colonos ingleses en el país durante la era victoriana. El simbolismo que adornaba las piedras sepulcrales era, sin duda, el más elaborado que jamás había visto: sauces llorones y urnas funerarias que representaban la pena y la mortalidad del alma, relojes de arena que aludían al inevitable paso del tiempo, rosas en distintos estados de floración que denotaban la edad del fallecido.

Una paloma decoraba una minúscula lápida situada cerca de la valla; era habitual encontrar el símbolo de la paz esculpido en las tumbas de los niños. Me incliné para arrancar un puñado de malas hierbas y pensé en el sepulcro de Shani, situado en el cementerio de Chedathy.

Consistía en una lápida muy sencilla y en varias caracolas colocadas en forma de corazón. Su visita de la última noche también se confundía con un sueño olvidado.

El espíritu de la pequeña se había quedado a mi lado hasta que Devlin desapareció tras el horizonte. Luego, ella también se desvaneció, dejando tras de sí nada más que su presencia. Nada de corazones trazados sobre la escarcha de un cristal. Ni una estela con aroma a jazmín. Tan solo el recuerdo de su mano fantasmagórica sujetando la mía. Intuí que el detalle de abandonar a Devlin para estar conmigo era importante. De hecho, era trascendental. Por mucho que procurara distraerme, no podía dejar de pensar en su propósito. Su persistencia me desarmaba. Era obvio que estaba decidida a conseguir su objetivo: no me dejaría en paz hasta encontrar el modo de ayudarla a seguir con su vida.

Sin alejarme demasiado de las piedras que marcaban el camino, me dirigí hacia la parte trasera del cementerio. La mayoría de las sepulturas de la sección frontal se remontaban a la mitad del siglo XIX, principios del XX. Allí predominaban ángeles con los ojos llenos de lágrimas y santos afligidos. La zona más antigua se había construido a principios del año 1700. Las lápidas esculpidas en aquella época lucían imágenes más morbosas: diversas personificaciones de la muerte, calaveras aladas o esqueletos que asomaban de ataúdes abiertos.

Cuanto más me adentraba en el cementerio, más espesa era la vegetación. Tan solo lograban filtrarse unos pocos rayos de sol, y la temperatura descendió en picado. Advertí los chapiteles del mausoleo Bedford tras un zarzal de kudzu y, allá donde mirara, solo veía hiedra. La enredadera ubicua se enroscaba por las estatuas y los monumentos y serpenteaba entre las ramas de los robles, arrebatando así la vida de aquellos árboles centenarios.

En cuanto me aproximé a la primera tumba excavada, percibí un ligero sonido y ladeé la cabeza para afinar el oído. Me pareció oír el crujir de las hojas, y deduje que Temple había llegado. Quería avisarla de que estaba allí, pero me callé. El protocolo que se debe seguir en un cementerio me impedía gritar, y me había vuelto muy recelosa. No consideré necesario esconderme, pero tampoco me atreví a revelar mi ubicación. Llevaba ropa oscura, de modo que, a menos que alguien supiera que merodeaba por esa zona, pasaría desapercibida entre las sombras de las diversas esculturas.

Pasados unos segundos, un tipo salió de entre una cortina de parras y observó a su alrededor. Era de estatura media y tenía una constitución atlética que, con el paso de los años, había descuidado. Le caía la barriga sobre el cinturón y, a pesar de los metros que nos separaban, distinguí la línea de su mandíbula. O quizá me había inventado ese detalle, porque no pude apreciar ningún otro rasgo. El ala del sombrero le tapaba la mirada.

De inmediato, pensé en el desconocido de la calle King. Me repetí varias veces que era imposible que fuera la misma persona, pero el instinto me indicaba justo lo contrario. Era él. Y dado que me seguía el rastro desde antes de comentar con el doctor Shaw una sola palabra acerca de Darius Goodwine o el polvo gris, deduje que estaba ahí por Devlin. Alguien pretendía utilizarme para llegar a él.

Mi primer impulso fue buscar el teléfono móvil y el gas lacrimógeno que siempre llevaba en el bolsillo. Pero no me atreví a realizar movimiento alguno por miedo a que me descubriera. Así que me quedé allí, inmóvil y conteniendo la respiración mientras el corazón me martilleaba el pecho. Recé para que se largara de una vez y por fin pudiera pedir ayuda.

Sin embargo, el tipo se resistía a irse. Aquellos segundos se me hicieron eternos. De repente, oí que alguien gritaba mi nombre desde la entrada del cementerio. Temple había llegado y, por suerte, no tenía reparos en alzar la voz. El desconocido se dio media vuelta y se marchó por donde había venido. Sin embargo, mi tranquilidad duró bien poco. Me asaltó el pánico y salí disparada de mi guarida cuando me percaté de que, si seguía el sendero, se toparía cara a cara con Temple.

Tomé un atajo con la esperanza de adelantarle. Tropecé varias veces con raíces y lápidas derruidas, pero al final logré salir de la sección antigua. Me quedé de piedra cuando vi a Temple charlando con aquel hombre. Al oírme llegar, él se giró con indiferencia y me dedicó una mirada sórdida.

—Ahí está —murmuró, y me guiñó el ojo—. La tristemente célebre Reina del cementerio.

Capítulo 21

—*A*melia, te presento a... —anunció Temple, y miró a nuestro acompañante con los ojos entornados—. Lo siento, ¿cómo me ha dicho que se llamaba?

—Ivers. Jimmy Ivers —contestó. Luego rebuscó en el bolsillo y me entregó una tarjeta de visita.

—El señor Ivers es reportero del *Lowcountry Chronicle*. Está escribiendo un artículo sobre el cementerio de Oak Grove.

El periodista observó los alrededores con cierta admiración.

—Este lugar es siniestro. Señoritas, permítanme una pregunta: ¿no les asusta trabajar aquí sin compañía alguna?

El modo en que nos miraba me puso la piel de gallina. Traté de grabar sus rasgos en mi memoria por si algún día tuviera que reconocerle en una rueda de identificación. Aparte de una mirada pálida y ese cuello flácido, su aspecto era de lo más anodino.

—Perdone, pero... ¿cómo sabe quién soy? ¿Y cómo se ha enterado de que estaríamos aquí esta mañana?

—Sabe lo que significa tener fuentes, ¿verdad? Con suficientes incentivos, todo el mundo está dispuesto a hablar. Se sorprendería —dijo, y pensé que, si volvía a guiñarme el ojo una vez más, no me haría responsable de mis actos—. En cuanto a su primera pregunta, la conozco porque he hecho mis deberes.

—Entonces sabrá que, sin una autorización por escrito de la universidad, está violando una propiedad privada —espeté—. Si no se marcha por voluntad propia, me veré obligada a avisar a la seguridad del campus para que le escolten hasta su coche.

Por lo visto, se tomó mi amenaza como un insulto.

—No será necesario que haga esa llamada. Tan solo intento hacer mi trabajo.

—Igual que nosotras. Y ahora, si no le importa… —dije señalando hacia la puerta.

—¿De veras no puede responderme a un par de preguntas? No le robaré más que un minuto —suplicó. Después se dirigió a Temple—: ¿Y usted?

—No —contestó, y le ofreció su tarjeta de visita—. Llame a mi despacho la próxima semana, entonces veremos.

—Supongo que eso es mejor que nada —refunfuñó—. Que tengan un buen día, señoritas.

El reportero se marchó tranquilamente, no sin antes tomar varias fotografías con el teléfono móvil.

—Eso ha sido surrealista —opiné.

—Fuera bromas. Ese tío tenía de reportero lo mismo que yo —dijo, y echó un vistazo a la tarjeta—. Apostaría a que ha impreso las tarjetas de camino hacia aquí.

—¿Qué crees que quería en realidad? —pregunté algo nerviosa.

Temple se encogió de hombros.

—No es la primera vez que me topo con gente así. Los llamo *yonquis* del gore. Lo más probable es que quisiera ver una tumba abierta, o restos de algún cadáver.

—Pero sabía quién soy.

—Bueno, tu nombre apareció en las noticias la primavera pasada, cuando salió a la luz todo lo ocurrido aquí. Por cierto, debo admitir que has manejado el asunto de una forma admirable —me felicitó, y se pasó un rizo rebelde tras la oreja. Iba vestida con un atuendo similar al mío: pantalones de estilo militar, chaqueta oscura y botas de trabajo, pero había preferido dejarse suelta la melena, que, en ese instante, ondeaba al compás de la brisa. Yo, en cambio, me había recogido el pelo en una coleta desgarbada—. Jamás te había visto tan agresiva.

—No me ha pillado en el mejor momento —me disculpé, y avisté la diminuta silueta de Ivers, o quien fuera, a lo lejos—. Voy a cerrar la puerta —propuse.

—Buena idea. Deja que te acompañe, no vaya a ser que al señor Bicho Raro se le ilumine la bombilla con algún plan descabellado.

—No hay excusa que justifique este abandono tan gratuito —dijo Temple un poco más tarde, mientras estudiábamos una hilera de lápidas derribadas—. Me avergüenza que haya pasado algo así cuando yo era la que estaba a cargo del proyecto.

—No te mortifiques. No podías estar aquí cada segundo del día —la animé—. Las excavaciones se alargaron varios meses.

—Lo sé, pero es una falta de respeto muy descarada. Es como si alguien me hubiera atizado una bofetada en la cara.

—Yo no lo llamaría falta de respeto. La policía trató de seguir el protocolo apropiado, pero, cuando abrió la caja de Pandora, las prioridades cambiaron.

El asesino había hecho gala de su astucia al esconder los cuerpos de sus víctimas en tumbas antiguas marcadas con inscripciones e imágenes. Una vez identificado el autor de los crímenes, la investigación se centró en recuperar los restos de los cadáveres. Exhumaron docenas de sepulcros, con lo que alteraron el sepelio original. Después de remover el terreno en busca de pruebas, colocaron los restos a toda prisa, sin prestar atención a qué ataúd les correspondía, para evitar así una exposición aún mayor. Como arqueóloga estatal, Temple tenía potestad sobre cualquier resto humano de más de cien años. Su tarea en Oak Grove consistía en garantizar que ese segundo entierro de cuerpos se llevara a cabo de la forma más apropiada posible, y que cualquier artefacto, por diminuto que fuera, como recuerdos personales, retales y huesos, volviera al sepulcro original.

Me arrodillé junto a una de las lápidas derruidas. Saqué el cepillo de cerda suave y limpié la mugre y el musgo seco de la piedra para revelar las decoraciones artísticas. Descubrí un rostro alado, símbolo del alma en vuelo.

—No veo ninguna grieta reciente. Es posible que, por miedo a hacerlas añicos, optaran por no moverlas. Lo que, por cierto, fue una buena jugada. Ya sabes lo frágiles que son estas lápidas.

Temple abrió los ojos como platos.

—Eres mucho más comprensiva y benévola que yo. Creo que, en su afán de protagonizar los titulares de los periódicos, se volvieron descuidados y negligentes. Aunque reconozco que mi desprecio por el departamento de la policía de Charleston puede tener algo que ver con la multa por exceso de velocidad que me han puesto de camino aquí. Por eso he llegado tarde.

La miré con incredulidad.

—¿Y no te has librado de la multa? Con la labia que tienes… No te reconozco, Temple.

—Lo sé. Me estoy haciendo mayor —dijo con una mueca.

—Ah, sí, estás decrépita.

—Y hablando de decrépitos… —murmuró. Al ponerme en pie inclinó la cabeza y me repasó de arriba abajo—. No he querido decir nada delante de ese tío, pero no tienes muy buen aspecto esta mañana.

—¿Por qué todo el mundo se empeña en decirme lo mismo? —pregunté con el ceño fruncido.

—Quizá sea por las ojeras. O por las mejillas hundidas. No te enfades, pero juraría que has perdido varios kilos desde la última vez que te vi. ¿Qué diablos te está pasando?

«La hija muerta de Devlin me acecha.»

—No duermo bien.

—¿Tienes pesadillas con este lugar? —preguntó con tono compasivo—. Si quieres que sea sincera, cuando me enteré de que habías aceptado la propuesta de reanudar la restauración, me preocupé un poco.

—¿Por qué? No es más que otro cementerio.

—Tu estoicismo es admirable, pero a mí no me engañas. Tú y yo sabemos de sobra que Oak Grove no es como cualquier otro cementerio. Aquí sucedieron cosas horribles. Y algunas de ellas las sufriste tú misma.

—Te agradecería que no me recordaras ese episodio de mi vida.

—Pero lo recuerdas. ¿Cómo olvidarlo? La presencia de Ivers te ha alterado —acusó, y escudriñó el paisaje fangoso que nos rodeaba—. Aunque, comparado con otros cementerios contemporáneos, Oak Grove es pequeño, tienes mucho trabajo por delante. Tardarás semanas en arrancar malas hierbas y limpiar escombros. ¿Estás preparada para largas jornadas de trabajo aquí, sin compañía alguna?

La atravesé con la mirada.

—¿Por qué tengo la sensación de que intentas asustarme?

—Te equivocas, Amelia. Me alegra que un cementerio histórico esté en unas manos tan expertas como las tuyas. Podríamos decir que pasaste un vía crucis aquí, un calvario que sin duda debió afectarte muchísimo. No puedes actuar como si nada de aquello hubiera ocurrido. Una experiencia tan traumática te acompaña de por vida.

—Estoy bien —insistí—. O lo estaba, hasta que has removido todos esos recuerdos. ¿Podríamos cambiar de tema, por favor?

Me dedicó una sonrisa llena de ternura.

—Podríamos charlar sobre tu vida amorosa, aunque tengo el presentimiento de que será un tema de conversación todavía más deprimente.

—Ja, ja, muy graciosa. ¿Por qué no nos centramos en el trabajo?

—¿No quieres saber a quién me encontré anoche? Al mismísimo John Devlin.

Me miró por el rabillo del ojo y fingí estudiar el mapa del cementerio. Noté el aleteo de cientos de mariposas en el estómago, una sensación que se repetía cada vez que alguien mencionaba el nombre de aquel hombre.

—Estaba cenando con una morena despampanante —añadió.

—¿Dónde le viste? —pregunté con indiferencia.

—En un restaurante italiano que descubrí en la calle King. Me acerqué a saludarle y, como siempre, hizo como que no me reconocía. Le gustan este tipo de jueguecitos, ¿verdad?

Para Temple era inconcebible que Devlin, o cualquier otro hombre, se olvidara de ella, aunque fuera un despiste momentáneo.

—Qué bien —murmuré, y me volví para evaluar el resto de lápidas y esculturas—. La siguiente excavación está junto al mausoleo. Antes que nada deberíamos ponernos manos a la obra con el trabajo fotográfico. Luego ya me dirás cómo quieres que continúe.

—Espera un segundo. ¿No me preguntas sobre la morena que lo acompañaba?

—Deja que lo adivine. ¿Se llama Isabel?

Temple se quedó pasmada.

—¿Sabías que estaba saliendo con ella? Bueno, supongo que Ethan llevaba razón. Las cosas no acabaron de cuajar entre vosotros dos.

—¿Has hablado con Ethan sobre mi relación con Devlin?

—¿Acaso es un tema tabú? —preguntó de forma inocente.

—Me incomoda un poco —admití—, no me gusta ser el centro de los chismorreos.

—En fin, ya conoces a Ethan. Es peor que una maruja. Estaba deseando contarme los detalles más jugosos.

—¿Y qué diablos te contó?

Hizo una mueca.

—No mucho, por desgracia. Supongo que Devlin no es de los que presume de sus conquistas.

Encogí los hombros, pero seguía nerviosa.

—Tampoco tiene mucho que contar, la verdad. Aunque no sé por qué te sorprende tanto. Fuiste tú quien me advirtió sobre él, ¿recuerdas?

—¿Yo?

—Sí. Según tú, jamás podría estar a la altura de Mariama.

—Nadie puede estar a la altura de una esposa muerta —farfulló—. Pero Mariama era...

—Sí, ya lo sé.

Temple se estremeció al ver el mausoleo. Clavé los ojos en el suelo porque aquellos chapiteles góticos también me provocaban escalofríos, aunque de otra índole.

—Era una mujer de bandera. —Temple suspiró—. Nunca he conocido a nadie igual. Era rabiosamente hermosa y se permitía todos los excesos que le venía en gana.

Me giré, sorprendida.

—Hablas como si la hubieras conocido, pero solo la viste una vez, ¿cierto? En una escena del crimen, si no recuerdo mal.

El comentario sorprendió a Temple, que empezó a abanicarse con la mano.

—Bueno sí, pero bastó para impresionarme.

—¿Lo dices por la discusión que presenciaste?

Advertí cierta confusión en su mirada. Después, se apresuró a decir:

—Ah, sí. La discusión entre ella y Devlin. Acalorada y apasionada, sin duda. Fue un arrebato emocionante.

Me tragué el miedo y desvié los ojos hacia aquellos chapiteles.

—¿Alguna vez Ethan te ha explicado por qué su padre trajo a Mariama a Emerson?

—Estoy segura de que el viejo vio potencial en ella. Ya te he dicho que era una mujer extraordinaria, y Rupert solía ser un filántropo antes de interesarse por el ocultismo. Después, invirtió todo su tiempo y energía, y me atrevería a decir que también su dinero, en el instituto.

—¿Cuándo fue la última vez que lo viste? —pregunté.

—¿A Rupert? Hace un par de días. ¿Por qué lo preguntas?

—Ayer pasé por el instituto. Me pareció que actuaba de una forma muy extraña.

—¿Y eso te pareció raro? —contestó.

Doblé el mapa de Oak Grove y lo guardé en un bolsillo.

—Sé que siempre ha sido un tipo excéntrico, pero ayer le noté distinto. Y ha contratado a una nueva secretaria.

—¿Layla?

—Así que tú también la has conocido.

—Una chica preciosa —musitó Temple—. Me resultó muy agradable.

—¿De veras? No tuve esa impresión. Me dio la sensación de que actuaba como si estuviera a cargo del despacho del doctor Shaw. Muy territorial. Parece que esté protegiendo su territorio, es una sensación que me exaspera.

—Yo la verdad es que no percibí nada extraño en esa chica —opinó Temple.

—No, claro que no —gruñí—. Quizá territorial no es la palabra más adecuada. Es como si estuviera vigilando constantemente al doctor Shaw.

—Si me permites la indiscreción, Rupert necesita que alguien cuide de él —contestó—. Le tengo mucho cariño, pero siempre me ha preocupado su estabilidad emocional, sobre todo después de que falleciera su esposa. Fue entonces cuando su interés por el más allá se convirtió en una obsesión.

—Cuando llegué a su despacho, estaba perfectamente. Luego Layla le sirvió una taza de té y él le echó un puñado de hierbas. A partir de ese momento, empezó a adormilarse.

—¿A qué te refieres con adormilarse?

—Se quedaba dormido en mitad de la conversación. Después sufrió un vahído. Si no hubiera estado allí, se hubiera caído de bruces.

—Eso no suena bien —farfulló Temple—. A su edad

podría ser víctima de un derrame cerebral o de un infarto. ¿Se lo has comentado a Ethan?

—No, pensaba explicárselo esta noche, durante la cena. El doctor Shaw me pidió que no dijera nada, pero estoy preocupada por él. Nunca lo había visto así.

—¿Qué pasó antes de que se mareara? ¿Ocurrió algo que pudiera alterarlo?

—La verdad es que no. Al menos no mientras charlábamos. Estuvimos un buen rato debatiendo sobre medicina alternativa.

—¿Medicina alternativa? —preguntó con expresión desdeñosa—. Por favor, no me digas que teme que alguien le haya podido echar un maleficio.

—¿Un maleficio? ¿Te refieres a un hechizo o un mal de ojo?

—¿Recuerdas haberte fijado en algo más fuera de lo normal? ¿Un aroma particular, por ejemplo?

—Ahora que lo dices, sí percibí un olor rancio antes de que Layla le trajera el té. También me llamó la atención una línea de sal junto a la puerta de la terraza. Deduje que habría esparcido la sal para evitar que las babosas del jardín se comieran sus plantas.

—¿Viste algún trozo de hierro o plata tirado por el suelo?

De repente, me vino a la mente el tornillo metálico que advertí bajo el escritorio y el abrecartas de plata.

—Sí, la verdad es que sí. ¿Por qué? ¿Qué significa todo esto?

—¿Las hierbas que vertió en el té? ¿La hilera de sal frente a una puerta? Está intentando protegerse.

—¿Protegerse de qué?

—Probablemente de su imaginación. Rupert puede parecer un hombre razonable, pero tiene ideas disparatadas.

—Supongamos, solo como hipótesis, que alguien

te echa un maleficio. ¿Qué se debe hacer para librarse de él?

—Acudir a un experto en hierbas medicinales para que te haga un hechizo de protección. En esencia, estarías adquiriendo una mera ilusión, pero, en manos de un verdadero adepto, el poder de persuasión puede ser un arma muy peligrosa —dijo—. Una vez tuve una experiencia muy interesante con uno de esos chamanes.

—¿Qué pasó?

—El Gobierno contactó con nuestro departamento para trasladar un viejo cementerio por el que atravesaría una autopista. Había una mujer... Jamás me olvidaré de ella... Ona Pearl Handy. Vivía en la misma calle donde estaba situada la propiedad, y todos sus ancestros estaban enterrados en ese cementerio. Estaba convencida de que vendrían a atormentarla si permitía que exhumaran sus tumbas. En nuestro primer día de trabajo, ahí estaba, plantada con una silla de jardín en mitad de la entrada, con ese polvo blanco esparcido por todas partes. También lo había espolvoreado sobre los sepulcros. Lo llamó polvo para alejar a la ley —se burló Temple.

—¿Funcionó?

—Por supuesto que no. Pero consiguió jugar con nuestra mente. De la noche a la mañana, empezaron a suceder un montón de cosas raras, y aquello espantó a todo el equipo. Los teléfonos no funcionaban. Los coches se quedaban sin batería. Las herramientas fallaban. Sin embargo, eso no fue lo peor. Un día se nos cayó un ataúd. La tapa se deslizó, y mostró los restos del cadáver, y Ona Pearl se puso histérica. Le aterraba que, tras profanar los restos, su tatarabuela Bessie la visitara por la noche y la montara.

—Puaj.

—Suena pervertido, pero se refería a poseerla.

—¿Conseguisteis mover todo el cementerio?

—Al final, sí. Sus maleficios no eran lo bastante fuertes para impedirnos hacer nuestro trabajo, aunque reconozco que fue una chapuza. Pero logró hacernos dudar durante un tiempo.

—Menuda experiencia.

—Oh, lo fue —dijo Temple, que sacudió la cabeza y soltó una risita—. Pobre Ona Pearl. Me contaron que la trincaron por tráfico de drogas. Tomó demasiado polvo para alejar a la ley. Lo que demuestra mi teoría. Las hierbas medicinales se basan en humo y espejos. No me sorprendería que la aflicción de Rupert fuera el resultado del poder de sugestión.

—Ojalá estés en lo cierto.

Sin embargo, la escenita que había presenciado entre el doctor Shaw y Tom Gerrity no entendía de percepción. Aquello respondía a un chantaje puro y duro. Y tenía la corazonada de que esa era la verdadera causa de la aflicción del doctor.

Capítulo 22

*J*usto cuando Temple dio por finalizada su jornada laboral, Regina Sparks, la forense del condado de Charleston, pasó por el cementerio. No había coincidido con Regina desde la primavera pasada, cuando exhumamos las dos primeras tumbas, pero habría reconocido aquella melena pelirroja en cualquier lado. Al igual que yo, llevaba el pelo recogido en una coleta, pero se le habían soltado algunos tirabuzones de color bronce que resplandecían bajo la luz moteada.

Me quedé trabajando junto a la valla, quizá para demostrarle a mi jefa, y a mí misma, que no me asustaba pulular a solas por Oak Grove. Aunque el sol había iniciado su recorrido hacia poniente, todavía quedaban varias horas de luz. Sin embargo, el corazón me dio un brinco cuando advertí que alguien se estaba abriendo camino a hachazos entre la vegetación. Me sosegué al ver aquella cabellera flameante y el logotipo de la oficina forense cosido en su camisa azul marino.

Me saludó con efusividad al verme.

—Un pajarito me ha dicho que quizá rondarías hoy por aquí. Andaba por la zona, y he decidido venirte a hacer una visita y ver qué tal estaba todo.

Solté el gas lacrimógeno.

—¿Y cómo se llama ese pajarito? Hasta ayer por la tarde ni siquiera yo sabía que estaría aquí.

Encogió los hombros y se apartó los rizos de la cara. Parecía tensa, como si le costara un tremendo esfuerzo controlar su energía.

—Estamos en Charleston. De una cosa puedes estar segura: todo el mundo sabe qué te traes entre manos, incluso antes que tú. Es un fastidio, pero ¿qué se le va a hacer?

—Tan solo me sorprende que alguien se moleste en comentarlo —contesté.

—¿Me tomas el pelo? ¿Después de todo lo que sucedió aquí? Incluso en la edición virtual del periódico han publicado un artículo sobre ello.

—Qué rapidez.

—Han difundido decenas de fotografías, incluida una tuya, y un enlace a tu blog. Te alegrará saber que esta vez han escrito tu nombre sin ninguna falta de ortografía.

—Qué bien.

Sin duda, alguien del comité universitario había movido los hilos para conseguir filtrar la noticia. No podía culparlos por intentar dar un giro a la publicidad sensacionalista que acosaba al cementerio utilizando algo más positivo, como una restauración, sobre todo porque Emerson estaba celebrando su bicentenario.

—He reenviado la noticia a mi tía —añadió Regina—. Desde que se enteró de que colaboraríamos juntas, está que no cabe en sí de gozo. Ya sabes que eres toda una celebridad en Samara, Georgia. Piensan que ese vídeo fantasma ha dado popularidad al pueblo.

—¿Incluso después del descrédito que ha recibido?

—Les importa un comino. Creen lo que quieren creer.

Un equipo de noticias se interesó por mi trabajo como restauradora y les concedí una entrevista. Fue entonces cuando se grabó el vídeo en cuestión, que corrió como la pólvora. La grabación recorrió todas las páginas web relacionadas con la caza de fantasmas y los aficionados a lo paranormal creyeron que las luces que flotaban sobre el cementerio eran entidades del más allá. Pero quién mejor que yo para saberlo. En el cementerio de Samara no habitaban fantasmas. Un analista de imágenes digitales fue quien convenció a esos pesados de que aquellas luces eran, en realidad, el resplandor que reflejaba un cristal encastrado en una de las lápidas.

—Pensaba que ese vídeo había caído en el olvido —murmuré.

—No en Samara. Mi tía se puso como loca cuando mencioné tu nombre. De hecho, se reunió con todas sus queridas amigas y se plantearon la posibilidad de tomar un autobús para conocerte en persona. Pero no te preocupes, ya me he encargado de frustrar sus planes. Pobrecitas, tienen buena intención, pero solo soporto a la tía Bitty en pequeñas dosis, y Loretta es como una montaña rusa. Esas ancianas apestan a analgésicos y perfume dulzón. ¿Necesito decir más?

—Lo pillo.

—En fin, no pretendía entretenerte. Veo que estabas a punto de irte.

—Tranquila, todavía tengo que cerrar todos los candados.

Regina salió y asomó la cabeza por los barrotes de la verja.

—No tengo reparos en decir que me alegra haber podido ver el final de este lugar.

—Me lo imagino.

—Menuda forma de pasar el verano —murmuró.

—Al menos ya se ha terminado.

—¿Tú crees? —musitó—. No sé qué tiene Oak Grove, pero todavía me produce escalofríos.

—Hay un cementerio rural en Kansas conocido como una de las siete puertas del Infierno. He estado allí, y la atmósfera que rodea aquella necrópolis es idéntica a la que se respira en Oak Grove.

—Recuérdame que nunca vaya allí —dijo—. Un portal al Infierno es sinónimo de problemas.

Las dos nos quedamos calladas mientras contemplábamos el cementerio. El sol estaba suspendido sobre el horizonte, y la sombra de una escultura en forma de ángel caía sobre nuestras caras. De repente, la brisa cesó. No se percibía ningún movimiento entre los árboles ni entre las tumbas. No distinguí siluetas danzando por el sepulcro, ni el rastro de una niebla incipiente, pero aquella quietud tan absoluta me desconcertaba más que la manifestación de un espíritu.

Los días, las semanas y los meses de intenso trabajo que me esperaban en aquel cementerio se harían eternos, y por un segundo me abordó el pánico. No podía permitirme el lujo de obsesionarme con la sensación claustrofóbica que me provocaba Oak Grove, ni con la oscuridad que reinaba en el bosque que lo rodeaba. Tenía otros asuntos con los que ocupar la mente. Devlin, por ejemplo. Las visitas de Shani y, por supuesto, la investigación de Fremont.

Y, en ese preciso instante, mientras examinábamos la necrópolis a través de las barras de hierro forjado, se me ocurrió que quizá Regina podría ayudarme. Aunque el asesinato se había perpetrado en el condado de Beaufort, estaba segura de que la forense tendría acceso a los archivos de la autopsia. No tenía la menor idea de cómo persuadirla para permitirme el acceso a los documentos, pero cuantas más vueltas le daba, más me convencía de que contenían información importante.

—Qué casualidad que pasaras justo hoy por aquí —empecé a decir. Lo cierto era que ya no creía en las casualidades. Todo ocurría por una razón, incluso la visita aparentemente fortuita de la forense del condado de Charleston.

—¿Por qué lo dices? —preguntó.

—Confío en que puedas ayudarme con un problemilla que me ha surgido en otro proyecto.

—No sé mucho sobre restauración de cementerios, pero dispara.

—Se trata de un pequeño cementerio ubicado al sur del condado de Beaufort. Alguien sustrajo algunas lápidas, y eso ha conllevado una terrible disputa sobre los sepulcros. Todo el mundo con quien he hablado tiene una opinión distinta sobre quién está enterrado dónde, por no mencionar el desacuerdo entre las fechas de nacimiento y defunción. Y, hasta hoy, no he sido capaz de localizar un registro o un mapa del cementerio.

—¿Y los certificados de defunción?

—En algunos casos ni siquiera se archivaron. Muchos están incompletos o modificados, así que no me sirven. La verdad, es un caos.

—Parece algo más que un caos —apuntó—. Apostaría a que alguien se ha tomado muchas molestias para crear todo esa confusión. Si alguien ha alterado o ha destruido los registros oficiales, estoy segura de que tiene un objetivo, además de tener los contactos necesarios. ¿Has hablado con el *sheriff* de la zona?

—En realidad, el aspecto legal de este desastre es lo que menos me preocupa. Solo quiero ordenar las tumbas, y pensé que los informes de autopsia serían las pruebas irrefutables necesarias para certificar, al menos, la fecha de defunción. Me preguntaba si, como restauradora, puedo acceder a esas copias. ¿Acaso no es documentación pública?

—Eso depende de cada estado, y puede variar según los distintos condados. En Charleston, por ejemplo, seguimos las mismas directrices que rigen la privacidad de los informes médicos. Dicho esto, siempre hay modos de obtener copias. Si eres pariente directo, puedes presentar una solicitud a través de Internet. Si eres un paleto en busca de gloria, siempre puedes rellenar una declaración amparada por la Ley de Libertad de Información, aunque, permíteme que te diga, que tendemos a desaprobar ese tipo de exigencias. Puesto que no puedes acogerte a ninguno de estos supuestos, te aconsejo que presentes el caso ante el forense pertinente. Resulta que conozco a Garland Finch bastante bien. Es un buen tipo, aunque algo tiquismiquis.

—¿Crees que estará dispuesto a ayudarme?

Se encogió de hombros.

—No lo sabrás si no lo intentas. Si quieres, puedo llamarle por teléfono y allanarte un poco el camino.

—¿Harías eso? Me sería de gran ayuda.

—Con una condición.

—Tú dirás.

—Debes contarme algo —contestó. Se giró hacia mí y me miró con un brillo en los ojos que interpreté como de sospecha—. ¿Alguna vez te han dicho que mientes fatal?

—No…, no sé a qué te refieres.

Sacudió la cabeza.

—Venga ya. Esa historia tiene la misma credibilidad que el caimán de dos cabezas que devoró mi proyecto de ciencias cuando cursaba quinto de primaria.

Suspiré.

—¿Qué está pasando? —preguntó.

—Es un tema personal.

—Ese tema personal no está relacionado con ninguna investigación en curso por la que puedan denunciarte, ¿verdad?

—No, nada de eso. Tan solo intento echar una mano

a un amigo. Hace dos años que perdió a un ser querido, pero todavía no lo ha superado. Pensé que una ojeada al registro de defunción respondería algunas de sus preguntas y acabaría aceptando lo evidente.

—¿Hay opiniones distintas sobre la causa de su muerte?

—En realidad, no. Pero si lo ve por escrito... —balbuceé—. Sé que parece que le estoy buscando tres patas al gato, pero no sé qué más hacer.

—Si tu amigo es familiar del fallecido, ¿por qué no envías la solicitud, tal y como he sugerido?

—¿Cuánto crees que tardará en recibir una respuesta?

—Semanas, o incluso meses.

—Eso me temía.

—¿Tu amigo no puede presentarse ante el forense él mismo?

—No. No sería una buena idea.

Su mirada era fija y directa.

—¿Es posible que conozca a este amigo tuyo?

Dado que Fremont había sido agente de la policía y Regina había sido forense del condado, no quise arriesgarme.

—No me sorprendería.

—Si voy a jugarme el cuello por ti, necesito que me prometas que este asunto jamás me salpicará.

—Es imposible que eso ocurra.

—No haría esto por cualquiera —añadió con severidad.

—Te lo agradezco muchísimo.

—Va en contra de mis principios.

—Entiendo.

—Toma. —Sacó una tarjeta y garabateó una nota en el dorso—. Si Garland te hace sudar tinta, muéstrale esto. Él sabrá lo que significa.

—No sé cómo darte las gracias.

Señaló el cementerio con la barbilla.

—Si no hubiera sido por ti, ese psicópata seguiría suelto. Considéralo como el cobro de una deuda pendiente con el condado de Charleston. Después de todo, aquel macabro asunto no perjudicó a las autoridades. Aunque hay una cosa que me gustaría saber.

—¿El qué?

—¿Cuánto has tardado en inventarte esa ridícula historia de lápidas robadas y certificados de defunción falseados?

Sonreí.

—No es tan ridícula. Me ocurrió en una restauración.

Me miró con escepticismo.

—No fue en Charleston, no conmigo como forense estatal.

—Tienes razón. Fue en Samara.

—Oh, de acuerdo, eso cuadra más —aceptó—. Ese pueblo es más corrupto que una dictadura con delirios de grandeza. Debería de haberlo sabido: mi ex es el *sheriff* de ese condado.

Capítulo 23

*F*remont apareció junto al coche como por arte de magia unos minutos después de que Regina y yo dejáramos Oak Grove a nuestras espaldas. Tenía el mismo aspecto de siempre. Gafas oscuras tras las que ocultaba su mirada sin vida. Piernas y brazos cruzados, una pose que daba a entender que tenía todo el tiempo del mundo. Eso, en cierto sentido, era verdad, aunque sabía a ciencia cierta que le urgía resolver la investigación que nos ocupaba.

Desvié la mirada del fantasma. De pequeña aprendí a no dar demasiadas vueltas al cómo, al dónde y al porqué de las manifestaciones, y a andarme con mucho cuidado cuando llegaba el atardecer.

A mi padre no le gustaba hablar de fantasmas, y yo había seguido sus normas con tal obediencia y disciplina que ni siquiera me surgieron dudas o preguntas al respecto. Siempre me las había arreglado para mantener la mente ocupada y evitar atraerlos hacia mí. Tenía el presentimiento de que, si pensaba en ellos, los estaría invitando a mi mundo. Sin embargo, era obvio que el fantasma de Robert Fremont había logrado establecer una conexión conmigo. Una especie de telepatía, quizá. Jamás me acostumbraría a su apariencia humana, por no decir a sus apariciones anteriores al ocaso, y tuve que hacer acopio de autocontrol para no delatarme cuando lo vi apoyado en el vehículo.

Me despedí de Regina y me quedé holgazaneando junto al coche, haciendo ver que ordenaba las herramientas y la cámara de fotos. Después saqué el teléfono y fingí comprobar los mensajes. En otras palabras, me dediqué a hacer tiempo hasta que Regina se subió a su todoterreno y arrancó el motor. Le dije adiós con la mano y continué entreteniéndome con tonterías hasta perderla de vista. Justo entonces rodeé el coche para toparme frente a frente con Fremont, que seguía con el culo apoyado sobre el capó.

—¿Cómo lo haces? —pregunté.

—¿Hacer el qué?

Encogí los hombros.

—¿Cómo sabes dónde estoy en cada momento? ¿Cómo es posible que aparezcas así, sin avisar? Sin tan siquiera un resplandor o una brisa de aire frío… Es como si estuvieras… siempre aquí.

—Ya te dije que me exige mucha concentración.

—Qué coincidencia, precisamente estaba pensando en ti —dije con tono acusatorio—. ¿Te he invocado con mis pensamientos?

La mirada que me lanzó tras aquellos cristales oscuros me produjo escalofríos.

—¿Qué más da?

—Es que es la primera vez que puedo formular este tipo de preguntas. No te imaginas qué supone todo esto para mí. Desde que era niña, he estado rodeada de fantasmas, pero mi padre me enseñó a disimular mi don para que no se dieran cuenta de que podía verlos. Al igual que tú, él los consideraba unas sanguijuelas. Parásitos del inframundo que debía temer y respetar. Y luego te conocí a ti. Pero a ti no te mueve el ansia de calor humano ni el deseo de continuar existiendo en el mundo de los vivos. Tu motivación es bien distinta. Necesitas pasar página. Y todavía eres capaz de sentir emociones. Tienes conciencia y puedes entablar una conversación conmigo. ¿Y todavía te preguntas por qué me provocas tanta curiosidad?

Pensó varios segundos la respuesta.

—Tu mente no me ha invocado —dijo—. Es más bien un cambio de energía lo que me atrae hacia ti.

—¿Alguien más te ha visto?

—Creo que no.

—¿Cómo descubriste que podía verte?

—Un día, en el puerto, tuvimos contacto visual. Dije hola, y me oíste.

—¿Y luego qué? ¿Empezaste a seguirme?

—Algo así.

Me quedé en silencio unos momentos.

—Me he martirizado tratando de averiguar cómo me delaté. En general, soy muy precavida con los fantasmas.

—Tal y como has dicho antes, no soy como los demás fantasmas.

—No, la verdad es que no. Y ahora no paro de preguntarme si hay otros como tú. ¿Cuántas veces me habrían engañado? ¿Cuántos otros pululan por este mundo disfrazados de humanos?

—¿Disfrazados?

—Ya sabes a qué me refiero.

Sentía su mirada clavada en mis ojos.

—Si hubiera otros como yo merodeando por aquí, lo sabrías.

—¿Cómo?

—Porque no te dejarían en paz hasta que les dieras lo que ansían.

—¿Estás insinuando que me acecharían?

—Nuestros recursos son limitados —dijo—. Utilizamos lo que tenemos.

Visualicé de nuevo aquel mensaje trazado sobre la escarcha de mi ventana. Pensé en el ruego de Shani, y en su empeño en que la siguiera. La pequeña, Robert Fremont y ese espectro desconocido necesitaban mi ayuda porque era la única persona que podía verlos. La única que podía oírlos.

Cargaba con una cruz demasiado pesada. ¿Ese era el verdadero significado de las advertencias de mi padre? ¿A eso se refería cuando juraba que reconocer su presencia era invitarlos a morar en mi mundo para siempre?

Pero el problema no se ceñía únicamente al acecho, ni a que esos fantasmas se nutrieran de mi energía y calor vital. Según el propio Fremont, esos espíritus atormentados me perseguirían incansables hasta que accediera a ayudarlos, y otras entidades desesperadas me acosarían como sabuesos hasta que respondiera a sus ruegos. Si prestaba mi ayuda a Fremont y Shani..., ¿qué ocurriría? ¿Cuántos fantasmas estarían vagando por este mundo en busca de alguien como yo?

Le di la espalda a Fremont y miré al cielo. Había coqueteado con la idea de alcanzar una profesión noble, quizá desde el día en que vi mi primer fantasma. Quería creer que mi don, o maldición, tenía un propósito real y, con esa idea, podía justificar mi soledad. No era más que una excusa para aceptar mi verdadera naturaleza. Una parte de mí había empezado a creer que era una liberación. Se acabó fingir lo que no era. Ya no tenía que esconderme en mi santuario. Estaba dispuesta a admitir que veía muertos y a ayudarlos a seguir adelante. Pero, si lo hacía, la que no podría seguir adelante con su vida sería yo. Las cadenas que me ataban a los fantasmas cada vez eran más indestructibles.

Observé el horizonte e inspiré hondo. El crepúsculo se estaba difuminando, y lo único que quedaba era un resplandor rosado que brillaba tras los árboles. Se avecinaba ese momento trémulo que precedía al ocaso, anterior a ese instante intermedio, momento en que las sombras se extendían y se enroscaban para dar refugio a las siluetas negras que se arrastraban por el corazón del bosque. ¿Acaso ellas también querían algo de mí?

—He dicho algo que te ha ofendido, ¿verdad? —dijo Fremont.

—No, no es eso. Acabo de enterarme de ciertas cosas, y no sé por dónde empezar. ¿Has reconocido a la mujer que acaba de marcharse?

—Me suena.

—Se llama Regina Sparks. Es la forense del condado de Charleston. Supuse que la conocerías de tu época como agente. En fin, quizá nos ayude a conseguir una copia de tu informe de autopsia. No me preguntes por qué, pero tengo una corazonada y necesito echarle un vistazo. Apenas he encontrado información sobre el tiroteo. La investigación parece un secreto de Estado, así que espero encontrar algo en esos documentos que pueda arrojar algo de luz a todo este asunto. Soy consciente de que es un disparo a ciegas, pero al menos es un comienzo.

—No, de hecho, me parece buena idea —murmuró, claramente impresionado—. A mí también me interesa saber qué hay en esos registros.

—¿No podrías materializarte en el despacho del forense de Beaufort y ver el informe de la autopsia con tus propios ojos?

—Me temo que eso será imposible.

—¿Por qué?

—No lo sé. Por ese motivo necesito tu ayuda. Por lo visto, tengo ciertas limitaciones.

—¿Además de amnesia?

Esquivó la pregunta.

—¿Qué más has averiguado?

—Ayer estuve en el despacho de Rupert Shaw. Quería hacerle unas preguntas acerca del polvo gris.

—¿No fui lo bastante claro cuando te dije que tuvieras cuidado?

—Lo fuiste, pero confío en el doctor Shaw. Me dijo que la sustancia provenía de África. Según sus propias palabras, es un elemento fundamental para varios rituales religiosos, tan poderoso que incluso los chamanes lo utilizan con moderación. Pero lo más interesante de la visita no fue lo que me desveló sobre el polvo gris o las hierbas medicinales. Escuché una conversación muy inquietante entre él y Tom Gerrity. Y sé de buena tinta que reconoces ese nombre, porque te hiciste pasar por Gerrity la primera vez que contactaste conmigo, la primavera pasada.

—Sí, conozco a Tom Gerrity.

—Una vez estuve en su despacho, y vi una fotografía en la que aparecíais los tres, Devlin, Gerrity y tú. Fue entonces cuando caí en la cuenta de que te habías hecho pasar por un detective privado y de que, en realidad, estabas muerto. Aunque eso no es lo importante ahora.

—¿Y qué es lo importante? —preguntó con cierta impaciencia.

—Es evidente que Gerrity está chantajeando al doctor Shaw. ¿Tienes idea de qué información podría utilizar contra él?

—Quizás algo relacionado con su esposa —murmuró.

—Pero falleció hace muchos años.

—En nuestra comunidad, corrió el rumor de que Shaw visitó a un experto en hierbas medicinales, un tipo famoso por vender polvos y elixires con objetivos perversos. Shaw estaba interesado en hacerse con un extracto de una planta conocida como ojos de muñeca. Cada parte de esa planta es venenosa, pero las bayas son letales. Contienen una toxina cancerígena que seda los músculos cardiacos. Es excelente como veneno, porque no produce náuseas o vómitos, efectos que podrían levantar sospechas, y el sabor de las bayas es más bien dulce. Provoca una muerte rápida, sobre todo si quien toma el extracto padece problemas de corazón. Poco después de que se extendiera el rumor, la esposa de Shaw falleció.

Me quedé estupefacta. No podía dar crédito a lo que aquel fantasma acababa de revelarme.

—No me digas que crees que él la envenenó. Estuvo enferma muchísimo tiempo. Nadie puede catalogar su muerte de inesperada o repentina.

—Nunca lo sabremos. Ningún forense realiza una autopsia a un paciente terminal con episodios de infarto —dijo—. Además, como la incineraron, es inviable pedir una exhumación del cadáver.

—Sigo sin creérmelo. Según lo que me han contado, el doctor Shaw sentía devoción por su esposa y estuvo a su lado hasta su último aliento.

—Quizá creyera que matarla sería un acto de bondad.

—Estás hablando de eutanasia. De matar por piedad —añadí.

—Sí, pero a ojos de la ley, se consideraría asesinato.

Aquellas palabras tan directas y francas me estremecieron. El crepúsculo se nos estaba echando encima. Recapitulé y recordé la expresión del doctor Shaw tras su discusión con Gerrity. Pareció ver un fantasma en el despacho, y luego pronunció el nombre de una mujer: Sylvia.

¿Acaso su sentimiento de culpa estaba conjurando visiones extrañas de su difunta esposa?

«Al menos nadie puede acusarme de asesinato.» Esas habían sido las palabras exactas de Gerrity.

Las piezas incriminatorias por fin encajaron, y de inmediato se me aceleró el pulso. Me negaba a creerlo, desde luego. Sentía un gran aprecio por Rupert Shaw. Admiraba y respetaba su trabajo, pero no podía ignorar lo que tenía ante mis ojos.

¿De veras iba a ser tan sencillo desenmascarar al asesino de Fremont? Algo me decía que no.

—Imaginemos que Gerrity tiene pruebas que demuestran que Shaw adquirió ese extracto. En ese caso, contaría con munición suficiente para coaccionarle —opinó Fremont.

—Sí, pero ¿cómo has llegado a esa conclusión? Eso es lo importante. Aunque el doctor Shaw envenenara a su mujer, ¿qué motivos tendría para querer asesinarte? Es evidente que has investigado sobre esa planta. ¿Le informaste de tus sospechas?

—No recuerdo haberme reunido con él.

—Haz memoria. Tienes recuerdos demasiado vagos del doctor Shaw, de Gerrity, incluso de Regina Sparks. Tú tienes la respuesta, tan solo debes conseguir acceder a ella. ¿Es posible que el doctor Shaw te siguiera hasta el cementerio esa noche?

—Todo es posible. Y, si no, mírame ahora: estoy aquí, charlando contigo.

—Buena apreciación. —Eché un vistazo al teléfono para comprobar la hora en la pantalla—. Es solo que me cuesta creer que el doctor Shaw intoxicara sin compasión a su mujer enferma, y menos aún que disparara a un agente por la espalda.

—A lo mejor es que no quieres creerlo. Después de todo, es amigo tuyo.

—Sí, quizá sea por eso —admití.

—Te sorprendería saber de lo que es capaz un hombre cuando se siente acorralado.

—Y bien, ¿cómo destapamos la verdad? A juzgar por lo que vi ayer, el estado de salud del doctor Shaw es frágil e inestable, tanto mental como físicamente. No querría llevarle al límite y agobiarle demasiado, sobre todo porque todavía no estoy convencida de que sea culpable de algo más serio que una excentricidad.

—Habla con Gerrity. Si le pillas por sorpresa, es probable que se ponga nervioso y te cuente algo.

—La última vez que pillé por sorpresa al detective, me apuntó con una pistola —contesté—. Estoy dispuesta a ayudarte, pero no me reuniré con él a solas.

—Debes hablar con Gerrity —insistió—. Tengo un presentimiento.

—¿Estarás conmigo?

—Solo si es necesario.

Qué gran consuelo, pensé.

—Hay un último asunto que quería comentarte —dije—. Es algo más descabellado que el informe de tu autopsia, pero no dejo de darle vueltas. Me contaste que una de las últimas cosas que recuerdas es conocer a una mujer. Una mujer cuyo perfume era embriagador. Aseguraste que todavía lo hueles en tu ropa.

Puede que fueran invenciones mías, pero percibí una tensión repentina en el fantasma.

—¿Qué quieres saber?

—¿Podrías describir esa esencia? ¿Es floral? ¿Almizclada? ¿Silvestre?

—Huele a oscuridad.

Ese tipo de respuestas eran inútiles.

—¿El nombre de Isabel Perilloux te suena de algo?

Me figuré que Fremont descartaría ese nombre de inmediato, porque, para qué engañarnos, el único vínculo entre la amante de Devlin y el asesinato de Fremont eran mis celos. Y por eso me quedé pasmada al verle tan pensativo. De hecho, habría jurado sentir un aliento gélido en la nuca.

—¿La conoces? —insistí.

—No logro visualizar su cara, pero sí sus manos.

Estaba al borde de un ataque de nervios, y contuve la respiración.

—¿Ves sus manos? ¿Es una especie de premonición? ¿Una visión? Quizá no sea más que un recuerdo. Se dedica a la quiromancia. Tal vez fueras a su consultorio para que te leyera la palma de la mano.

Permaneció en silencio durante unos minutos.

—Tiene las manos ensangrentadas.

El corazón me latía con tanta fuerza que por un momento creí que el pecho me estallaría.

—¿En sentido literal o figurado?

—Aléjate de esa mujer —advirtió el Profeta.

Alzó la cabeza y me lanzó la más agresiva de las miradas.

—Ha asesinado a alguien, o lo hará en un futuro no muy lejano.

Capítulo 24

«**A**léjate de esa mujer. Ha asesinado a alguien, o lo hará en un futuro no muy lejano.»

De camino a casa, esas dos frases no dejaron de rondarme por la cabeza. Aunque ¿podía fiarme de la premonición de Fremont? Me resultaba difícil de creer que pudiera ver sangre en las manos de Isabel Perilloux y no el rostro de su asesino.

Recapacité. A lo mejor sí podía.

Quizás ella fuera la asesina que estábamos buscando, y era su perfume empalagoso el aroma que Robert percibía en su ropa.

Había estado fuera todo el día, así que *Angus* estaba como loco por salir a dar una vuelta. Pero, en lugar de esperarle en el jardín trasero, como solía hacer, dejé que se paseara a sus anchas y me encerré en el despacho. Encendí el ordenador y, tras diez minutos de búsqueda escrupulosa, descubrí algo más sobre esa baya blanca que había mencionado Fremont. La planta era muy común en la zona este del país, y las bayas guardaban cierto parecido con los ojos de muñecas de porcelana antiguas (de ahí su apodo vulgar). La raíz, en cambio, solía usarse para preparar infusiones. Había quien aprovechaba hasta las ramas para hacer bolsitas mágicas y hechizos de destierro.

Esa información me dio que pensar. Quizás el interés del doctor Shaw en ese extracto era puramente profesional y, en realidad, no había querido envenenar a su esposa, sino ahuyentar a los espíritus malignos.

Me pareció, cuando menos curioso, que ansiara aferrarme a una hipótesis con tan poco fundamento para exculpar al doctor Shaw, cuando las pruebas incriminatorias se acumulaban, pero estaba dispuesta a acusar a Isabel basándome en la corazonada de un fantasma. Y lo que es peor, en el olor de su perfume.

Miré el reloj y, a regañadientes, apagué el ordenador y salí al jardín. Sacudí el bol de comida y, tal y como había vaticinado, *Angus* mordió el anzuelo y vino corriendo. Mientras él disfrutaba de su cena, me duché, me sequé el pelo y me enfundé unos vaqueros ajustados y un jersey nuevo para mi cena con Ethan y Temple.

Media hora más tarde, aparqué el coche cerca del embarcadero y me puse la chaqueta. Avancé por la bahía hasta llegar a la calle Queen, donde estaba el restaurante. Ethan fue el primero en llegar y, por lo tanto, el encargado de escoger la mesa. Enseguida lo localicé, junto a la ventana, contemplando el tráfico, perdido en sus pensamientos.

—Hola.

Mi saludo lo sacó de su ensoñación.

—¡Amelia! Me alegro de que al final hayas podido venir.

Hizo un gesto a la camarera y luego se levantó para recibirme con un cálido abrazo. Pedí una copa de vino blanco y me puse cómoda.

—Y bien, ¿qué tal tu primer día en Oak Grove? —preguntó.

—¿Sabías que había aceptado la propuesta?

—Mi padre me comentó que quería volver a contratarte, y Temple me ha dicho que habéis pasado el día allí.

—Bueno, en respuesta a tu pregunta, todo ha ido bien. Tuvimos que espantar a un mirón a primera hora, pero, aparte de eso, no ha habido más incidentes.

Salvo mi pequeña conversación con un fantasma sobre la posibilidad de que la madre de Ethan hubiera sido asesinada, envenenada por su padre, pero preferí que aquella charla quedara entre Fremont y yo.

—No te engañaré, Amelia. Me alegro de haber visto el final de ese lugar.

—Regina Sparks dijo lo mismo.

—Regina y yo hemos pasado todo el verano en ese cementerio. Pero ahora que se han identificado todos los restos, ya podemos olvidarnos de ese capítulo. —De pronto, me lanzó una mirada compasiva—. Todos menos tú, claro está. ¿Cuánto crees que tardarás en restaurarlo?

—Varios meses, como mínimo. Queda mucho trabajo por hacer, la verdad. Apenas había empezado cuando la policía decidió cerrarlo al público.

—¿Contratarás a alguien para que te ayude?

—Solo si lo necesito. Me gusta encargarme de todas las tareas que implica una restauración. Soy muy meticulosa con mi trabajo.

—Sí, lo sé. Por eso mi padre está tan impresionado con tu trabajo. La clave está en los detalles, ya lo dicen. Espero que ayer pudiera hacerte un hueco en su apretada agenda.

—Tuvimos una charla larga y agradable. También conocí a su nueva secretaria.

—Layla.

—Es… —empecé, pero no encontré la palabra adecuada para describirla.

Ethan sonrió.

—¿Intensa?

—Has dado en el blanco. ¿Desde cuándo trabaja en el instituto?

—Desde hace un par de meses. La verdad es que nunca me da tiempo a conocerlas, cada dos por tres tiene una secretaria nueva.

Tomé un sorbo de vino y cavilé sobre el modo más discreto de traer a colación la salud de su padre. Decidí que lo mejor sería no andarme por las ramas y ser directa.

—Ethan..., hay algo que quería comentarte. Por favor, no te lo tomes como una intrusión en tu vida privada.

Dejó la copa sobre la mesa.

—Vaya, entonces es serio.

—Espero que no. De hecho, confío en que puedas tranquilizarme un poco. Ayer, en el instituto, tu padre sufrió un pequeño incidente. Se quedó dormido en mitad de nuestra conversación. Y luego, cuando se levantó a coger un libro, se mareó. Me pidió que no te dijera nada, pero me preocupa. Parecía muy frágil y creí que deberías estar al corriente.

Ethan arrugó la frente.

—Cuando ayer lo vi, estaba perfectamente. Pero, en cuanto llegue a casa, le llamaré para asegurarme de que todo anda bien. De hecho, concertaré una visita con el médico a ver si consigo que se haga una revisión, aunque no será fácil. No le gusta admitir que tiene una debilidad.

—A nadie le gusta —murmuré—. Hay otro asunto que necesito comentarte. Me olvidé el libro que me había prestado en su despacho, así que volví a buscarlo. Estaba en el jardín, con alguien. Creo que discutían. Cuando el doctor Shaw regresó al despacho, estaba pálido, conmocionado. No recuerdo haberle visto tan consternado.

—¿Con quién estaba? ¿Con Layla?

—No, con el tipo del Buick azul. El coche estaba aparcado delante del instituto cuando llegué. Tú también lo viste.

Aprecié el destello de algo desagradable en sus ojos.

—Sí, lo vi.

—Si la memoria no me falla, me dijiste que no conocías al propietario de ese coche.

—Me temo que mentí. El Buick azul es de Tom Gerrity, un detective privado que mi padre contrató en una ocasión. Viene de vez en cuando, cada vez que tiene una mala racha. —Ethan se inclinó sobre la mesa, con expresión tensa—. Por favor, no le cuentes nada de esto a nadie. Las visitas de Gerrity afectan mucho a mi padre, y tú puedes dar fe de ello. Te agradecería que me dejaras encargarme de este asunto.

—Desde luego.

Ambos nos quedamos en silencio. Aquella conversación lo había alterado. Me pregunté si había hecho lo correcto. Aunque estaba muy preocupada por el estado de salud del doctor Shaw, quizá lo mejor habría sido respetar sus deseos. Me revolví en el asiento, incómoda, y miré a mi alrededor con la esperanza de que Temple llegara en cualquier momento. Era un día entre semana, así que el restaurante estaba bastante tranquilo, lo que hacía que el silencio de nuestra mesa resultara agobiante. Una vela titilaba entre nosotros, y no pude evitar fijarme en el reflejo de la llama en los ojos de Ethan. Era un hombre atractivo, y siempre había disfrutado de su compañía. Pero en mi cabecita no paraba de dar vueltas a la revelación de Fremont. Ethan Shaw también se había enamorado de Mariama.

—¿Qué ocurre? —preguntó de repente—. Te has quedado mirándome fijamente.

—¿Ah, sí? Perdona. Estaba pensando en otra conversación que mantuvimos hace unos meses. Fue cuando se inició la investigación en Oak Grove. Me explicaste las circunstancias del accidente de Mariama y Shani. ¿Te acuerdas?

—Sí, como si fuera ayer. Sospechaba que John y tú estabais coqueteando, y no quería que te hiciera daño. Pensé que tenías derecho a conocer su pasado. Todavía carga con la culpa de sus muertes.

—Me suena que comentaste que estuvisteis juntos el día del accidente. Y que presenciaste una terrible discusión entre John y Mariama.

—Jamás olvidaré las cosas que se dijeron. Estoy seguro de que John se ha arrepentido de esa pelea un millón de veces.

Ethan contempló la copa de vino durante un buen rato.

—Salió de casa hecho una furia —añadí—, y seguía enfadado cuando te reuniste con él más tarde.

—Enfadado, afligido. En fin, estaba contra las cuerdas. El matrimonio se tambaleaba. Los dos lo sabían, pero tenían a Shani.

—A pesar de que su relación pasaba por un momento delicado, Mariama le llamó para despedirse mientras el coche se hundía. Al menos eso fue lo que tú dijiste.

De pronto, Ethan se entristeció, y me reprendí por sacar un tema tan espinoso y doloroso. Pero necesitaba oír su versión de los hechos ahora que sabía que había estado enamorado de la esposa de Devlin.

—Supongo que Mariama sabía que el equipo de rescate no llegaría a tiempo, así que llamó a John para darle el último adiós. Pero él no respondió. —Ethan alzó la copa y llamó a la camarera—. Otra cosa con la que tiene que vivir. Todavía le debe asaltar la duda de qué habría pasado si hubiera respondido esa llamada.

—No habría cambiado nada. ¿Qué podría haber hecho? Era imposible llegar al lugar del accidente a tiempo para salvarlas.

—Y él lo sabe, pero… ponte en su lugar.

—Ya —susurré, y me fijé en su expresión—. ¿Cuándo te enteraste del accidente?

—Mi padre me llamó en mitad de la noche para decirme que John había estado en el instituto, y que debíamos buscarle. Ya te lo expliqué, ¿verdad?

—Sí, pero nunca mencionaste si lo encontrasteis o no.

—Al final sí.

—¿Dónde estaba?

La camarera se acercó a la mesa para servirle otra copa, esta vez de algo más fuerte. Ethan removió los hielos del licor antes de levantar la mirada.

—Lo siento, pero no entiendo a qué vienen todas estas preguntas. ¿Por qué te interesa tanto saber qué pasó? ¿Acaso John y tú volvéis a estar juntos?

—No, pero intento comprenderle.

—John jamás superará lo que ocurrió esa noche. —La tez de Ethan palidecía a la luz de las velas. Se le veía triste, abatido—. Quizá lo mejor sea asumirlo de una vez por todas y seguir con su vida. En cualquier caso, te he contado todo lo que sé.

—No del todo —rebatí—. Sé que te inventaste una coartada para la policía.

Se quedó de piedra. Luego, con suma lentitud, dejó la copa sobre la mesa y la deslizó hacia un lado.

—¿Te lo ha dicho él?

Esquivé la pregunta.

—No te sientas obligado a hablar de ello si no quieres.

—Lo cierto es que no hay mucho que decir. Esa noche, un agente murió asesinado. John y él habían tenido una discusión acalorada un par de días antes y, como era natural, la policía quería interrogarle. Pero John no estaba en condiciones de enfrentarse a un tercer grado, así que le cubrí las espaldas.

—Mentiste a la policía. Algunos dirían que ese gesto sobrepasa la amistad.

Frunció el ceño.

—Fue un momento difícil para todos. Debíamos mantenernos unidos. John no fue el único que lo pasó mal, no lo olvides.

—Perdona, había olvidado que Shani era tu ahijada. Supongo que la noticia te dejó destrozado.

—Y te quedas corta.

—Además, Mariama vivió contigo y con el doctor Shaw cuando se mudó a Charleston. Debíais de estar muy unidos.

Ethan agachó la mirada.

—Mariama era una mujer muy especial.

—Todo hombre que se cruzaba con ella se enamoraba perdidamente —murmuré.

Se volvió con brusquedad.

—¿Qué?

—Alguien me dijo eso una vez.

—¿John? —preguntó, con la mirada encendida—. La verdad, dudo mucho que dijera algo así. Me atrevería a asegurar que al final llegó a despreciarla.

—Te estás refiriendo a odio, una palabra muy fuerte.

—Mariama suscitaba emociones fuertes. No dejaba indiferente a nadie.

—Ese día, en Oak Grove, me contaste que John abandonó la ciudad después del accidente. Se tomó una excedencia laboral y desapareció, sin más.

—Circularon muchos rumores por Charleston. Se decía que había ingresado en un manicomio privado del país, pero vete a saber si es verdad. Jamás le pregunté sobre ello. Lo único que sé a ciencia cierta es que regresó muy cambiado. No quiero imaginarme el calvario que tuvo que soportar, pero siempre he pensado que tuvo que lidiar con algo más que con la pena y el dolor. De hecho... —De repente, se quedó mudo, con los ojos clavados en el tráfico que se agolpaba tras el cristal.

—¿Qué?

Se estremeció.

—No importa. Aquello pasó hace mucho tiempo, y desenterrar los viejos recuerdos es doloroso para todo el mundo.

—Ya te lo he dicho, solo intento comprenderle.

—Es imposible entender a John Devlin. Me sorprende que, a estas alturas, todavía no te hayas dado cuenta —respondió algo tenso. Después, puso la mano sobre la mía y me miró fijamente a los ojos. Su tacto era frío como el hielo, y tuve que reprimir un escalofrío.

La conversación tomó otro rumbo cuando llegó Temple, lo cual agradecí. Era evidente que mis preguntas habían entristecido a Ethan. Ni siquiera la anécdota de Temple sobre Ona Pearl Handy, la mujer que trató de frustrar la recolocación del cementerio, logró sacarle una sonrisa. Al final, Temple se rindió y pidió otra copa de vino.

—¿Se puede saber qué os pasa? —espetó en cuanto llegaron las ensaladas—. Os juro que me he divertido más en un funeral.

—Estoy cansada, eso es todo —me disculpé—. Volver a Oak Grove ha sido más duro de lo que me esperaba.

—Lo sabía. Has aburrido al pobre Ethan con esa actitud taciturna, ¿verdad?

—Ya me acostumbraré.

—Por favor, dime que mi padre no te coaccionó para que aceptaras el trabajo —dijo Ethan—. Cuando se le mete algo entre ceja y ceja, puede ser más terco que una mula.

—Él me lo pidió. La decisión fue solo mía.

—Hablando de Rupert —intercedió Temple; le lancé una mirada desafiante que, por supuesto, ignoró por completo—, ¿qué tal está?

—Justo antes hemos estado charlando de mi padre —dijo Ethan—. Por lo visto, sufrió un vahído ayer mismo, cuando Amelia estaba con él.

—No me digas. ¿Alguna idea de qué podría ser?

—Qué va —respondió él—. Pero es un hombre mayor. Supongo que debería estar más pendiente de él.

Por suerte, un tema nos llevó a otro y no volvimos a hablar del doctor Shaw. Durante toda la velada estuve con la cabeza en otro sitio, y reconozco que apenas seguí el hilo de la conversación. Aún me inquietaba la información que me había desvelado Fremont. Después de revelar que el doctor Shaw había podido envenenar a su esposa y de la premonición sobre Isabel, me sentía como en una especie de bucle infinito. No quería que la tertulia se alargara demasiado, porque estaba ansiosa por llegar a casa y cavilar sobre los nuevos acontecimientos. La sobremesa duró muy poco, lo que me hizo sospechar que ellos también tenían asuntos que atender. Temple y yo nos despedimos de Ethan en el restaurante y fuimos hasta el coche juntas. Había refrescado, y agradecí haber sido precavida. Me aboroné la chaqueta hasta el cuello mientras la brisa que soplaba desde el río me alborotaba el pelo.

—*Brrr* —tiritó Temple—. El invierno está a la vuelta de la esquina.

—Prefiero no pensarlo. El frío me deprime.

—Y hablando de depresión, ¿qué le pasa a Ethan?

Estaba malhumorado, y eso que es un chico la mar de alegre.

—Lo siento, ha sido culpa mía. Antes de que llegaras hemos estado charlando sobre Mariama y Shani.

—Un tema deprimente, sin duda —dijo—. Ethan estaba muy unido a ellas.

Asentí.

—Gracias por no exponer tu teoría sobre los mareos del doctor Shaw.

—No soy tan desalmada —susurró—, pero me mantengo en mis trece. Hace mucho tiempo que conozco a Rupert, y, a juzgar por cómo has descrito su comportamiento, apuesto a que cree que es víctima de un mal de ojo.

—¿Conociste a su esposa?

—¿A Sylvia? Jamás la vi, pero toda la universidad sabía que estaba enferma, y que padecía esa enfermedad desde hacía años.

—Entonces, su muerte no fue repentina… o inesperada.

—No, pero fue un golpe demoledor. Sobre todo para el pobre Ethan. Le afectó muchísimo.

—¿Eso ocurrió antes de que Mariama se mudara a su casa, ¿verdad?

—Juraría que sí.

—¿Recuerdas aquella vez que quedamos para cenar y Ethan nos habló por primera vez de Mariama? Fue la primavera pasada. Cada vez que mencionaba su nombre, ponía cara de bobo. Siempre me he preguntado si sentía algo por ella. Algo más que amistad, quiero decir.

—Vivieron bajo el mismo techo durante un tiempo, así que no me sorprendería —respondió Temple—. Es inevitable, ¿no crees?

—¿Incluso después de que se casara con Devlin?

Temple se encogió de hombros.

—Los sentimientos no son como un interruptor que puedes encender y apagar. Conozco bastante bien a Ethan, y jamás se dejaría guiar por sus emociones. Además, no era el tipo de Mariama. Entre tú y yo, no habría podido manejar a una mujer como ella.

—Si no recuerdo mal, dijiste exactamente lo mismo sobre mí. Estabas convencida de que Devlin jugaba en otra liga.

Me examinó de reojo.

—Quizá me equivoqué. No sé qué es, pero te noto distinta. Como si hubieras vivido una experiencia que te hubiera cambiado. Si Mariama siguiera viva, apuesto a que le harías sudar tinta. Te vería como una rival difícil de batir. Pero supongo que nunca lo sabremos, ¿no?

La idea de pelearme con Mariama, viva o muerta, me produjo escalofríos.

Nos dimos las buenas noches en la esquina de East Bay con Queen y luego aligeré el paso. Andaba con la cabeza gacha, con las manos metidas en los bolsillos y con la mosca detrás de la oreja. Advertí la sombra de un hombre pisándome las talones. Por suerte, aún era pronto y había más gente paseando por la calle, así que no me alarmé cuando me percaté de que me estaba vigilando. Y entonces le reconocí. Era el tipo que esa misma mañana había estado merodeando por el cementerio, el mismo que había visto en la calle King. Era obvio que me estaba siguiendo.

Agarré el bote de gas lacrimógeno que llevaba en el bolsillo cuando vi que se acercaba. Avanzaba con una sonrisa socarrona, pero no percibí el aura sórdida que me había sobrecogido por la mañana. No obstante, intuí algo frío y calculador tras esa sonrisa, tras esos ojos.

—Buenas noches —saludó.

Asentí, con la esperanza de que pasara de largo. Por el rabillo del ojo procuré localizar a otros transeúntes.

Me dio la sensación de que, de repente, las calles se habían quedado vacías. ¿Dónde estaba la pareja que, hasta hacía unos segundos, andaba cogida de la mano delante de mí? ¿Y la familia que caminaba detrás de mí desde la calle Queen?

Estaba lista para defenderme y apretar el aerosol. El tipo todavía estaba a varios metros de distancia, pero, después de explorar los alrededores una vez más, percibí otra silueta reclinada en el oscuro portal de un edificio. Por su porte, intuí que era un hombre alto y delgado. Notaba su mirada clavada en mí.

De golpe y porrazo, se llevó la mano a la boca y sopló unos polvos hacia la penumbra de la noche. Hipnotizada, observé cómo las partículas iridiscentes se quedaban suspendidas en el aire, hasta que la brisa las barrió hacia mí.

Desde la rama más alta de un árbol, empezó a canturrear un ruiseñor. Por muy extraño que parezca, fue aquel trino lírico lo que más me asustó. Porque no podía ser real. ¿Acaso estaba soñando?

Intenté sacar el gas lacrimógeno del bolsillo, pero mi cuerpo parecía no responder a las órdenes que le enviaba el cerebro. No podía moverme ni pedir ayuda. Así que me quedé ahí paralizada, mientras el ruiseñor cantaba su serenata y aquellas minúsculas estrellas azules caían sobre mí como una lluvia de purpurina.

Capítulo 25

*U*n murmullo de voces me despertó.

Quizá despertar no es la palabra más apropiada. Estaba consciente, pero tenía la sensación de estar flotando en una especie de sueño. Todo a mi alrededor parecía difuso e irreal, aunque, a juzgar por la bombilla que se balanceaba desde el techo, quizá fuera culpa de la mala iluminación. Estaba en una salita completamente desconocida y, sin embargo, adiviné dónde estaba, en la casa de estilo victoriano ubicada en la calle America. El mobiliario de aquella habitación consistía en antiguallas estrafalarias y alfombras descoloridas, y la única luz provenía de esa bombilla de bajo voltaje que se zarandeaba sobre mi cabeza y de decenas de velas. Las llamas parpadeantes dibujaban unas sombras monstruosas sobre el papel pintado que cubría la pared. Aprecié un sinfín de manchas de humedad, aunque aquella danza de luces y sombras me cautivó. Me costó Dios y ayuda librarme de ese letargo para así continuar con mi minuciosa inspección.

Una gigantesca arcada anunciaba el recibidor. Estiré el cuello y vi la puerta de entrada. Estaba abierta de par en par, y la muchedumbre no dejaba de entrar y salir. Al otro extremo de la habitación, se abría otra puerta que daba al comedor. Vi a un tipo con rastas comiendo de un cuenco de barro. Reconocí a Layla junto a él, tomando un sorbo de una copa de vino tinto. Aunque no se parecía a la Layla que yo había conocido. El atuendo elegante y sofisticado que lucía con gracia la nueva secretaria del doctor Shaw se había transformado en un caftán púrpura con bordados en el cuello y en los bajos. Iba descalza, y se había soltado la melena, que caía sobre sus hombros en una cascada de rizos hirsutos. Se reían a carcajadas y, aunque los miraba con descaro, ninguno me prestó la más mínima atención.

De pronto, vi entrar con paso tranquilo al tipo de la calle King, seguido por Tom Gerrity, que, por lo visto, se traía entre manos algún asunto muy urgente. Llevaba una caja metálica bajo el brazo y, a pesar de la sutil iluminación de las velas, le brillaban los ojos. Ambos desaparecieron en el comedor, y no volví a verlos.

Pasaron un sinfín de personas por delante de mis ojos, pero nadie se molestó en mirarme. Observé aquel desfile infinito durante varios minutos más, hasta que se me ocurrió una idea. Quizá lo mejor fuera levantarme de esa silla y mezclarme entre ellos. No estaba maniatada y todos los indicios apuntaban a que, hasta entonces, había pasado desapercibida. Podía deslizarme hasta la puerta y largarme de esa casa.

Sin embargo, cuando intenté moverme, ninguna parte del cuerpo me respondió. Fue entonces cuando caí en la cuenta de que estaba prisionera, aunque sin cuerdas o grilletes visibles. Fue extraño, pero, en lugar de asustarme, acepté la situación. Desvié la mirada hacia las velas y me quedé ensimismada mirando aquella luz titilante. Unos instantes más tarde, distinguí el aroma a eucalipto y alcanfor con unas notas de azufre. Aquella esencia no me resultó desagradable, y tampoco me angustió.

De golpe y porrazo, todo el mundo que pululaba por la casa enmudeció. Todas las miradas se volvieron hacia el recibidor. En el umbral aprecié la silueta del recién llegado. El tipo se detuvo a conversar con una mujer que llevaba unos vaqueros demasiado ajustados. Cuando su voz voló hasta mis oídos, me puse a temblar. El sonido era profundo y melódico. Arrebatador y fascinante.

Con unas zancadas propias de un gigante entró en la salita, y su apariencia me dejó de piedra. Medía al menos dos metros, y su tez era del mismo color que la madera de caoba. A pesar del frío, se había enfundado unos pantalones de lino y una camisa vaporosa con detalles plateados. Se había desabotonado el cuello, que dejaba al descubierto un medallón brillante. Me pareció extremadamente hermoso. Divino, incluso.

Charló con varias personas más y, como por arte de magia, cuando arrastró una silla para sentarse frente a mí, la muchedumbre se dispersó. Apoyó los codos sobre las rodillas, entrelazó las manos y me miró a los ojos. La presencia de aquel extraño me calmó.

—Así que tú eres la famosa Reina del cementerio. —Su voz me recordó al canturreo del ruiseñor, un sonido lírico y misterioso.

Asentí con la cabeza.

—¿Sabes quién soy?

—Darius Goodwine.

—Así que has oído hablar de mí.

—Estuviste merodeando por mi jardín anoche.

Sonrió.

Eché un vistazo a aquella habitación iluminada por la suave luz de las velas.

—¿Qué hago aquí?

—Pensé que era el momento perfecto para conocernos.

—¿Por qué?

—Según tengo entendido, estás interesada en algo que me pertenece —contestó.

Se recostó en su asiento, con aire relajado, pero su mirada era intensa y penetrante. Hasta entonces no me había fijado en el color de sus ojos. Eran dorados, y podrían confundirse con un par de topacios relucientes. La verdad es que contrastaban mucho con su color de piel, y por eso aquella mirada tostada llamaba tanto la atención. Alguien entró en la salita y aproveché ese instante de distracción para estudiar cada centímetro de su rostro. Tenía una cicatriz justo debajo de la mandíbula, la marca de una hoja tosca que, de haber tenido más puntería, le hubiera atravesado la yugular. No lograba explicarme por qué sabía ese dato. Distinguí otra cicatriz en su mano derecha, y busqué más heridas de guerra, porque esas marcas le hacían parecer más humano.

—¿Qué sabes acerca del polvo gris? —preguntó.

—Paraliza el corazón y provoca la muerte.

Su sonrisa se tornó espiritual, como la de una bruja.

—Hace algo más que eso —susurró.

—Te permite entrar en el mundo de los espíritus sin la necesidad de alucinógenos.

—Oh —exclamó—. El doctor Shaw te ha informado muy bien. Ahora necesito saber con quién más has hablado sobre esto.

—Con nadie más. Solo con Robert Fremont.

Arqueó las cejas.

—¿El agente muerto?

—Sí.

No tenía la menor idea de por qué había mencionado el nombre de Fremont. Aquella reacción no era propia de mí. Jamás hablaba sobre fantasmas, pero, en aquel momento, me fue imposible mentir, y debo admitir que me regodeé en mi propia satisfacción al verle tan asombrado ante mi revelación.

—¿Te refieres a plantarte frente a su tumba y hablar con su lápida?

—No. Hablo con su fantasma.

—¿Puedes cruzar la frontera?

—No tengo que hacerlo. Fremont vaga por aquí, por el mundo de los vivos.

Habría jurado ver un destello de miedo en sus ojos dorados, justo antes de que volviera a inclinarse hacia delante, atrapándome con su mirada.

—¿Qué quieres?

—Descubrir quién lo mató. Su objetivo es hacer justicia, y estoy dispuesta a ayudarle a conseguirlo.

Eso pareció divertirle.

—Desde luego, no eres como esperaba.

—¿Creías que me darías miedo? ¿Que me acobardaría ante tu presencia?

Señaló al hormiguero de gente que deambulaba por toda la casa.

—A ellos los asusto.

—No soy como ellos.

Alargó la mano y me levantó la barbilla.

—Entonces, ¿qué eres? ¿Cómo es posible que puedas conversar con los muertos?

—Nací envuelta en manto.

Se le iluminó la mirada, y sentí una sacudida eléctrica por todo el cuerpo. Quería apartarle la mano, pero seguía inmovilizada.

—Naciste al otro lado del velo. Eso te convierte en alguien muy especial. En una persona muy poderosa.

Me resultó curioso que dijera eso cuando ni siquiera podía mover los brazos. Miró de reojo al grupo que se había agolpado en el pasillo.

—Posees lo que la mayoría de ellos ansían conseguir de un modo artificial. Va a ser un verdadero placer conocerte.

—¿No te has planteado que quizá yo no quiera conocerte?

Soltó una carcajada.

—No tendrás elección. Vendré a visitarte en tus sueños. Y, créeme, no hay raíz, hechizo o truco de magia que pueda detenerme. Tampoco podrá pararme John Devlin, aunque no me cabe la menor duda de que lo intentará.

Capítulo 26

A mis espaldas, escuché el chirrido de neumáticos y el rugir de un motor. Seguía con la mirada perdida entre las copas de los árboles, buscando el ruiseñor que, de repente, había silenciado la melodía. Sin embargo, no fue hasta que noté una mano sobre mi hombro cuando desperté de ese extraño hechizo.

—¿Amelia?

Me giré al reconocer la voz de Devlin. Al verlo plantado delante de mí, me quedé casi sin aliento. Iba vestido de negro, como siempre, y la tenue luz de las farolas iluminaba su mirada. El detective parecía una criatura nocturna y, de hecho, me costaba imaginarlo a plena luz del día. Deseaba palparle el pecho, sentir el latido de su corazón bajo la palma para cerciorarme de que era real, pero no tenía fuerzas. Estaba al borde de la extenuación por culpa de aquella ave cantora fantasma.

—¿Qué estás haciendo aquí? —pregunté sin rodeos. Me fijé en que llevaba el pelo alborotado, probablemente por la brisa que soplaba.

—Me has llamado.

—¿De veras? —murmuré, y eché un vistazo al teléfono—. ¿Cuándo?

—Hace apenas unos minutos. He venido lo más rápido que he podido. —Registró la calle, en busca de algún movimiento sospechoso—. ¿Estás bien? ¿Qué ha pasado?

—No lo sé —respondí con voz distante y etérea—. Ni siquiera recuerdo haberte llamado.

Me agarró por los hombros y me giró para poderme observar bajo la luz de la farola. Contemplé su mirada con detenimiento y, de inmediato, se me aceleró el corazón. Devlin destilaba misticismo. Lo veía como a un personaje oscuro y brumoso, como si estuviera en un sueño.

—Estás temblando —dijo—. Te llevaré a casa.

Me cogió del brazo e intentó guiarme hasta su coche, pero fui incapaz de andar el puñado de pasos que había hasta la curva. Seguía atrapada en el mismo estupor que me había aprisionado en la casa azul de estilo victoriano.

Por cierto, ¿cómo había llegado hasta allí?

—¿Qué ocurre? —preguntó Devlin.

—Es una sensación muy extraña, y las piernas no me responden.

Sin pensárselo dos veces, me alzó en brazos y cargó conmigo hasta el coche. Me acomodó en el asiento del copiloto como si pesara igual que un fardo de pelucas. Un conjunto de visiones románticas bailaba en mi cabeza. Me aferré a su chaqueta, emborrachándome del perfume del detective. Su cercanía tenía el mismo efecto que una droga en mí, aunque era posible que siguiera hipnotizada por aquellas partículas centelleantes de color azul. Me puso el cinturón de seguridad y luego se deslizó tras el volante.

El interior de aquel vehículo olía a cuero, aunque logré percibir un suave rastro de su colonia. Inspiré hondo y me estremecí, pero esta vez no fue por el frío.

Apoyé la cabeza en el respaldo y me giré hacia él con un suspiro lánguido.

—La temperatura es muy agradable aquí dentro.

—Bien —balbuceó, y ajustó las salidas de ventilación para que recibiera más aire caliente.

No podía dejar de mirarle. A pesar de estar envuelto en la penumbra nocturna, pude distinguir los rasgos masculinos de su perfil. Ansiaba tocarle la mano, que me acariciara la mejilla. Me había puesto sensiblera, pero no sabía si Devlin respondería con el cariño que esperaba. Preferí evitar cualquier situación que pudiera dejarme en evidencia, sobre todo después de ese pequeño percance en mitad de la calle.

—¿Y mi coche? —pregunté—. He aparcado cerca del embarcadero.

—Dame las llaves. Enviaré a alguien a buscarlo.

Rebusqué en el bolso y se las entregué.

—Necesito la llave de casa, aunque tengo una copia escondida bajo una baldosa del jardín.

—Me lo apunto, por si alguna vez tengo que entrar sin tu permiso.

—No encontrarás la llave, a menos que caves agujeros en todo el jardín.

Miré por la ventanilla. Ahora que por fin ese letargo que me había invadido empezaba a disiparse, me sentía indispuesta y con el estómago un poco revuelto. La forma de conducir de Devlin tampoco ayudaba mucho.

—¿Puedes explicarme qué ha pasado? —preguntó tras tomar la calle Queen—. Pareces desorientada.

—No lo sé. Sé que parece una locura, pero fue como si me teletransportara. En cuestión de segundos, viajé a otro lugar, y luego apareciste tú. Estoy confundida.

—¿Estás segura de que estás bien? —insistió, preocupado.

—Eso creo. Aunque… estoy un poco mareada. Tienes el coche impoluto, y no me gustaría manchártelo.

—¿Náuseas?

Tragué saliva.

—Me temo que sí.

—¿Quieres que pare?

—¿Podrías bajar un poco la ventanilla? Un poco de aire fresco me sentará bien.

Pulsó el mando para bajar la ventanilla, y agradecí el azote de brisa fresca. Gracias a ella, sentí resucitar. Sin embargo, aunque creía que se me había asentado el estómago, en cuanto aminoró la velocidad para aparcar delante de mi casa, volví a sentir náuseas. Entre traspiés y resbalones me apeé del vehículo y subí los peldaños del porche. Estaba empapada de un sudor frío que me helaba hasta los huesos, y esperé a que Devlin abriera la puerta principal de casa. *Angus* nos recibió en el vestíbulo, pero, en lugar de acariciarle, como de costumbre, pasé de largo y corrí hacia el cuarto de baño, seguida por el perro y el detective. Me las ingenié para aguantar las arcadas mientras hacía aspavientos para que me dejaran sola.

—¿Qué puedo hacer? —se ofreció Devlin—. ¿Quieres que te traiga un paño húmedo?

—No, ¡vete! Por favor —añadí con voz débil.

Respiré hondo y recé porque se me asentara el estómago. Logré llegar hasta el lavamanos y abrir el grifo de agua fría para así ahogar el sonido del vómito. A pesar de haber vaciado las tripas, la punzada que sentía en la barriga seguía siendo insoportable. Recordé haber leído en Internet que ciertas plantas utilizadas en ceremonias de iniciación africanas causaban náuseas prolongadas. De este modo, se purgaba de negatividad todo el cuerpo para que asimilara las alucinaciones sin problemas.

¿Me habían drogado? ¿Cómo, si no, explicar ese malestar? ¿Cómo, si no, explicar mi pequeño encuentro con Darius Goodwine?

Cuando por fin se me pasó, me cepillé los dientes para deshacerme de ese hedor pestilente. Luego tomé una ducha rápida y me ajusté el albornoz afelpado, que, a pesar de no tener ni un ápice de atractivo, era calentito y cómodo. Justo lo que necesitaba en ese momento. Y de esa guisa salí al pasillo en busca de Devlin.

Lo encontré en mi despacho, leyendo el libro que el doctor Shaw me había prestado. *Angus* estaba tumbado a sus pies y, pese a todo lo que había ocurrido, pese a los fantasmas que me acechaban desde el jardín, aquella escena me resultó hogareña y acogedora. Devlin con mi perro. Yo envuelta en mi albornoz más confortable. Pero me negaba a dejarme llevar por esas fantasías románticas. Aquellos horripilantes retortijones me habían devuelto a la cruda realidad, como si alguien me hubiera soltado una tremenda bofetada.

Él dejó el libro a un lado y se puso de pie en cuanto me vio.

—¿Te encuentras mejor?

—Sí, mucho mejor. Gracias.

—He hecho té —dijo—. Pensé que te sentaría bien.

Avanzó a zancadas hasta la cocina, donde se movía como pez en el agua. Cuando me ofreció la taza, la sujeté con ambas manos y tomé varios sorbos con la esperanza de que el calor se extendiera por todo mi cuerpo. Me senté frente a mi escritorio, y él se recostó en el diván. Cogió el volumen y lo hojeó con cierta pereza antes de dejarlo de nuevo sobre la mesa.

—Todavía estoy un poco desconcertado por lo que ha ocurrido esta noche —murmuró—. Y sigo preocupado por ti.

—Ya estoy bien. El té me ha sentado de maravilla.

—En cuanto me llamaste supe que algo no andaba bien —agregó—. Ni siquiera parecías tú.

—Pero has venido, a pesar de haberme hecho prometer que no me pondría en contacto contigo. ¿No estás enfadado?

—No, no estoy enfadado —contestó, y me miró fijamente a los ojos—. Y por supuesto que he venido.

Tomé otro trago de té para ganar algo de tiempo y recuperar el aliento.

—¿Qué dije?

—Me pediste que viniera a recogerte y me diste la dirección donde estabas. —Estudió mi expresión sin pestañear, y dejé la taza sobre la mesa con un ligero repiqueteo. Había olvidado por completo cuán irresistible podía ser su mirada y hasta qué punto podía exasperarme—. Por favor, no me digas que no fuiste tú quien marcó mi número de teléfono —rogó.

—Tenía el teléfono en la mano, pero no recuerdo haber hablado contigo.

—¿Bebiste más de la cuenta durante la cena?

—¿Acaso parecía que estuviera borracha?

—Dado que nunca te he visto ebria, no puedo afirmarlo con autoridad —bromeó—. Pero no, no parecías borracha, ni siquiera achispada. Habría jurado que estabas drogada.

—Eso creo. Pero no sé en qué momento pudo suceder. Me reuní con Temple y Ethan para cenar y, de camino al coche desde el restaurante, vi a dos tipos paseando por la acera. Estoy convencida de que uno de esos hombres me había seguido antes. De hecho, me topé con él esta misma mañana, en el cementerio. Quiso venderme la moto de que era un reportero. Y el tío que le acompañaba creo que era Darius Goodwine.

De pronto, el estudio quedó sumido en un silencio

sepulcral. La expresión de Devlin, divertida hasta hacía un segundo, se había tornado fría como una piedra.

—¿Cómo has conocido a Darius Goodwine?

—No lo conozco, pero he oído su nombre. El doctor Shaw debió de mencionarlo.

Devlin me observaba con el ceño fruncido mientras yo hablaba. Se mantuvo inmóvil y no osó interrumpirme en ningún momento. Me escuchaba con atención y, pasados unos minutos, se inclinó hacia delante, como una pantera agazapándose entre la hierba antes de saltar sobre su presa. No era la primera vez que lo veía así, pero aquella elegancia y atracción me pilló totalmente por sorpresa. Presentí que se me iba a acelerar el corazón, así que respiré profundamente para tranquilizarme.

—Sopló unos polvos en el aire —proseguí—. Una especie de partículas, diría. Quizá mi piel las absorbió y por eso perdí el conocimiento. Lo siguiente que recuerdo es despertarme en una sala muy extraña. A pesar de no haber estado nunca allí, adiviné que estaba en una habitación de una casa de la calle America. Una casa antigua de color azul y estilo victoriano. Había un montón de gente pululando por allí, incluida la secretaria del doctor Shaw, Layla, y Tom Gerrity.

Devlin contemplaba el ventanal del estudio, pero al oír el nombre del detective privado, se giró de forma súbita.

—¿Gerrity? ¿Qué hacía ahí?

—No lo sé, pero ayer mismo, tras salir del instituto, le seguí hasta esa casa.

—¿Por qué demonios seguiste a Tom Gerrity?

Teniendo en cuenta mi acuerdo con el fantasma de Robert Fremont, la explicación era más que complicada.

—Es una larga historia, la verdad. Por pura casualidad, vi a Gerrity abandonando el instituto y, no sé cómo, acabé conduciendo detrás de él. Así que le seguí. Fue un impulso.

Devlin me miraba con detenimiento, como si estuviera ante una criatura de dos cabezas. Mi comportamiento le había dejado pasmado.

—¿Sueles tener ese tipo de impulsos?

—Últimamente sí. En fin, Gerrity aparcó y entró a toda prisa en esa casa. Mientras esperaba a que saliera, vi a un tipo que me vigilaba desde el balcón de la tercera planta. Era un hombre muy alto y delgado. Jamás lo había visto, pero adiviné enseguida quién era: Darius Goodwine. No pude distinguir sus rasgos hasta esta noche, cuando me desperté en esa casa. Fue el único que habló conmigo. El resto de la gente que caminaba por la casa ni siquiera se percató de que estaba allí.

Percibí una nota distinta en su voz, algo que fui incapaz de interpretar.

—¿Qué te dijo?

—Me preguntó qué sabía acerca del polvo gris.

—¿Y qué sabes acerca del polvo gris?

¿Fue sospecha lo que intuí esta vez?

—Solo lo que el doctor Shaw me había explicado.

Otro destello de duda.

—Continúa.

—Estuvimos charlando unos minutos más, y lo siguiente que recuerdo es aparecer de nuevo en mitad de la calle, con la mirada clavada en los árboles. Y luego viniste tú.

—Debes de haberlo soñado… o tal vez se trate de una alucinación —concluyó Devlin—. No pudiste estar en esa casa de la calle America.

—¿Y por qué no? Si alguien me hubiera drogado, me podría haber llevado hasta allí sin problemas.

—Imposible. No había suficiente tiempo. En cuanto

colgué el teléfono, salí de casa y no tardé ni cinco minutos en llegar.

Pues conduciría a la velocidad de la luz, pensé. La idea de que a mi captor le urgiera traerme de vuelta me resultaba estimulante.

—Pero, si se trató de un sueño o fue una alucinación, ¿cómo explicas que recuerde detalles como la bombilla que se balanceaba desde el techo, o el caftán púrpura que llevaba Layla, o el olor a alcanfor y eucalipto, o el resplandor de todas aquellas velas? ¿Cómo sabría que Darius Goodwine tiene una cicatriz en la garganta y otra en el dorso de la mano? Además, lleva un amuleto colgado del cuello y su mirada es del mismo color que el topacio.

Sin previo aviso, se levantó y se dirigió hacia el ventanal, con la cabeza agachada y perdido en sus pensamientos.

—Has dicho que lo viste el día que seguiste a Tom Gerrity.

—De lejos. No crucé una sola palabra con él. No hasta esta noche.

—Estaba en la calle, a tu lado. Te hizo creer que estabas en otro lugar, pero no fue más que una ilusión. Ya le he visto hacer ese truco antes.

—¿Estás hablando de hipnosis?

—Drogas, hipnosis. No sé cómo lo hace, la verdad. Pero en una ocasión le vi convencer a una mujer de que un nido de serpientes se deslizaba por dentro de su cuerpo. Creí que se arrancaría la piel a tiras. Todos los presentes tratamos de impedírselo, pero Darius se quedó allí, desternillándose de la risa. Según él, no fue más que un truco de pacotilla.

—¿Por qué haría algo así?

—Disfruta cuando controla a la gente.

—¿Y el polvo gris le permite hacerlo?

—Eso parece. —Devlin se giró hacia mí—. ¿Qué más te dijo?

—Que se entrometería en mis sueños, y que ningún amuleto, hechizo o bolsa mágica podría detenerlo. Ni tampoco tú.

—Eso está por ver —farfulló con los puños apretados.

Me levanté y me acerqué a él.

—¿Qué piensas hacer?

—Algo que debería haber hecho hace muchos años.

Una vez más, detecté esa tensión inquieta que tanto me asustaba.

—¿Qué significa eso? —susurré y, al ver que no contestaba, dejé caer una mano sobre su brazo—. ¿Por qué sientes ese desprecio por Darius Goodwine? No es solo por el polvo gris, ¿verdad? Tu odio hacia él es algo personal. ¿Tiene algo que ver con Mariama?

Se volvió y me cogió por los brazos.

—Mariama me da absolutamente igual.

Capítulo 27

Ahogué un grito, y de inmediato miré hacia el jardín trasero, donde Mariama debía de estar merodeando. El modo en que pronunció su nombre, con tanta frialdad y desdén, parecía una blasfemia. El fantasma de esa mujer había hecho añicos una de las ventanas de mi estudio de pura rabia. Me había empujado en el jardín de Clementine y había arrojado su propio retrato al suelo. Pensar en qué acto de venganza elegiría por ese sacrilegio a su recuerdo me espantaba.

Devlin seguía sosteniéndome por los brazos. Su rostro se había convertido en una máscara impasible y oscura en cuyo centro titilaban dos llamas ardientes. Poco a poco, me atrajo hacia él, y deslizó una mano entre mi cabello mientras sus labios se acercaban a los míos.

—Tú eres la única que me importa —murmuró rozándome la boca.

Por un instante, mi inseguridad me llevó a pensar que no solo quería convencerme a mí de esa afirmación, sino también a sí mismo. Pero me daba lo mismo. Ansiaba tenerle cerca, creerme a pies juntillas esa promesa que centelleaba en su mirada.

Me rozó la mejilla y, tras besarme el lóbulo de la oreja, me susurró:

—Eres tú a quien deseo.

Ese acento sureño era superior a mis fuerzas. Me perdía por completo, y quizá eso me convertía en una verdadera estúpida.

Fue entonces cuando caí en la cuenta de que Devlin también era un hechicero, pues, al abrir los ojos, me vi empotrada contra la pared, y no recordaba haberme movido. Estaba delante de mí, impidiéndome observar el jardín, como si pudiera percibir la presencia de Mariama y quisiera protegerme. Apenas podía ver algo tras los cristales, pero no tenía la menor duda de que estaba allí fuera, echando humo por las orejas. Si no hubiera sido por el estado precario en el que me encontraba, quizás hubiera reunido fuerzas para apartarle. Íbamos a meternos en un buen lío, y Mariama se aseguraría de que recibiéramos el castigo que merecíamos.

Los efectos de la droga todavía no se habían disipado. Estaba atrapada en el abotargamiento de aquel polvo azul y no actuaba por propia voluntad.

Se me había aflojado el cinturón del albornoz, y Devlin no dudó en quitármelo para besarme la piel del hombro. Le rodeé el cuello con los brazos y nos fundimos en un beso húmedo. Él deslizó las manos por dentro del albornoz sin apartar sus labios de los míos. No dejó de besarme ni cuando las rodillas empezaron a temblarme ni cuando me puse a tiritar de forma incontrolada.

En algún momento, nos trasladamos al diván. Me tumbé acurrucada en los brazos de Devlin, con la cabeza apoyada en su hombro y una mano sobre su pecho. Cerré los ojos y disfruté del placer de sus besos. Se le daba fenomenal. Sabía, por experiencia propia, que también era bueno en otras cosas, pero ahora no quería pensar

AMANDA STEVENS

en eso. Mejor no adelantar acontecimientos. Nuestra pasión ya había abierto una puerta terrible una vez, y no tenía la menor duda de que nuestra lujuria atraería de nuevo a los otros. En mi santuario estábamos a salvo, al menos por ahora, y me repetí varias veces que debería disfrutar del momento.

Sin embargo, el intercambio de energías era casi palpable. Devlin, sin darse cuenta, me había chupado el calor de forma furtiva, colmando su fuerza vital con la mía. Esa era una de las ironías de enamorarse de un hombre atormentado. Mi paraíso terrenal me había resguardado de las arremetidas de sus fantasmas, pero el suelo sacro no podía protegerme de él.

Permanecimos un buen rato en silencio, inmóviles, pero ahora le sentí revolverse, como si estuviera inquieto. Me besó el cabello, y sentí un escalofrío.

—Háblame de Asher Falls —rogó.

Noté su aliento cálido en la mejilla. Deseaba aferrarme más fuerte a él, pegar el oído a su corazón, pero en lugar de eso me aparté.

—No me gusta hablar de ese lugar. No pienso volver allí, así que… ¿qué más da?

Lo cierto es que la mera mención de ese pueblo de montaña me provocó una punzada de soledad, por toda la gente que había dejado atrás. No solo a Thane Asher, sino también a Tilly y a Sidra. Las dos mujeres, una anciana y una muchacha, me habían marcado de por vida. Pero, de todos modos, no tenía intención alguna de regresar a Asher Falls. Era demasiado peligroso.

—¿Conociste a alguien allí?

Era evidente que Devlin estaba midiendo cada una de sus palabras, además de controlar la voz.

—¿Por qué lo preguntas?

—Porque te noto más recelosa que antes. Intuyo una

cautela desconocida para mí. Pareces más fuerte y, al mismo tiempo, más vulnerable.

—Hace unos minutos dudo mucho que notaras ese recelo.

—Ya sabes a qué me refiero. No quieres ni oír hablar de Asher Falls por un motivo. ¿Qué ocurrió allí?

Respiré profundo y, al final, cedí.

—Bueno, conocí a un hombre —farfullé de mala gana.

—¿Te enamoraste de él? ¿Sigues enamorada de él?

Me apresuré a responder a esas preguntas.

—No. Aunque si lo hubiera conocido antes, me habría conquistado a la primera. Ahora ya he perdido la esperanza de conocer a alguien especial.

Me estrechó entre sus brazos.

—Qué romántica —musitó.

—En realidad, soy pragmática. Me conozco muy bien.

Arrugó la frente.

—Pero no me conoces a mí.

—Eres todo un misterio —dije—. Hay algo que me ha estado rondando por la cabeza desde el día en que nos presentaron. Enseguida me advertiste sobre el doctor Shaw y el instituto. No te molestaste en ocultar el desprecio que sientes por su trabajo. Y, sin embargo, gracias a Ethan he averiguado que fuiste el pupilo del doctor Shaw, de un tipo que investiga fenómenos paranormales. La verdad, me cuesta creerlo.

—Eso fue hace muchísimo tiempo —rebatió mientras me peinaba el cabello—. Mi único objetivo entonces era fastidiar a mi abuelo, y sabía que trabajar codo con codo con Rupert le molestaría sobremanera.

—Una forma muy extraña de rebeldía. Beber, salir de fiesta… Eso lo entiendo. Pero ¿interesarse por el ocultismo?

—No olvides que Ethan era mi mejor amigo. Sabía muchas cosas sobre lo paranormal, gracias a su padre.

—¿Incluida Mariama?

Se quedó quieto como una estatua durante una fracción de segundo.

—Ella fue mi acto más extremo de rebelión.

—¿Por su raza? ¿Por su procedencia?

—Por todo. Era una mujer exótica y enigmática, y tenía la asombrosa capacidad de saber cuándo y cómo pulsar las teclas. Supuso un escándalo en el círculo social en el que se movía mi abuelo, así que disfruté de ello durante un tiempo.

No estaba segura de querer escuchar el resto de la historia, pero, por otro lado, me moría por conocerla. A pesar de lo que Devlin había dicho sobre mí, él era el precavido de los dos. No le gustaba compartir nada de su vida privada, y por eso me tomaba esas anécdotas de su pasado, de su relación con Mariama, como momentos muy preciados.

—¿Fue amor a primera vista? —pregunté con prudencia.

Se quedó pensativo.

—No sé siquiera si fue amor. Pero lo que tuvimos… fue muy intenso. Al principio fue una relación avasalladora, absorbente. Cuando nació Shani, todo cambió. Con mi hija sí sentí un flechazo —musitó.

Hubo unos momentos de silencio, y sospechaba que me había revelado más de lo que pretendía. De hecho, me había revelado varias confidencias, y ahora sentía una culpabilidad que me oprimía el pecho.

—Necesito contarte algo —dije tras unos instantes.

—No sé si me gusta ese tono de mal agüero.

—Es una confesión.

Hizo una pausa y me pareció que se estaba mentalizando.

—El doctor Shaw no me descubrió el polvo gris. Tuvimos una charla al respecto, es verdad, pero ya sabía en qué consistía. De hecho, acudí al instituto precisamente para hacerle algunas preguntas sobre esa sustancia.

—Ya me lo olía. ¿Cómo te enteraste de qué era el polvo gris?

—Hace varias noches, escuché una conversación que mantuviste con Ethan. Fue la misma noche en que fui a verte. Había aparcado al final de la calle, ¿recuerdas?

—Porque temías no atreverte a llamar a mi puerta.

—Llegué hasta los peldaños y luego oí voces. No quería que me encontraras allí, así que me escondí entre los arbustos que hay junto al porche. Otro de mis impulsos —añadí con cierta ironía—. Después me dio vergüenza salir de mi escondrijo así como así. Ni te imaginas cuánto me abochorna admitirlo.

—¿Qué parte de la conversación escuchaste?

—Toda.

Era evidente que estaba rememorando la charla.

—Lo siento. No debería haberme escondido para escucharos. Fue un error por mi parte, lo reconozco. Pero cuando el polvo gris y Darius Goodwine salieron a colación, los dos os pusisteis muy tensos, y eso suscitó mi curiosidad.

—Así que fuiste al despacho de Rupert Shaw.

—Sí, y debo decir que su reacción fue similar. Me hizo prometer que no explicaría nada de lo que se había dicho en aquel despacho.

—Al menos tuvo el detalle de advertirte —añadió Devlin.

—¿Por qué tenía que advertirme? ¿Qué es el polvo gris en realidad? Lo único que sé es que procede de una planta y que, presuntamente, paraliza el corazón y permite cruzar la frontera del mundo de los espíritus. Puedo comprender que alguien que ha perdido a un ser querido sienta la tentación de tomar la sustancia, pero… —farfullé—. Si Darius Goodwine no lo hace por dinero, ¿por qué otra razón iba a traerlo desde África?

—Todos los dioses tienen creyentes acérrimos —dijo Devlin.

—¿De veras tiene ese tipo de poder?

—Maneja trucos, ilusiones. Hay quien no los diferencia.

—¿Estás seguro de que eso es todo?

—No creerás que se las ingenió para trasladarte hasta esa casa de la calle America, ¿verdad?

—Es que parecía tan real.

—Por eso el polvo gris es una sustancia pérfida y traicionera, y por eso Darius es un ser tan peligroso. Si es capaz de engañar a alguien como tú, imagina la influencia que puede llegar a ejercer sobre personas más débiles e ingenuas.

Como tú, por ejemplo.

—Alguien debe detenerlo —balbuceó Devlin.

—¿Por qué tengo la sensación de que no hablas como un agente de la policía?

—Mi motivación es diferente. Cuando anda por la ciudad, siempre muere alguien. Ese ya es motivo suficiente.

—¿Fuiste a ver a Darius la noche en que Mariama y Shani fallecieron en el accidente?

—Así que también te has enterado de eso —murmuró, y miró hacia el techo. No pude descifrar su expresión—. No sé qué ocurrió esa noche. Cada vez que intento ordenar los hechos, me vienen a la memoria recuerdos que no tienen sentido alguno.

—¿Recuerdas ver a Robert Fremont?

Me miró de reojo con el ceño fruncido.

—¿Por qué lo preguntas?

—Porque cuando la policía quiso interrogarte, Ethan

se inventó una coartada. Algo le hizo pensar que necesitabas una.

—Quizá deberías preguntarle a Ethan por qué se sintió obligado a mentir.

Se le encendió la mirada, pero siguió impasible.

—No asesiné a Fremont, si eso es lo que estás insinuando.

—En ningún momento he pensado eso.

—No lo maté —repitió Devlin—. Pero tenía motivos para hacerlo. Es de manual, la verdad. Estaba teniendo una aventura con mi esposa.

Capítulo 28

*U*n poco más tarde, abrí la puerta del porche y dejé que *Angus* saliera a corretear por el jardín trasero, pero esa noche no me quedé vigilándole desde el umbral. Grave error. Mi enfrentamiento con Darius Goodwine, ya fuera imaginaria o real, y mi reconciliación con Devlin me habían afectado mucho, y lo último que me apetecía era tener un cara a cara con el fantasma de Mariama. El poder que blandía desde su sepulcro me resultaba inconcebible, pero presentía que hasta el momento solo había mostrado la punta del iceberg.

Vagué como alma en pena por toda la casa, con la mosca detrás de la oreja. Me acechaba una terrible premonición. Tras cada paso sentía que una fatalidad inminente iba a caer sobre mí. Que me rondaran esas ideas por la cabeza me extrañó mucho, ya que, de los fantasmas, lo único que me asustaba era su naturaleza parasitaria, su hambre insaciable por el calor humano que tanto necesitaban para mantenerse en el mundo de los vivos. Ahora sabía que los fantasmas podían infligir daños físicos, o incluso provocar la muerte. A veces me daba por pensar en Mariama y en lo lejos que estaría dispuesta a llegar para separarnos a Devlin y a mí. Ni siquiera las normas de mi padre podrían protegerme de la ira de un espectro vengativo.

En el cuarto de baño, me lavé la cara con agua fría y luego contemplé con estupefacción a la mujer pálida y demacrada que me miraba desde el espejo. Mostraba unas ojeras mucho más pronunciadas, y las pupilas parecían demasiado dilatadas. Me pregunté si sería uno de los efectos secundarios de aquella purpurina azulada. ¿O uno de los esbirros de Darius Goodwine se las había arreglado para echarme algo en la copa de vino durante la cena?

Sin embargo, no conseguía entender por qué ordenaría algo así. Quizá quisiera utilizarme para llegar hasta Devlin, pero, después de nuestra reunión de esa noche, intuía que su motivación había dado un giro radical. Había mostrado mucho interés en mi comunicación con Robert Fremont y en mi legado. «Eso te convierte en alguien muy especial. En una persona muy poderosa», había dicho. Aunque en ese momento no me sentía en absoluto poderosa, sino confundida y desbordada por la situación.

Y todo eso asumiendo que la charla que habíamos tenido había sido real. Devlin estaba convencido de que había sido víctima de un truco de magia, de una ilusión, y, a decir verdad, prefería creer eso. Darius Goodwine había sido claro. Me había amenazado con inmiscuirse en mis sueños, y para eso no tenía la red de seguridad que me proporcionaba el suelo sagrado. En sueños no habría fronteras ni refugios seguros. Mi única defensa sería el insomnio.

Cabía la posibilidad de que no fuera más que un hipnotizador, o un ilusionista hábil que se aprovechaba de los más débiles y susceptibles. Pero yo era una muchacha que veía fantasmas, a quien el mismísimo mal había perseguido. Sabía de primera mano que el razonamiento humano no podía explicarlo todo, así que, a diferencia de Devlin, no descartaba la idea de que existiera un hombre capaz de emplear el poder del mundo de los espíritus. Un hombre capaz de cruzar a ambos lados del velo y visitarme en mis sueños.

Dejé todo eso a un lado y procuré centrarme en algo más productivo, como resolver el asesinato de Robert Fremont. Aunque ese asunto tampoco era muy reconfortante. La hipótesis de que un hombre al que respetaba y admiraba pudiera ser culpable de envenenar a su esposa me perturbaba. Devlin me había dejado de piedra cuando me había revelado el motivo que tenía para cometer el crimen. El más viejo del manual.

¿Por qué Fremont no me había dicho nada acerca de su aventura amorosa? Su amnesia selectiva empezaba a parecer un poco extraña.

¿Por qué, de repente, tenía la impresión de que me había convertido en la pieza de un juego, y no solo de Robert Fremont y Darius Goodwine, sino de otras fuerzas del universo?

El mensaje de texto de Devlin, o de quien fuera, tenía un propósito bien claro: que abandonara Asher Falls y regresara a la ciudad. El ruiseñor que oí la primera noche pretendía guiarme hasta el jardín de Clementine, para que viera con mis propios ojos el coqueteo entre el detective e Isabel Perilloux, y así volver a su órbita. Todo estaba conectado, pero los vínculos eran aleatorios, casuales incluso. Las pistas estaban ahí, de eso no me cabía la menor duda, pero no lograba visualizar el panorama en su conjunto.

¿Acaso Mariama era la mujer que había estado con Fremont antes de morir? Jamás se me había ocurrido asociar una fragancia con ella, pero quizás el perfume que todavía impregnaba toda su ropa era el de la esposa del detective. En cierta medida, había considerado esas sospechas desde el principio, pero estaba tan celosa de

Isabel Perilloux que me cegué y la apunté directamente con el dedo sin meditarlo. Al fin y al cabo, Mariama siempre estaba ahí.

Su traición debió de ser un golpe muy duro para Devlin. Aunque la llama de su amor ya se hubiera extinguido por aquel entonces, las cenizas habían permanecido. El sentimiento que había empujado a Mariama a abandonar el reino de los muertos para merodear por el de los vivos mientras mermaba el calor y la energía de Devlin debía de ser, sin duda, muy fuerte e intenso. Tenía la terrible sensación de que seguiría anclada a su lado a pesar de mi ausencia. Tras caminar de un lado a otro de la casa, al fin me dirigí al estudio. Quise darle a *Angus* unos minutos más para explorar el jardín, y me dispuse a hojear el libro del doctor Shaw. Luego le llamé desde la puerta de atrás. Como no acudió de inmediato, salí al porche. No me había molestado en calzarme las pantuflas, de modo que me detuve en el último peldaño de la terraza. Le llamé de nuevo y empecé a inquietarme. De pronto, le vi brincar entre las sombras, con el pelaje erizado.

De inmediato, escudriñé el jardín, comprobando cada rincón oscuro. Se había levantado una suave brisa, y el tintineo de los carillones de viento me puso los pelos de punta. En el jardín no se movía nada, excepto las hojas de las diminutas palmeras que lo bordeaban. Había algo en aquella brisa que no cuadraba. No provenía de ningún frente meteorológico, sino del otro lado.

Para confirmar mis sospechas, una ráfaga de aire me azotó el cabello y los bajos del camisón. Me estremecí, pero no me dejé intimidar, a pesar de que *Angus* no dejaba de gruñir a mi lado. Alargué la mano y le acaricié el lomo sin dejar de vigilar el jardín, donde el columpio se balanceaba al compás del viento. Una nube se deslizó por el cielo nocturno hasta eclipsar la luz de la luna, cubriendo así el jardín con un manto de penumbra. Reparé en un frío pervertido que se arrastraba entre las sombras, hacia mí. No era Shani ni Mariama, sino un espíritu desconocido que me estaba buscando. Un espectro inquieto que quería mi energía vital y mi ayuda.

Sumida en aquella negrura, no veía nada. No observé ojos brillantes ni el resplandor de un aura. Ninguna forma humana flotando entre los matorrales. Pero percibía una presencia.

Aquella mirada moribunda me produjo la misma sensación que una araña subiéndome por la espalda. ¿Era una prueba? ¿Una tentativa para comprobar si poseía la entereza y el temple necesarios para una mayor vocación?

¿Debería extender una mano? ¿Tratar de establecer contacto? Me surgieron infinidad de preguntas en cuestión de segundos. La indecisión me paralizó de tal manera que ni siquiera me percaté de que la brisa había amainado. El jardín se había quedado inmóvil, como si la propia noche esperara con gran expectativa mi respuesta.

Opté por no moverme, por no decir nada. Aunque tampoco fingí indiferencia. Las piernas me temblaban y estaba al borde del infarto, pero permanecí sobre el escalón, desafiando al fantasma a manifestarse. Justo antes de que la luna emergiera de nuevo tras el nubarrón, habría jurado advertir un centelleo revelador. Un hedor rancio empapó el jardín, mezclándose con el estramonio, y me pareció escuchar el susurro de la voz de mi padre en el oído: «Vete, Amelia. ¡Date prisa! No tientes al destino, cariño. No admitas que ves la presencia de un fantasma. Estás hasta el cuello, más de lo que imaginas».

Las baldosas se sentían frías como un témpano, y el mordisco de una hormiga me escocía la planta del pie, así que me metí en casa. Cerré la puerta con llave y deslicé la cortina para contemplar el exterior, manteniendo así mi vigilia durante unos minutos más, hasta que *Angus* se puso a lloriquear para llamar mi atención. Me arrodillé y le dediqué varios mimos antes de ocuparme de la cocina, lavando y aclarando las tazas y retirando las distintas cajas metálicas donde guardaba el té.

Me agaché a coger el cuenco de *Angus* para llenarlo de agua antes de ir a la cama y me fijé en unas gotas que, a primera vista, parecían sangre. Había manchas por todo el suelo, como si *Angus* se hubiera arañado una pata con algo afilado. Le examiné cada una de las patas, pero no hallé ninguna herida, ni tampoco rastro de sangre. Empapé una bayeta para limpiar el suelo y, al darme la vuelta, advertí más puntos carmesí. La sangre provenía de mí, no de *Angus*.

Me puse a danzar por la cocina, comprobando ambos pies. Después de limpiar la sangre, me fijé en una especie de purpurina que tenía pegada en la planta del pie. En realidad, eran cristales diminutos que se me habían clavado en la piel. Las partículas eran muy finas y delicadas, pero me habían irritado la piel. Fue bastante raro, ya que, hasta donde sabía, no se había roto nada en el jardín.

Cojeé hasta el baño y me lavé los pies con jabón desinfectante. Con una pinza fui extrayendo cada esquirla de cristal, y luego empapé todas las abrasiones con peróxido y antiséptico. Salí triunfante del baño; ningún germen sobreviviría con todas esas precauciones.

Aquello me había obligado a centrarme en algo concreto. En ese momento, por extraño que pareciera, me sentía mucho más tranquila y serena. Me metí en la cama, preparándome para sobrevivir a otra noche eterna. Clavé la mirada en el techo y deseé que Devlin se hubiera quedado.

Me quedé dormida casi al instante, aunque me desperté un poco más tarde muerta de sed. Me levanté y corrí a la cocina a por un vaso de agua. *Angus* se percató y enseguida salió del estudio para comprobar su cuenco de comida.

—Lo siento. Todavía no es hora de desayunar.

Aquella mirada límpida logró tocar el corazón de la pusilánime que vivía dentro de mí, así que abrí el armario y le di un premio. Al volverme, capté algo en los ventanales de mi estudio. Alguien me estaba observando.

No reaccioné, pero a partir de entonces me moví sin perder de vista la silueta. Aquella cara tenía la misma palidez traslúcida de un espíritu, pero quizá no había sido más que una ilusión causada por la luz de la luna. Me pregunté por qué *Angus* no había gruñido. Fuera humano o fantasma, debería de haber percibido su presencia. Pero el perro se dedicó a saborear su premio con un deleite descarado. En ningún momento alzó la cabeza, ni siquiera cuando apareció otra sombra detrás de la puerta trasera, ni cuando el intruso intentó forzar la cerradura.

Busqué un teléfono, pero no lo encontré. Busqué un arma, pero no encontré ninguna. Fue entonces cuando caí en la cuenta de que debía de estar atrapada en un sueño. ¿Cómo, si no, explicar la apatía de *Angus*? ¿Qué otra explicación podía justificar aquella extraña parálisis?

Y justo cuando estaba ahí, en mitad de la cocina, mirando a mi alrededor con impotencia, oí el chasquido del cerrojo. La puerta se abrió de golpe, y una ráfaga de aire del otro lado se coló por la abertura. Se me revolvió el pelo. Mientras apartaba los mechones que me tapaban los ojos, vislumbré la silueta de Darius Goodwine en el umbral. Tenía el mismo aspecto que unas horas antes, con la diferencia de que ahora lucía varios collares, incluido uno que parecía un cordel repleto de dientes humanos. En su mano derecha llevaba un cuenco de madera; en la izquierda, una vieja faltriquera de cuero que sacudía para imitar el sonido de un sonajero.

Vertió el contenido de la bolsita en el cuenco. Había huesos, caracolas, guijarros, nueces y un puñado de monedas. Después se agachó y arrojó todos los artículos sobre el suelo. Formaron un dibujo que, al parecer, le divirtió muchísimo.

Levantó la mirada y me fulminó con aquellos ojos dorados.

—Prepárate —ordenó.

—¿Para qué?

—Para un largo viaje.

—¿Adónde voy?

Se dio media vuelta y contempló la oscuridad que reinaba en el jardín. Hice lo mismo y reparé en las decenas de muertos que se habían agolpado junto a mi terraza. Tenían la cara pintada de blanco riguroso y la tripa abierta en canal. Atraídos por la luz, multitud de escarabajos negros con pinzas afiladas se escurrían por las cicatrices de autopsia y se colaban en mi casa. Vi a uno de los insectos escapándose hacia el armario donde almacenaba los premios de *Angus*, y a otro metiéndose por debajo del horno.

En un abrir y cerrar de ojos, el cuenco de comida se había convertido en un hervidero de bichos, y el pobre *Angus* empezó a lloriquear, apenado. Los escarabajos le subían por las piernas y correteaban entre su pelaje para hurgar bajo su piel. Aulló de dolor y eso pudo conmigo. Me dejé caer a su lado y le quité uno a uno todos los insectos para después lanzarlos hacia la puerta.

Sin embargo, los escarabajos se multiplicaban sin cesar. El suelo podía confundirse con una moqueta negra, y los sentía por todo mi cuerpo. Se deslizaban por mis brazos, por mi cabello, por el cuello del pijama. Todavía agitaba las piernas cuando me desperté. Con el corazón palpitándome a mil por hora, descorrí las sábanas y me levanté de un brinco para encender la luz. La cama estaba vacía. Me palpé el pelo y no noté nada distinto. Solo había sido una pesadilla.

O una visita de Darius Goodwine.

Decidí quedarme despierta el resto de la noche. Incluso fui al estudio a buscar el libro del doctor Shaw.

Sin embargo, los párpados me pesaban y, a pesar de mis esfuerzos, no paraba de cabecear. Lo último que recuerdo haber oído fue el roce de una rama contra la pared de casa. Pero, en mi estado soñoliento, me parecieron más bien las pisadas de un intruso que correteara por el tejado.

Capítulo 29

—*P*olvo para zombis —resolvió Temple a la mañana siguiente mientras me ayudaba a descargar todas las herramientas del maletero de mi todoterreno.

Poco después de marcharse, Devlin hizo un par de llamadas para que pudiera disponer del coche al día siguiente, y luego me envió un mensaje de texto para decirme dónde había escondido la llave. Una parte de mí creía a pies juntillas que nuestra conversación había sido el origen de aquella pesadilla. A plena luz del día, me parecía imposible que Darius Goodwine hubiera podido invadir mis sueños.

—El vidrio esmerilado es un componente habitual, junto con la datura —continuó Temple—. El cristal irrita la piel, y así la sangre enseguida absorbe el veneno.

—¿Zombis en Charleston? —exclamé con tono burlón, y después cerré el coche y guardé la llave en el bolsillo—. ¿No sería más típico de Nueva Orleans, por ejemplo?

—Más bien de África y Haití. Según dicta la tradición, en esta zona del país, solo habitan brujas, trasgos y fantasmas de ojos viciosos —dijo, nombrando la santísima trinidad de las leyendas sureñas de Estados Unidos.

—Mi padre solía contarme historias de espíritus capaces de rizarte el pelo —apunté—. Y de hechiceras vampíricas. Con razón después me asustaba cerrar los ojos por la noche. Tenía miedo de que una se colara en mi habitación y me robara la piel mientras dormía.

Aunque me pasara noches en vela temblando bajo las sábanas, nunca llegué a creer en las criaturas míticas de ojos viciosos que, supuestamente, se zampaban a los niños obstinados y tozudos, ni en las brujas que se arrancaban la piel a tiras por la noche para apoderarse de una ajena. Sin embargo, los trasgos —término culto para referirse a fantasmas— eran otra cosa: no tardé mucho en averiguar que eran reales.

—Creo que te supero —desafió Temple mientras nos abríamos paso entre las malas hierbas que crecían alrededor de la verja del cementerio—. Una vez salí con un tío de Luisiana. Su abuela practicaba vudú y juraba y perjuraba que, cuando era jovencita, una sacerdotisa muy poderosa había convertido a su hermano en un zombi. El forense local lo declaró muerto y se celebró un funeral. Años más tarde, la anciana lo vio en Nueva Orleans acompañado de la misma sacerdotisa. Por lo visto, la bruja había exhumado el cuerpo y lo trataba como a un esclavo. Y toda su familia pensando que había muerto.

—¿Cómo acabó la historia?

—Lo último que supo la hermana es que seguía con la sacerdotisa.

—¿Por qué no avisó a la policía?

—Las autoridades no podían hacer nada. Y ella tampoco, porque la sibila era demasiado poderosa.

—Pero qué ven mis ojos. ¿La Señorita Escéptica se cree esa historia?

—Por supuesto que no, pero ella sí. Y todo apunta a que su hermano también. Si me preguntas, el vudú, las hierbas medicinales, los conjuros… son una misma estafa, pero con nombres distintos. La única virtud de quienes la practican es el misterio y la persuasión. La gente quiere creer que puede conseguir lo aparentemente inalcanzable, ya sea el amor, la riqueza o un escudo que los proteja de sus enemigos, gracias a un puñado de hechizos y encantamientos. Y por eso están dispuestos a gastarse hasta el último centavo en pociones de amor y en velas para ahuyentar el mal. —Hizo una pausa y abrí los candados de la puerta—. Por cierto, presiento que el tipo del que me hablaste, ese tal Darius Goodwine, está intentando volverte loca. Un timador perspicaz solo necesita un atisbo de duda para convencerte de lo que quiera.

—Pero si carece de un poder real, ¿cómo puede influenciarme?

—La mente domina la materia. Como todos los percances y contratiempos que sufrimos por culpa de Ona Pearl Handy. Creó una pequeña duda, y nosotros nos encargamos del resto. Llámalo poder de sugestión… o profecía autocumplida. La mente es capaz de intervenir en el cuerpo a un nivel subconsciente. Y tú mejor que nadie lo sabes.

—Pero el vidrio esmerilado no me lo imaginé. Vi la sangre con mis propios ojos.

—Sí, reconozco que es inquietante —admitió—. ¿Sueles salir al jardín descalza? ¿Te has acostumbrado a caminar sin pantuflas?

—No sé si podría llamarse una costumbre, pero suelo hacerlo.

—Ese hombre lo habría sabido si hubiera contratado a alguien para espiarte. Es obvio que te considera una amenaza. Y está buscando el modo de tomar la delantera.

—¿Qué debería hacer?

—Si es un devoto convencido, podrías visitar a un experto en plantas y comprar alguna sustancia que te proteja. La mente domina la materia es un lema que funciona en ambas direcciones. Pero si es un vendehúmos de pacotilla, lo único que puedes hacer es mantenerte en guardia. Ten los ojos y los oídos bien abiertos. Y, por el amor de Dios, no vayas por ahí descalza. Si se pasa de la raya, llama a la policía. O a Devlin. Tengo el presentimiento de que le encantaría ocuparse de ese tipo.

Sí, y ese quizá fuera mi mayor temor: lo que Devlin le tenía reservado a Darius Goodwine.

Me pasé el resto del día adecentando lápidas, una tarea tediosa que exigía horas y horas de trabajo minucioso acuclillada o arrodillada. Gracias a eso podía permitirme el lujo de lucir unas piernas atléticas. No era un trabajo para aficionados, porque incluso el más ligero arañazo podía provocar grandes daños, sobre todo en las tumbas más antiguas. Con cada limpieza se perdía una parte de la superficie, y por eso algunos proyectos debían enfocarse de una forma distinta, con la conservación como objetivo final. Incluso en cementerios que gozaban de suministro de agua, procuraba evitar los detergentes no iónicos y priorizaba el método menos tecnológico, basado en cepillos de cerda suave, esponjas, espátulas y mucha paciencia. Siempre empezaba por la parte inferior del reverso de la lápida, para evitar posibles fisuras y, en general, una vez absorta en la tarea, el tiempo se me pasaba volando. Hoy, en cambio, no paraba de comprobar la hora en la pantalla del teléfono. A primera hora de la mañana, había llamado al despacho de Tom Gerrity y le había dejado un mensaje en el contestador. Cuando me devolvió la llamada, minutos más tarde, me hice pasar por una cliente dispuesta a contratar sus servicios como detective. Sabía que, si reconocía mi nombre de nuestro último encuentro, no soltaría prenda. Había dicho que estaría fuera de la oficina la mayor parte del día, pero que regresaría por la tarde, así que me sugirió que pasara alrededor de las seis.

No tenía la menor idea de qué conseguiría con esa cita, ni siquiera de qué le diría cuando entrara por la puerta. No podía preguntarle de buenas a primeras con qué estaba chantajeando al doctor Shaw, ni podía hacerme pasar por una amiga de la familia Fremont que quería contratar a un detective privado. Gerrity me había pillado *in fraganti* en su despacho la primavera pasada, así que, aunque mi nombre no le fuera familiar, todo apuntaba a que me reconocería de inmediato. Me relacionaría con Devlin y, dada la hostilidad que había entre ellos, por no mencionar su posible vinculación con Darius Goodwine, me imaginaba que no se mostraría muy cooperativo.

Me moví unos centímetros y me coloqué frente a la cara de la lápida. Humedecí la piedra con un pulverizador y arranqué el liquen mientras imaginaba una docena de situaciones hipotéticas, aunque ninguna especialmente agradable. Decidí que debía confiar en el universo. Tener un poco de fe y creer que Fremont tenía un motivo para enviarme al despacho de Gerrity. Después de todo, muchos le conocían como el Profeta, y, por lo visto, había mantenido algunas de sus habilidades agoreras tras morir. De pronto, pensé en las manos manchadas de sangre de Isabel Perilloux, una imagen que el fantasma había vaticinado. Pero ahora debía centrarme en Tom Gerrity. ¿Qué era lo peor que podía pasar si iba a verlo? ¿Me echaría de su despacho? ¿Acaso no había hecho eso mismo la última vez que estuve allí?

Continué trabajando, pero mi mente no descansó ni un segundo. Al final del día me sentí recompensada, al ver destapadas varias inscripciones hermosas. Tras apartar la mugre de la última lápida, descubrí un áncora, un símbolo tan antiguo como las propias catacumbas. En su interpretación más sencilla, el áncora simbolizaba la esperanza y la constancia, y solía esculpirse en las tumbas de marineros, pero en una época más lejana se había utilizado como cruz disfrazada para guiar a los devotos y perseguidos a un lugar de reunión secreto. En los tiempos que corrían, intuía que el emblema tenía otros significados, puesto que algo tan inocuo como un áncora, o un ave cantora, podía contener una representación oculta.

A las cuatro en punto, recogí todas mis herramientas y cachivaches. Decidí dejar los cubos de agua en el cementerio porque pesaban demasiado, y así no tenía que cargar con ellos hasta el coche. Temple había dado por acabada la inspección de las tumbas exhumadas y se había marchado a media tarde. Su trabajo en Oak Grove había finalizado. A partir de ahora trabajaría en el cementerio sola. Quizá tener la mente tan ocupada en los últimos tiempos era una bendición, porque así no me quedaba tiempo para rumiar sobre mi pasado, ni para preocuparme por el halo sombrío que flotaba sobre ese inmenso sepulcro.

Cerré las puertas y, al girarme y dar la espalda al cementerio, noté un hálito frío por todo el cuerpo. No osé mirar por encima del hombro, pero peiné con la mirada el lindero del bosque en busca de algún movimiento entre las sombras más profundas de los árboles. El sol había perdido fuerza, pero todavía quedaban varias horas de luz por delante. No había razón lógica para estar asustada y, sin embargo…, lo estaba.

Respiré hondo y procuré sosegarme antes de empezar a caminar por el sendero repleto de maleza que conducía hasta la carretera pavimentada. La imaginación me estaba afectando porque tras unos segundos habría jurado oír pasos tras de mí. No había nada, desde luego. Era demasiado temprano para los fantasmas, incluso para los seres de sombras que se revolvían antes del atardecer.

Guardé las herramientas en el maletero del coche, me senté detrás del volante y encendí el motor. Pero no sucedió nada, salvo un chasquido que presagiaba lo peor. La batería se había agotado, lo cual no tenía sentido, porque era relativamente nueva. Levanté el capó y comprobé los cables. Utilicé una de mis rasquetas de madera par apartar la corrosión blanquecina que cubría los alambres. Luego me deslicé de nuevo en el asiento y traté de arrancar el motor una vez más. De inmediato, oí rugir aquella máquina y, después de soltar un suspiro de alivio, me apeé para bajar el capó. Al rodear la puerta, me fijé en un escarabajo que pululaba por mi zapato, y me agaché para examinarlo. A diferencia de los escarabajos del sueño, que eran redondos y gigantescos, ese bicho tenía el cuerpo plano y un revestimiento amarillento cerca de la cabeza.

Se me puso la piel de gallina y lo aparté de un manotazo. No me habría importado ver corretear a un escarabajo por mi pie si no hubiera sufrido antes esa pesadilla. Desde muy pequeña, padecía aracnofobia, pero los insectos jamás me habían molestado, ni siquiera las cucarachas gigantes, tan comunes en la costa sureste del país. Quizás el escarabajo fuera una advertencia o una señal. Un bicho con un significado oculto.

Me subí al coche y cerré las puertas antes de comprobar el interior. Me repetí varias veces que aquello era una ridiculez. Por culpa de una pesadilla, ¿ya no soportaba a los escarabajos?

Sin embargo, ninguna lógica podía convencerme de que el insecto que había caminado por mi zapato lo había hecho de un modo casual. Ya no creía en las casualidades del universo ni en el azar de los hechos cotidianos. Todo ocurría por una razón, y temía que esa sincronía acabara matándome.

Capítulo 30

*F*ui directa a casa, di un paseo rápido con *Angus* y luego me duché, me vestí y salí de nuevo. En cierto modo, era un consuelo saber que tenía una misión, porque así no me quedaba apenas tiempo para pensar en ese maldito escarabajo o, peor todavía, en cómo Devlin pretendía pararle los pies a Darius Goodwine.

Había sido muy claro, contundente: su disputa con el chamán no tenía nada que ver con Mariama, pero, aun así, me costaba creerlo. Darius y Mariama se habían criado juntos, como hermanos, y su abuela, Essie, se había hecho cargo de ellos. Eso indicaba que debían de haber estado muy unidos. Según Robert Fremont, habían sido muchas las voces de la comunidad que habían considerado a Devlin un tabú por su raza y legado familiar, y no me habría sorprendido que Darius hubiera sido uno de sus mayores detractores.

A pesar de su impresionante carrera en la academia, era indudable que se identificaba mucho más con la magia y el misticismo de su herencia, y por eso aprendió de las enseñanzas de Essie para formarse como experto en raíces y plantas medicinales, y luego se trasladó al continente africano para practicar junto a un chamán de Gabón. Al traer el polvo gris a Charleston, se había colocado en el lado equivocado de la ley. Y como esposa de un policía, era muy probable que Mariama sintiera que debía tomar una decisión.

Por supuesto, todas esas elucubraciones se basaban en meras conjeturas, en el cansancio acumulado y en una imaginación demasiado estimulada. Me recordé que invertiría mejor el tiempo si pensaba en cómo acercarme a Tom Gerrity. Mientras me peleaba con el tráfico de hora punta que embotellaba Calhoun, traté de decidir qué le diría en cuanto abriera la puerta. Necesitaba una excusa para esa reunión, algo más concreto que la corazonada del fantasma de Fremont.

Y hablando de Robert Fremont, ¿dónde estaba? Me había prometido que estaría ahí si le necesitaba, así que ¿por qué no se había materializado para ayudarme a concebir un plan? Era él el experto en la materia y, sin embargo, apenas me había ofrecido consejo o ayuda.

Nunca había intentado invocar un fantasma, Dios me librara de algo así, pero me concentré en Fremont con la esperanza de que ese cambio de energía lo atrajera hacia mí. Incluso pronuncié su nombre tres veces, pero no sirvió de nada. O bien algo le impedía cruzar el velo, o bien me estaba ignorando descaradamente, lo cual no tenía sentido, porque aquella investigación había sido idea suya. Era Fremont quien quería pasar página y seguir adelante. Al tomar la calle donde Gerrity tenía su despacho, me sentí defraudada y molesta, aunque parte de esa irritación era consecuencia de los nervios y la falta de sueño. Respiré hondo varias veces y busqué un hueco donde aparcar el coche.

El barrio, algo andrajoso y destartalado, antaño había sido un vecindario residencial muy pintoresco, pero muchos promotores habían demolido sin piedad muchas de las preciosas casas antiguas para construir monstruosidades achaparradas, que ahora se alzaban junto a las fachadas de estilo victoriano con balcones combados y jardines descuidados.

El despacho privado de Gerrity estaba en una casa vieja de dos plantas que no había recibido una capa de pintura desde hacía décadas. No logré encontrar un espacio para aparcar cerca del edificio, así que dejé el coche a varias manzanas y comprobé la hora. Había llegado casi media hora antes de lo acordado, y preferí esperar encerrada en el coche antes que quedarme esperando en el vestíbulo sórdido de su despacho.

Me acomodé en el asiento y disfruté de los rayos de sol que se colaban por el parabrisas, tan cálidos y agradables que me adormecían. Había traído el libro del doctor Shaw, y lo abrí por la página donde había dejado el punto de lectura. Me pesaban los párpados, y tuve que leer el mismo párrafo incontables veces, porque no conseguía concentrarme:

«Los primeros expertos en raíces y plantas que vivían en las Sea Islands y a lo largo de la costa de Georgia y Carolina consideraban la adivinación como un don muy valioso, junto con la interpretación de sueños y la capacidad de reconocer augurios en la naturaleza. Tras el asalto brutal de la construcción, la lectura de augurios pasó a ser un arte perdido, pero las profecías y los vaticinios no desaparecieron, y, entre los métodos más comunes, se encuentran la lectura de las hojas de té y de huesos esparcidos. Casi siempre se utilizaban velas en rituales de adivinación, y a veces un vaso de agua para mirar a través de él.»

Debí de quedarme dormida varios minutos, porque me desperté sobresaltada. Se me había resbalado el libro de las manos. Al agacharme a recogerlo, miré el reloj. Solo habían pasado unos diez minutos, pero decidí que ya había llegado el momento de bajarme del coche. Aquella siesta me había sentado de maravilla, y ahora afrontaba la reunión con más tranquilidad.

AMANDA STEVENS

El barrio era decadente y su deterioro resultaba evidente, pero, a pesar de los acontecimientos más recientes, no me preocupaba estar sola. Todavía brillaba la luz del sol, y el tráfico aún colapsaba las avenidas principales. Sin embargo, avanzaba con las manos en los bolsillos de la chaqueta, con el teléfono móvil en una mano y el gas lacrimógeno en la otra. Saludé a los pocos transeúntes que me crucé por la calle, pero ninguno pareció reparar en mí, lo cual era bueno, o eso pensé. Poder mezclarme con la muchedumbre y pasar desapercibida me hacía menos vulnerable.

Al tomar la calle donde estaba el despacho de Gerrity, me fijé en un coche aparcado en doble fila frente al edificio. Arrancó justo cuando me estaba acercando, pero la ventanilla trasera estaba bajada y, por un instante, habría jurado ver el destello de una mirada topacio en la penumbra. Perpleja, me giré para seguir el vehículo. Tomó la primera curva y desapareció.

Volví a sentir una pizca de mi miedo anterior. En realidad, no había visto nada, pero ese pánico momentáneo era una prueba que demostraba que estaba al borde de la histeria. Traté de deshacerme de ese temor infundado y entré en el edificio. El que una vez fuera un vestíbulo elegante seguía tal y como lo recordaba de mi última visita. Un par de sillas de plástico de jardín decoraban la estancia y, aunque pareciera inconcebible, la alfombra parecía más mugrienta, y las cortinas venecianas, más descoloridas. Hacía meses que aquel recibidor no veía una escoba, o un paño húmedo. Se respiraba el mismo hedor rancio y mohoso que en un desván y, al subir los peldaños, no pude evitar fijarme en lo extremadamente silenciosa que estaba la casa. Sospechaba que la mayoría de las oficinas diminutas se habían quedado vacías, y los pocos negocios que quedaban echaban el cerrojo a las cinco en punto.

Una vez en el segundo piso, avancé hasta el fondo del pasillo, donde Gerrity tenía su despacho. La puerta estaba cerrada, como las demás, pero, puesto que solo faltaban unos minutos para las seis, pensé que quizá ya habría llegado. Llamé a la puerta y esperé pacientemente. Me pareció oír a alguien dentro, así que volví a llamar, esta vez más fuerte, y esperé un par de minutos antes de girar el picaporte. Empujé la puerta y me quedé clavada en el umbral, registrando con tiento la oficina.

Una única vela colocada sobre el suelo iluminaba la sala. La llama parpadeaba con violencia debido a una brisa fresca que entraba por la ventana. Estaba abierta. Mentira. Enseguida caí en la cuenta de que no estaba abierta, sino rota. Advertí el resplandor de los fragmentos de cristal en el suelo y algo más…, algo que se movía entre las esquirlas, aunque quise creer que no era más que un reflejo de la luz de la vela.

Desvié la mirada hacia el escritorio, donde pilas de papeles bajo un vaso colocado al revés se agitaban como las alas de un pájaro. Algo no encajaba. Sabía que lo más sensato era dar marcha atrás y salir pitando del edificio. Las huellas de Darius Goodwine estaban por todo el despacho. ¿Cómo, si no, explicar la vela? ¿La ventana hecha añicos? ¿El olor a azufre que impregnaba el ambiente? ¿Cómo, si no, explicar el letargo que, de golpe y porrazo, se había adueñado de mí?

Recordé aquella mirada resplandeciente del asiento trasero del coche y, de pronto, supe que estaba ahí por un motivo. No por el espíritu de Robert Fremont, sino por un hombre capaz de invadir mis sueños. Desde el principio, Darius Goodwine se había encargado de prepararlo todo. Todavía no sabía con qué fin, pero intuía que tenía algo que ver con Devlin. Y, ahora, también conmigo.

Todos mis instintos me gritaban que huyera de aquel despacho, pero, en lugar de eso, di un paso hacia delante y entré. Incluso llamé a Gerrity, aunque el despacho era tan pequeño que dudaba que estuviera escondido en algún rincón.

Me deslicé con sumo cuidado hasta el escritorio. Un escarabajo se había quedado atrapado dentro del vaso. Como si notara mi presencia, el insecto empezó a moverse con frenesí, tratando de escalar por las paredes de cristal de su prisión para acabar de nuevo sobre los papeles. Cada vez que intentaba escapar, caía sobre su espalda y sacudía las patas sin parar. Algo me decía que, igual que pasaba con el escarabajo que correteaba sobre mi pie, su presencia era otra señal, quizás un aviso. Pero no sabía cómo interpretarlo.

Alcancé el vaso con la intención de liberar al insecto, y fue entonces cuando vi a Tom Gerrity tirado en el suelo, detrás del escritorio.

Al menos… creí que era él. La cara del hombre estaba cubierta por una negrura en movimiento.

No observé ni rastro de sangre, o heridas, pero los escarabajos se deslizaban por el suelo por un motivo. La muerte los había guiado hasta ahí. Contemplé horrorizada cómo la multitud de insectos entraba y salía por los ojos y la boca del cadáver, alimentándose de lo impensable. Un grito de pánico amenazaba con ensordecer a ese cúmulo de bichos, pero no fui capaz de articular sonido alguno. Ni siquiera pude mover los dedos para marcar el 911. Me quedé congelada. Algo intangible me había paralizado mientras examinaba aquella masa pululante. Y entonces me percaté de qué me mantenía inmóvil. Percibí una esencia en el aire, tan débil que podía haberla imaginado. No era el residuo sulfúrico de una cerilla, sino algo más oscuro y húmedo.

Traté de identificar aquel olor, pero la brisa se llevó la

fragancia y me devolvió a la cruda realidad. Alguien había estado en ese mismo despacho tan solo unos minutos antes de que yo llegara, y eso me espantó.

Miré de reojo hacia el pasillo al oír el crujido de un tablón de madera bajo unos pasos furtivos. Me volví con la convicción de que en cualquier momento el asesino de Gerrity abriría la puerta y me encontraría junto al cuerpo sin vida del detective. Ni siquiera se me pasó por la cabeza que el homicida se hubiera dado a la fuga tras cometer el crimen. Me había sumergido en la madriguera del pánico y no podía pensar racionalmente. Tenía que esconderme, pero ¿dónde? No había armarios ni cuarto de baño. Tan solo una puerta, una única entrada y salida, a excepción de la ventana rota. Pisé las esquirlas y eché un vistazo. Una cornisa recorría toda la casa, pero tenía que dar un salto de varios metros para alcanzar la acera.

Me di la vuelta y observé la oficina. El único escondrijo estaba debajo del escritorio, y eso implicaba pasar junto al cadáver.

El intruso cada vez estaba más cerca. Escuché que se detenía frente a la puerta.

Así que, sin pensármelo dos veces, me dejé caer y gateé hasta la estrecha madriguera. Uno de los brazos de Gerrity estaba estirado, y tuve que ingeniármelas para apretujarme en un rincón y evitar tocarlo.

Me abracé las rodillas y traté de contener la respiración cuando oí el rechinar de la puerta al abrirse.

Luego siguió un silencio. Un momento más tarde, distinguí el sonido del plástico al arrugarse, seguido de pasos que rodeaban el escritorio. No vi al agresor, pero el cuerpo de Gerrity se movió o, mejor dicho, lo movieron. El brazo cayó sobre mí, y me puse a temblar de forma descontrolada.

A medida que la mano se iba alejando de mí, advertí

el destello de una cadena plateada entre los dedos sin
vida del detective. De inmediato, reconocí el medallón
que colgaba de ese collar. Recordé la última vez que lo
había visto sobre el pecho desnudo de Devlin.

Pestañeé y descarté esa imagen. Coloqué un dedo sobre el medallón, sujetándolo contra el suelo, mientras el
asesino de Gerrity arrastraba el cuerpo sobre el plástico.

Capítulo 31

Después de que el asesino se fuera con el cadáver, llamé a Devlin desde el hueco del escritorio de Gerrity. Hice caso omiso a su consejo y traté de contactar con él. Ni siquiera me importó haber hallado su medallón entre los dedos de un hombre muerto. Era la única persona a la que me apetecía ver, la única capaz de calmar la histeria que bullía en mi interior. La idea de sentir sus brazos robustos a mi alrededor me parecía irresistible.

Pero no respondió la llamada, así que le dejé un mensaje incoherente en el contestador automático y colgué. Sabía que era una cobardía por mi parte, pero me negaba a salir de mi madriguera. Al final, aquella parálisis resultó ser positiva, porque el asesino, u otra persona, volvió al despacho de Gerrity. Y no una, sino dos veces.

Me acurruqué bajo la mesa, temblando de terror al ver otro escarabajo trepando por mi brazo, acercándose peligrosamente a mi mejilla. No fui capaz de soportarlo más, así que lo aparté de un capirotazo. Agazapada en un ovillo, oí el chasquido de la carcasa negra al golpear el suelo y aquellas diminutas patitas correteando vete a saber dónde.

El intruso se movía por el despacho a sus anchas. Presté mucha atención a todos los sonidos. Revolvió varios papeles. Advertí el sonido metálico de los cajones repletos de archivos y documentos. Un rugido impaciente. Y, por último, el eco de pasos que anunciaba su retirada.

Sin embargo, me quedé esperando. No calculé el tiempo, pero tras varios minutos hice acopio de valor y salí de mi escondite. El cuerpo había desaparecido, los escarabajos habían huido y la vela estaba apagada. Ni un mínimo rastro de la violencia que se había desatado en ese cuarto y, por un momento, me pregunté si todo habría sido un sueño. Pero los calambres que sentía en las piernas y en la espalda eran reales.

Respiré hondo para calmar los nervios y me acerqué con cautela al umbral. Afiné el oído para no pasar por alto cualquier sonido que pudiera suponer un peligro. No sabía qué me aterrorizaba más, si la idea de quedarme escondida en aquel despacho o aventurarme al pasillo, donde estaría desprotegida.

No tenía ni idea de si Devlin había escuchado mi mensaje de voz, y ahora la opción de llamar al 911 no me pareció tan descabellada. Pero ese pequeño asunto del medallón me fastidiaba. El colgante de Devlin no era único y exclusivo. Alguien perteneciente a la Orden del Ataúd y la Zarpa tendría un talismán similar. Y, sin embargo…, mi instinto más primitivo me decía que el que tenía en la mano pertenecía a John Devlin. No lograba explicarme, y me asustaba especular al respecto, cómo había llegado a las manos frías y sin vida de Tom Gerrity. Se lo habría arrebatado antes de morir, supuse.

Rechacé esa hipótesis de plano. Ahora conocía bastante bien el carácter de Devlin. Escondía secretos y un pasado muy oscuro, pero no era un asesino. Mi vida no corría peligro si estaba a su lado. Salí al pasillo y me dirigí hacia las escaleras, deteniéndome cada dos por tres para escuchar el silencio. ¿Era una pisada? ¿El golpe seco de una puerta al cerrarse?

Uno de los tablones de madera del edificio crujió. No supe de dónde provenía el sonido, pero tampoco me quedé a comprobarlo. Bajé las escaleras a toda prisa, presa del pánico e impulsada por una inyección de adrenalina. Me paré de sopetón al ver una silueta emergiendo de la negrura del vestíbulo. Me quedé titubeando en las escaleras, sin saber qué hacer, si subir y buscar otro escondrijo o bajar y tratar de huir por la puerta. A medida que la sombra se fue acercando, adiviné quién era. Devlin estaba a los pies de la escalera, con su atuendo habitual, mirándome con perplejidad.

—¿Amelia?

Me abalancé sobre él. Devlin me sostuvo con un brazo, todavía estupefacto, y aproveché esa fracción de segundo para saborear su calor, su perfume. Luego me apartó con suavidad. No quería separarme de él, así que me aferré a la solapa de su chaqueta. Ansiaba apoyar la cabeza sobre ese pecho fuerte y musculoso para siempre, embriagarme de su perfume, esa mezcla oscura entre misterio y magnetismo que solo él poseía.

Con gran esfuerzo recobré la compostura.

—Gracias a Dios que has recibido mi mensaje —dije con un suspiro.

El detective tenía la mirada fija en las escaleras y, pese al suave resplandor que lograba filtrarse por las ventanas cubiertas de suciedad, advertí un desconcierto en su mirada.

Me giré y miré los peldaños.

—Deberíamos irnos.

Mi apremio no sirvió de nada. Devlin se dedicó a escudriñar cada rincón de la escalinata antes de mirarme a los ojos y empujarme a una esquina del vestíbulo, inmersa en una negrura absoluta. Me agarró con firmeza, lo que me resultó reconfortante, pero deseaba que me estrechara de nuevo entre sus brazos, pegar mi pecho al suyo y que nuestros corazones latieran al mismo tiempo. Su presencia jamás me había afectado hasta ese punto. Nunca había sentido que lo necesitaba tanto como ahora, pero algo no andaba bien. Aquella conducta no era propia de él; parecía controlarlo todo, tan estoico y elegante como siempre, pero notaba cierta tensión, una agitación contenida que me hizo pensar en el medallón de plata que había guardado en el bolsillo. No sé por qué no lo saqué y se lo enseñé.

Devlin bajó la voz, que, aun así, retumbó en todo el edificio.

—¿Estás bien?

—Sí, pero... tenemos que irnos de aquí —murmuré.

Deslizó las manos hasta mis antebrazos.

—Cuéntame qué ha pasado. Rápido.

—Pero podría estar aquí —farfullé con cierta histeria—. Tenemos que irnos ya.

Me sacudió.

—Cálmate y dime qué ha pasado.

—Tom Gerrity está muerto —espeté.

Me clavó los dedos, pero, al ver mi mueca de dolor, enseguida aflojó.

—¿Cómo lo sabes?

—Vi su cadáver hace un rato, en su despacho. Al menos... creo que era Tom Gerrity. Tenía la cara cubierta de escarabajos.

—¿Escarabajos? ¿De qué diablos estás hablando?

—Insectos. Sé que suena raro, pero los vi.

Entornó los ojos.

—¿Estás segura de que no era un sueño o una alucinación?

—Estaba muy despierta y perfectamente lúcida. Y créeme cuando te digo que había un montón de escarabajos. —Sentí un escalofrío—. Uno estaba atrapado en un vaso de cristal. Creo que era un mensaje o una advertencia. Y sospecho que Darius lo preparó todo para que viera el cadáver.

—¿Darius? ¿Estaba ahí? —preguntó. La emoción que aprecié en la mirada del detective me heló la sangre.

—No lo he visto —contesté con vacilación—, pero soñé con escarabajos anoche, y hoy he espantado a uno de mi zapato. Y ahora esto… —murmuré, y observé temerosa el vestíbulo, como si Darius pudiera estar acechándome desde las sombras—. Tiene que ser una señal, ¿no crees?

—¿Una señal de qué?

—No lo sé. Quizá de mi propia muerte.

Devlin volvió a zarandearme.

—Pará. Estás dejando que te afecte.

—Lo sé, pero es tan espantoso.

Aunque seguía sosteniéndome, era evidente que tenía la mente en otro sitio. Estaba mirando hacia las escaleras, como si tratara de visualizar la escena que acababa de describirle. Subió el primer peldaño y le agarré por el brazo.

—¿Adónde vas?

—A echar un vistazo.

—No encontrarás a Gerrity. Alguien movió el cadáver, lo envolvió en un plástico y se lo llevó a rastras.

—¿Cuánto tiempo has estado ahí arriba? —preguntó con un tono que no logré descifrar.

—Quince, veinte minutos. Puede que un poco más. Perdí la noción del tiempo, la verdad.

Cuando llegué todavía brillaba la luz del sol, que a

estas alturas ya se había ocultado tras el horizonte. Estábamos en la cúspide del crepúsculo y, en cualquier momento, aparecerían los fantasmas de Devlin. Busqué tras él ese resplandor tan espeluznante que anunciaba su llegada.

Por primera vez, su armadura se resquebrajó.

—¿Por qué has venido a esta casa? —preguntó sin rodeos.

Parpadeé al oír ese tono tan severo.

—¿Acaso importa ahora? Insisto, deberíamos irnos de aquí.

—Pues sí, importa. Según tu versión de los hechos, un hombre ha perdido la vida. La policía querrá saber qué estabas haciendo en este edificio.

—Pero tú eres la policía.

—De momento —musitó.

—¿Qué significa eso?

—Dime por qué estabas aquí. Quiero la verdad. Es importante.

—Vine a hablar con Gerrity.

—¿Acerca de qué?

Solté un suspiro.

—Es una historia muy larga. Tiene que ver con un chantaje…

Devlin no se molestó en disimular su incredulidad.

—¿Qué demonios sabes tú sobre el chantaje?

Retrocedí varios pasos, sorprendida por su reacción.

—Presencié una discusión entre Gerrity y el doctor Shaw. Te explicaré todo lo que sé, pero… ¿podemos marcharnos de una vez? —insistí, mientras miraba a mi alrededor, nerviosa—. Podría regresar en cualquier momento.

—¿Estás segura de que el asesino era un hombre?

—No, pero, fuera quien fuera, no le costó mover el cuerpo.

El detective hundió los dedos en mis brazos.

—¿Viste algo? ¿Los zapatos del asesino? ¿Su ropa? ¿Algo?

—No pude ver nada. Estaba escondida debajo del escritorio.

—Gracias a Dios —dijo en ese tono tan extraño—. ¿Dónde has aparcado?

Hice un gesto vago con la mano.

—A una manzana.

—Vete —ordenó—. Métete en el coche, cierra las puertas y vete directa a casa. No le cuentes a nadie lo que ha pasado.

—¿Qué piensas hacer?

Desvió la mirada hacia la escalera.

—Tengo asuntos de los que ocuparme.

—¿No piensas pedir refuerzos? —pregunté con inocencia.

Él vaciló.

—Solo si es necesario.

Hacía un minuto le estaba suplicando que nos marcháramos de ahí. Ahora, en cambio, le rogué utilizando voz lastimera:

—¿Por qué no puedo quedarme contigo?

—Tú misma lo has dicho. No es seguro.

—Pero soy una testigo. Hace un momento, me has asegurado que la policía querrá interrogarme.

—No si puedo evitarlo.

Sonó tan desafiante que me alarmó, y noté una pluma de hielo acariciándome la espalda, destapando el temor que llevaba persiguiéndome desde que vi a Devlin plantado en el pie de la escalera.

—¿Sabías que Gerrity había muerto?

Me repasó con el ceño fruncido.

—¿Por qué me preguntas eso ahora?

Nerviosa, me mordí el labio para reprimir una sospecha que no quería desvelar.

—Te has presentado aquí en un santiamén, y encontrarme en este edificio te ha pillado por sorpresa. Y ahora me presionas para que me marche —contesté, y luego le agarré más fuerte del brazo—. No has oído mi mensaje, ¿me equivoco? No has venido aquí por eso.

—Vete a casa, Amelia.

—Me ocultas algo, ¿verdad? —susurré.

—Márchate, y espérame en casa. Llegaré lo antes que pueda.

Dio un paso atrás y dejé caer la mano.

—Si eso es lo que quieres.

—Sí —confirmó—. Quiero que te alejes de este sitio. Necesito que estés a salvo.

Ese habría sido el momento idóneo para mostrarle el medallón que le había arrebatado a Gerrity, pero no dije nada. Mis propias sospechas me asustaban demasiado.

Lo vi desaparecer en lo alto de la escalera y, pese a que ansiaba seguirle y estar a su lado, lo último que quería era provocarle más problemas, así que, por ahora, seguiría sus instrucciones sin protestar. Me iría a casa y esperaría con el alma en vilo sus noticias.

De camino al coche, me percaté de que tenía una mano manchada de sangre. La misma con que había agarrado el brazo de Devlin.

Me subí al todoterreno con la mirada todavía clavada en esas manchas carmesí.

¿Era sangre de Devlin? Tenía que serlo. No había visto ni una gota de sangre en el despacho de Gerrity, y no estaba herida. Aunque era más que probable que la hubiera tocado sin darme apenas cuenta.

Pero ¿y el extraño comportamiento de Devlin? ¿Cómo era posible que se hubiera presentado en el

despacho de Gerrity tan rápido? Si mi petición deses-
perada de ayuda no le había traído aquí, ¿entonces qué
lo había hecho?

Demasiadas preguntas. Me sentía abrumada, aho-
gada por mis propias sospechas. Me repetí una y mil
veces que lo único que podía hacer era irme a casa y
esperar. Debía confiar en que llegaría el momento
apropiado para responder todas esas preguntas. Atrin-
cherada en el coche, me incliné y abrí la guantera para
coger el paquete de toallitas húmedas que solía guardar ahí. Retiré la sangre de la palma de mi mano y entonces detecté un movimiento furtivo a mi alrededor.
En circunstancias normales, hubiera permanecido indiferente.

Tantos años de convivencia con fantasmas habían
servido para afianzar mis nervios. Pero toparme con
un cadáver envuelto en un manto de escarabajos no
era algo que sucediera cada día, y por eso estaba con la
guardia baja y me volví con un sobresalto.

Una mujer con el pelo rubio y apelmazado reptó
por el coche, y de forma automática pulsé el botón que
bloqueaba todas las puertas, aunque el mecanismo se
había activado cuando cerré mi puerta. No advertí ningún arma y, a juzgar por la ropa andrajosa que llevaba,
pensé que sería una de las mendigas de la plaza Ma-
rion. Seguramente, se había acercado a pedir limosna,
pero, cuando se asomó a la ventana, desconfié.

Me observaba fijamente, sin pestañear, y eso me inquietó. Tenía el iris transparente, como si tuviera cata-
ratas, pero no era más que una muchacha. Lucía una
piel tersa, sin arrugas, y una complexión pálida y
translúcida. Me ablandó el corazón. Estaba en los huesos, y me pregunté cuánto tiempo llevaría malvi-
viendo en la calle.

Entonces recordé algo que había comentado Devlin

sobre las almas desafortunadas que conseguían regresar del viaje emprendido gracias al polvo gris. Su descripción encajaba a la perfección con esa mujer: ojos vidriosos y andares perezosos, como si estuvieran arrastrando algo propio del Infierno.

No era un fantasma, de eso estaba casi segura, a menos que tuviera la misma habilidad que Robert Fremont y pudiera manifestarse como un ser humano.

—¿Me ayudarás?

Tras el cristal, su voz sonó monótona y derrotada, y sentí el impulso imprudente de invitarla a casa y ofrecerle una cena decente.

Rebusqué en el bolso. Encontré varias monedas tiradas y bajé la ventanilla lo justo para dárselas.

—Por favor, coge el dinero —dije—. Es todo lo que tengo.

Las monedas cayeron al suelo sin pena ni gloria.

—¿Me ayudarás? —repitió de nuevo con el mismo tono.

Su voz, sus ojos…, todo en aquella mujer me perturbaba. Si no era dinero, ¿qué quería? Rastreé la calle con ansiedad y cogí el teléfono.

—¿Estás herida? —pregunté—. ¿Quieres que llame a alguien?

—¿Me ayudarás?

—Voy a llamar al 911…

—¿Me ayudarás? —repitió y, aunque el cambio en la entonación apenas fue perceptible, me quedé inmóvil.

Apreté el teléfono que tenía en la mano.

—¿Qué quieres que haga?

—Haz que se vaya.

Tragué saliva.

—No sé a qué te refieres.

La jovencita siguió parloteando, aunque no comprendí ni una sola palabra. Se marchó arrastrando los pies, con la espalda encorvada de una anciana.

Y entonces, justo cuando alcanzó la sombra de un edificio cercano, advertí la frágil silueta de un fantasma pegada a ella.

Capítulo 32

$\mathcal{N}$ada más llegar a casa, me encerré en el cuarto de baño, me desnudé y me di una ducha. Me froté bien las manos para deshacerme de la sangre, pero seguía sintiendo el cosquilleo de decenas de escarabajos trepando por todo mi cuerpo. Me quedé bajo el chorro de agua caliente poco tiempo, porque temía que Devlin me llamara y no oyera el teléfono. Me vestí con unos vaqueros y un jersey muy abrigado, y me calcé las botas. Luego fui a dar una vuelta a la manzana con *Angus*, pero apenas disfruté de ese breve rato juntos. Tenía la cabeza en otro lugar. No podía dejar de darle vueltas al repentino asesinato de Gerrity, al medallón de Devlin y a la pobre muchacha que se había acercado a mi coche a pedirme ayuda.

¿Por qué me había escogido a mí? ¿Acaso había abierto otra puerta sin querer? Anhelaba los viejos tiempos, cuando las normas establecidas por mi padre me mantenían a salvo, pero recuperar esa seguridad era imposible. Mi vida estaba cambiando y no podía imaginarme, ni quería, qué me depararía el futuro, pero no había vuelta atrás. Mi padre me había advertido de los peligros de enamorarme de un hombre atormentado, pero era incapaz de concebir mi vida sin él. Era demasiado importante para mí. De hecho, lo era todo para mí.

Me palpé el bolsillo, donde tenía el medallón a buen recaudo, y acaricié su textura fría con el pulgar, como si ese talismán, de algún modo, pudiera conectarnos. ¿Dónde estaba? ¿Por qué no había llamado?

El airecillo que soplaba sobre los árboles los hacía suspirar, y ese sonajero de hojas y ramas me empujó a volver a casa a toda prisa. Recordé la noche en que había ido a su casa para verlo. Me había sorprendido lo cerca que estaba el mundo de los espíritus del nuestro. El frescor que arrastraba la brisa había sido muy inusual, una ráfaga súbita teñida con la escarcha de la muerte. Ahora, en mitad de la calle, sentí ese mismo frío. Se me erizó el vello de todo el cuerpo y presentí el sigiloso reptar de un fantasma.

Agaché la cabeza y aceleré el paso. *Angus* gruñó y se quedó en la retaguardia, dispuesto a protegerme, como siempre. Le murmuré que me siguiera con tono suave y cariñoso, y echamos a correr hacia casa, con el fantasma desconocido pisándonos los talones.

Salían de debajo de las piedras, buscándome por todos los sitios, como si emitiera una señal para fantasmas. No podría ignorarlos por mucho más tiempo, porque, al igual que Robert Fremont y que Shani, al igual que aquella pobre jovencita de la calle, los espíritus acudían a mí por una razón. Y no me dejarían en paz hasta que les diera lo que querían.

Un poco más tarde, me senté ante el escritorio y encendí el portátil. Ahora que por fin la conmoción de haber visto el cadáver de Tom Gerrity con mis propios ojos había pasado, ya podía pensar con algo más de claridad y decidí indagar un poco sobre esos escarabajos.

Repasé varias fotografías de los insectos y no tardé en identificar al que había trepado por mi pie en el cementerio. El nombre no era ningún consuelo: *Necrophilia americana*. Un escarabajo carroñero.

No era de extrañar, pues, que los escarabajos que correteaban por el cuerpo sin vida del detective también hubieran sido carroñeros, aunque ese tipo de insectos solían nacer como moscones antes de desarrollar la carcasa. No había visto ningún otro insecto, ni pruebas de descomposición, salvo una esencia muy ligera que quizás hubiera podido confundirse con el olor a muerte.

Había charlado con Gerrity esa misma mañana, cuando me informó de que estaría fuera de su oficina todo el día. Suponiendo que hubiera regresado sobre las cinco de la tarde más o menos, debía de llevar muerto una hora cuando llegué. Muy poco tiempo para que la plaga de insectos inundara el cadáver, me aventuraría a decir.

Además, el asesino también estaba en el edificio. O, al menos, alguien había arrastrado el cuerpo, lo había envuelto en un plástico y había regresado al despacho para revolver algunos archivos. Si ese alguien no era el asesino, ¿por qué tomarse la molestia de cubrir el cadáver y sacarlo de ahí? ¿Por qué había dejado una vela encendida y había atrapado uno de los escarabajos bajo un vaso, si no era para enviar un mensaje o una advertencia?

Los escarabajos de mi pesadilla fueron más difíciles de identificar, lo cual no me sorprendió. Sin duda, mi imaginación había creado un híbrido. Lo más parecido que encontré fue un cruce entre un escarabajo normal y un escarabajo Goliat africano. Cuanto más leía, más intrigada estaba por el folclore y la mitología de los insectos. Que de la noche a la mañana viera escarabajos por todas partes debía significar algo. Jugaban un papel importante en la adivinación y se consideraban tanto portadores de buena suerte y fortuna como los heraldos de la muerte.

Estaba tan absorta en la búsqueda que al oír el timbre me sobresalté. Bajé a toda prisa las escaleras, me asomé por una ventana lateral por precaución y me quedé de piedra. No era Devlin, tal y como esperaba, sino Clementine Perilloux. Titubeé ante la puerta; no quería estar acompañada cuando Devlin llegara. Y, para ser sincera, la premonición de Fremont me hacía desconfiar de las dos hermanas Perilloux. Pero tenía el coche aparcado delante de casa, y estaba casi segura de que me había visto junto a la ventana.

Abrí la puerta para saludarla. Ella me sonrió con nerviosismo.

—Siento presentarme así. Tengo un aspecto que da miedo —dijo, y se apartó un mechón rebelde de cabello.

Jamás habría descrito su aspecto como aterrador, pero era evidente que no se había arreglado lo más mínimo. Se había puesto un jersey viejo muy holgado sobre unos *leggins,* y se había atado una cola de caballo de forma que le caían mechones por todas partes. Tenía el aspecto desaliñado de una persona que había salido de casa deprisa y corriendo.

—No pasa nada —contesté—. Pero ¿cómo has sabido dónde vivo?

—John me ha enviado aquí.

Me quedé sin respiración y di un paso atrás.

—Pasa.

—No, no puedo quedarme. De hecho… —Hizo una pausa y miró por encima del hombro, lo cual me dio mala espina. Como si no hubiera tenido suficiente drama por un día—. He venido a recogerte —dijo al fin.

—¿Perdón?

—Tengo que llevarte a casa de Isabel.

Se me encendió una alarma en la cabeza.

—¿Por qué?

—John te está esperando allí.

—¿Y qué hace en casa de Isabel? —inquirí con un tono demasiado afilado—. Lo siento. No quiero pagarlo contigo. Es que me has pillado por sorpresa, eso es todo.

—Lo sé. Y te pido disculpas.

—¿Por qué está allí? —repetí con un tono más amable. No se figuraba cuánto me costaba fingir ese desapego.

—No creyó que fuera buena idea venir aquí, y no podía ir a urgencias.

—¿A urgencias? —susurré. Sus palabras me asustaron. De repente, pensé en la sangre que había encontrado en mis manos. Se me aceleró el pulso—. ¿Está herido? ¿Es grave?

La bombardeé a preguntas mientras alcanzaba la chaqueta y el bolso.

—Se pondrá bien —aseguró Clementine—. Isabel se ha hecho cargo. Tiene formación médica. En fin, lo único que sé es que tengo que llevarte hasta allí.

—Deja que llame a *Angus*. No quiero que se quede fuera —dije. La dejé rondando por el umbral. *Angus* acudió de inmediato a mi llamada, sin duda con la esperanza de recibir un poco de atención. Comprobé que tenía agua y luego volví corriendo a la puerta—. Te seguiré hasta allí —murmuré mientras bajábamos los peldaños del porche.

—No, se supone que debo llevarte yo —ordenó—. John fue muy claro.

—¿Te dijo por qué?

—Nadie debería ver tu coche aparcado allí.

—Esta conversación parece sacada de una novela de intriga y misterio —refunfuñé.

—Lo sé. A mí también me pone de los nervios —murmuró—. No llevo nada bien las emociones fuertes, la verdad. Isabel, en cambio, es dura como una roca.

—¿Quieres que conduzca yo?

—Está a solo unas manzanas. No pasa nada —dijo, y nos subimos al coche.

Esperaba que aceptara mi ofrecimiento, puesto que estar tras el volante me habría dado cierto control sobre la situación. Era bastante imprudente por mi parte confiar en una mujer que apenas conocía, y me reprendí por no haber sido más sensata y llamar a Devlin antes de subir a su coche. Ahora ya era tarde para eso. Estábamos de camino. Mi destino estaba en sus manos.

Con los ojos clavados en la carretera, volví a pensar en la visión de Robert Fremont. En ella, aparecía Isabel con las manos cubiertas de sangre: «Ha asesinado a alguien, o lo hará en un futuro no muy lejano».

Y, sin embargo, ahí estaba, huyendo de mi casa en plena noche con su hermana.

Clementine me miró de reojo.

—No sabía que conocías a John Devlin. ¿Por qué no lo mencionaste la mañana que almorzamos juntas en mi jardín?

—No lo sé. Quizá fue torpe por mi parte, pero no sabía cómo sacar el tema.

—¿Estáis…?

—Es complicado.

—¿Prefieres no hablar de ello?

—No es eso. Es complicado, de veras —murmuré. No se imaginaba cuánto—. ¿Estás segura de que está bien?

—No te preocupes. Está en buenas manos.

Ladeé la cabeza y contemplé el paisaje sin hacer más comentarios.

—Tenía el presentimiento de que hoy ocurriría algo

—dijo Clementine, y aminoró la velocidad porque el semáforo estaba en rojo.

—¿Y eso?

—Mi abuela observó algo en las hojas de té esta mañana. Casi nunca se equivoca. Aunque tú no crees en ese tipo de cosas, ¿verdad?

—Nunca he dicho eso. Simplemente, no me gusta saber lo que me depara el mañana. El futuro me asusta un poco.

—¿Por qué?

Miré la luz carmesí con el ceño fruncido.

—Me han pasado muchas cosas extrañas estos últimos días, y anoche tuve una pesadilla horrible. Creo que significa algo.

—¿De qué iba la pesadilla? —preguntó con curiosidad—. Si no te importa contármelo, claro.

—Soñé con escarabajos, y ahora los veo por todas partes.

Se volvió, alarmada.

—¿No habrás pisado alguno, verdad?

—No que yo sepa.

—Porque eso sería una fatalidad —comentó Clementine—. Sobre todo si te pasa en casa. Pero soñar con escarabajos… es interesante.

Me giré para estudiar su perfil.

—¿Interesante para bien o para mal?

—Los escarabajos son señales. Si sueñas con uno, significa que en tu vida hay una fuerza destructiva y que estás rodeada de energía negativa.

Aquellas palabras me tocaron la fibra sensible.

—¿Qué debería hacer respecto a esa fuerza destructiva?

—Mi abuela te diría que prestaras especial atención a tus actividades nocturnas, a ver si reconoces alguna otra señal. También te aconsejaría que tuvieras mucho cuidado con los viajes inesperados y, sobre todo, que estuvieras atenta a las sincronías.

Me ajusté la chaqueta.

—¿Sincronías?

—Según la abuela, cuando vives una serie de lo que ella denomina «casualidades significativas», es porque tu guía espiritual las ha ordenado así para ti, y jamás debes ignorarlas.

—Eso suena un poco *new age* —opiné—. Ni siquiera sé qué es un guía espiritual.

—Hay quienes los llaman ángeles, y otros lo consideran simplemente energía. A algunos se les presenta como el fantasma de un ancestro —explicó, y me lanzó otra mirada curiosa—. Me sorprende que alguien como tú no esté en consonancia con su guía.

—¿Alguien como yo?

—Posees una cualidad, Amelia —dijo—. Un aura. Es como un resplandor cálido. Casi como un faro, diría. A mí me resulta muy relajante.

Mi memoria voló hasta el cementerio de Rosehill, al día en que vi un fantasma por primera vez. No había vuelto a pensar en aquel anciano de pelo blanco desde que abandoné Asher Falls, donde le vislumbré por segunda vez, y ahora ahí estaba de nuevo, metido en mi cabeza. Aunque no sabía por qué. Mi padre le tenía miedo, y por eso me aterrorizaba tanto. Pero quizá ese día se había manifestado por un motivo. A lo mejor, al igual que Shani, trataba de decirme algo.

Puede que todos los fantasmas que se habían cruzado en mi camino hubieran intentado decirme algo, pero las normas de mi padre me habían impedido escucharlos.

Esa idea me puso los pelos de punta.

Clementine murmuró algo, pero estaba distraída.

—¿Perdón?

—Has dicho que ves escarabajos por todas partes.

—Sí. Esta mañana, en el cementerio, uno ha reptado hasta mi zapato.

Y horas más tarde, vi el cadáver de un hombre cubierto por esos bichos, pensé para mis adentros.

—¿Lo has visto sobre tu zapato? —preguntó algo nerviosa.

—Sí. ¿Por? ¿Significa algo?

—Un escarabajo caminando por encima de un zapato augura la muerte.

Capítulo 33

Clementine tomó la curva y aparcó frente a la casa de su hermana. De inmediato, desvié la mirada hacia el otro lado de la calle, donde se alzaba el Instituto de Estudios Parapsicológicos de Charleston. Las luces todavía estaban encendidas, y me pregunté si el doctor Shaw estaría ahí solo, o acompañado por Layla.

La verdad era que no había pensado mucho en ella desde mi conversación con Temple, pero verla merodeando por la casa azul de la calle America tenía que significar algo. No me fiaba de ella, y el hecho de que el instituto la hubiera contratado precisamente a ella me hacía desconfiar, sobre todo si mantenía una estrecha relación con Goodwine. La primera vez que el doctor Shaw había sufrido aquel extraño mareo pasó justo después de que Layla le ofreciera un té.

Clementine apagó el motor.

—¿Ocurre algo?

—No, lo siento. Me he distraído, eso es todo.

Entramos por el jardín y subimos los escalones de la terraza juntas. Clementine abrió la puerta y me guio por un pasadizo con una iluminación pésima hasta el otro extremo de la casa. La puerta del cuarto de baño estaba abierta, y por el rabillo del ojo vi a Isabel lavándose las manos. Alzó la vista al oírnos pasar, y el corazón me dio un brinco cuando cruzamos nuestras miradas en el espejo. Luego se apresuró a cerrar la puerta. El contacto visual no duró más que una fracción de segundo, pero bastó para desconcertarme.

Cuando llegamos al final del pasillo, Clementine abrió una puerta tras la que brillaba una luz muy tenue. Las persianas estaban bajadas, y las contraventanas, cerradas a cal y canto. El resplandor provenía de una lámpara situada en una de las esquinas de la habitación y de varias velas, lo cual me extrañó bastante, dada la situación.

Clementine se hizo a un lado para dejarme pasar. Fue entonces cuando vi a Devlin, esperándome. Se giró al oír la puerta, y contuve la respiración. Se había quitado la camisa, y el juego de la luz de las velas sobre su piel desnuda encendió un impulso imprudente en mi interior. No podía apartar la mirada de él.

Alcanzó la camisa y me fijé en el vendaje que le cubría el brazo izquierdo. Se lo habría hecho Isabel, supuse, y me asaltó la duda de si la sangre que Fremont había visto en las manos de aquella mujer era, en realidad, la del detective. No quería albergar resentimientos hacia ella. Según la propia Clementine, le había curado las heridas y, aunque sabía que debía sentirme agradecida, era otro momento más de intimidad entre ellos.

Clementine desapareció y cerró la puerta al salir. No me anduve con contemplaciones y fui directa hacia él.

—¿Estás bien?

—Ha sido solo un corte. Nada grave.

Vi aparecer una mancha de sangre en el vendaje.

—¿Estás seguro de que no necesitas un médico?

—Isabel estudió Medicina. Sabe lo que hace.

—Y ahora se dedica a la lectura de manos.

Encogió los hombros, restándole importancia al asunto.

—Eso no significa nada.

—No, desde luego que no.

Me pregunté si esa camaradería vendría por la decisión que Isabel había tomado. Él había estudiado Derecho en la universidad, pero, en lugar de trabajar en el prestigioso bufete de su familia, había optado por matricularse en la academia de policía. En ese aspecto, tenía mucho más en común con Isabel que conmigo.

No era una competición, me reprendí. No sabía qué historia tenía con Isabel, pero se había encargado de enviar a alguien a buscarme. Me quería ahí, con él, y eso era lo único que debía importarme.

Con cierta torpeza, logró ponerse la camisa. Cuando se dispuso a abrocharse los botones, tomé una determinación. Posé una mano sobre su pecho y dije:

—No, déjala así.

Le ardía la mirada y, sin más miramiento, me atrajo hacia él con un gesto salvaje y me besó con pasión. Me dejé llevar y disfruté del momento. Sentí escalofríos, pero me dio lo mismo. Deslizó una mano hacia mi pecho y me rozó el lóbulo de la oreja con los labios. Noté el tacto húmedo de su lengua seguida por un susurro oscuro. Dejé caer la cabeza y saboreé esa seducción lenta, perfecta.

Al final nos separamos y me cogió la cara con ambas manos, fulminándome con esa mirada en llamas.

—¿Te haces idea de lo mucho que te deseo? —murmuró con voz rasgada—. No puedo dejar de pensar en aquella noche en mi casa. No puedo dejar de pensar en ti.

Su confesión me excitó y me aterrorizó al mismo tiempo. Todavía no se había librado de sus fantasmas, y cabía la posibilidad de que nunca lo consiguiera. ¿Qué tipo de vida nos esperaba? ¿Una vida en la que solo podríamos ser felices durante el día?

Suspiré.

—Yo también pienso en ti.

Él retrocedió.

—¿También pensabas en mí cuando estabas en Asher Falls?

—Sobre todo cuando estaba en Asher Falls —recalqué.

—Bien —musitó, y volvió a besarme.

Esta vez fui yo la que se apartó, preocupada por sus fantasmas. ¿Las velas los ahuyentaban? ¿O quizá fuera ese aroma a salvia e incienso? ¿Dónde estaban? Su ausencia me mosqueaba.

—¿Qué estás buscando? —preguntó.

Seguía sosteniéndome estrechamente entre sus brazos mientras yo miraba hacia el infinito.

—Nada. Estaba pensando en todas estas velas.

—Isabel las ha encendido.

No me gustó el modo en que pronunció su nombre, porque me recordó a cómo pronunciaba el mío, y quería creer que reservaba ese acento aristocrático solo para mí.

—Es una suerte que estuviera aquí para cuidarte, ¿no crees? —dije con frialdad, aunque no estaba en absoluto orgullosa de mis celos.

—Sabe manejar las crisis muy bien.

—Ya me imagino.

—Y, en eso, me recuerda a ti.

Fruncí el ceño, molesta.

—Creo que no nos parecemos en nada.

—Pero si solo la has visto una vez —respondió con una sonrisa, como si mi evidente fastidio le divirtiera—. No sabes nada sobre ella.

—Sé que es una mujer hermosa —rebatí—. Y, por lo visto, es muy buena con las manos.

—Un atributo repugnante —bromeó.

Me alegré de que encontrara algo de humor en esa situación, porque yo no lo veía por ningún lado.

—¿Cómo te has cortado el brazo?

Recobró la seriedad que tanto le caracterizaba.

—Fue un descuido.

Me miraba con detenimiento y, a pesar de mi enfado momentáneo, sabía que esos ojos serían mi perdición.

Un segundo después, volví a sumergirme en esas aguas peligrosas, codiciando lo que jamás podría ser mío.

—¿Un descuido? ¿Como romper el cristal de una ventana del segundo piso? —pregunté.

Arqueó una ceja, asombrado.

—¿Cómo lo sabes?

Saqué el medallón y lo coloqué sobre la palma de su mano.

Cerró el puño y, con tono incrédulo, preguntó:

—¿Lo has tenido tú todo este tiempo?

—Lo encontré en el despacho de Gerrity. ¿Por eso estabas en el edificio? ¿Volviste a buscar el collar?

Percibí una emoción tras su mirada.

—Sí.

—De modo que no escuchaste mi mensaje —refunfuñé, y aparté la mirada, decepcionada por su confesión—. ¿Por qué irrumpiste en el despacho de Gerrity?

—Tenía algo que me pertenecía, y no estaba dispuesto a que se saliera con la suya.

—Intuyo que no te refieres al medallón.

—No. A algo mucho más peligroso.

Se me disparó el pulso cuando advertí un brillo extraño en su mirada. Devlin era un hombre tranquilo, estoico, pero ahora asomaba un carácter osado e insensato que, a decir verdad, me atraía.

—Así que entraste por la fuerza. Ni más ni menos.

—No tenía otra opción. Ya había puesto su casa patas arriba.

Meneé la cabeza. Un acto temerario, sin duda.

—Ahora me toca a mí preguntar —dijo—. ¿Por qué no me dijiste antes que habías encontrado mi medallón?

—Tenía miedo.

—¿Creíste que había matado a Gerrity?

—Se me pasó por la cabeza —admití—, aunque enseguida descarté esa hipótesis. Es comprensible. Todas esas advertencias confusas sobre mantener una distancia entre nosotros, sobre no poner el grito en el cielo si desaparecías de golpe y porrazo, y ahora esta reunión clandestina en casa de Isabel… —murmuré, y extendí las manos—. Ponte en mi lugar.

Se volvió y empezó a pasearse impaciente por toda la habitación.

—No quería involucrarte. Pretendía ponerte a salvo.

—Creo que ya es demasiado tarde para eso. Me cargué ese puente de seguridad al no informar a la policía del asesinato de Gerrity.

—Pero sí informaste. Me lo contaste a mí, así que tus manos están limpias.

—La verdad es que eso no me importa —dije—. Solo quiero saber que estás bien. Por favor, dime que no tengo de qué preocuparme.

Pareció considerar las ventajas e inconvenientes de desvelarme esa información.

—Deberíamos sentarnos —dijo con cierta tensión.

Nos trasladamos a un pequeño sofá que había frente a la ventana. Me cogió de la mano para que me sentara a su lado, me rodeó los hombros con el brazo, y luego me acurruqué junto a él. Incluso después de todo lo que había pasado esa noche, Devlin olía de maravilla. Cerré los ojos y respiré hondo, grabando ese perfume en mi memoria para poder saborearlo más tarde, en mis sueños.

—Me preguntaste si había acudido a Darius después del accidente —empezó.

—Y, si no me falla la memoria, aseguraste que no recordabas nada de aquella noche. Solo tenías imágenes muy difusas que carecían de sentido lógico.

—Eso fue lo que dije —reconoció—, pero la verdad es que sí fui a verle.

Me aparté unos centímetros para estudiar su rostro.

—¿Para que te proporcionara polvo gris?

—Sí.

—Debías de estar desesperado.

Me maldije mentalmente. Menuda observación más estúpida. Había perdido a su mujer y a su hija horas antes. Por supuesto que estaba desesperado. Lo suficiente como para pedirle al doctor Shaw que le ayudara a contactar con sus espíritus, como para tomarse una droga que paralizaba el corazón con la esperanza de sumergirse en el mundo de los muertos y encontrarlas. Era una parte de Devlin que jamás había conocido, pero, por otro lado, me hizo pensar que quizá tuviéramos más en común de lo que creía.

—¿Qué ocurrió?

—Me desperté horas más tarde en el cementerio de Chedathy —contestó, con la mirada fija en el parpadeo de las velas.

Tenía un millón de preguntas acerca del viaje alucinógeno que le había proporcionado el polvo gris, pero en lugar de eso dije:

—¿Y qué hay de Robert Fremont? ¿También le viste esa noche?

—No con vida. Cuando recuperé la consciencia, ya estaba muerto. Le habían disparado por la espalda.

—Pero no lo denunciaste. Los documentos afirman que no se halló el cadáver hasta el día siguiente.

—Es verdad, no lo denuncié —aceptó, y me miró por

el rabillo del ojo—. No pretendo justificar mis acciones. Por aquel entonces, hice muchas cosas de las que no me siento orgulloso. Pero seguía bajo los efectos de esa sustancia, y no actuaba por voluntad propia. Nada de lo que vi o hice parecía real.

—¿Viste… fantasmas?

Se frotó la frente con la mano.

—No estoy seguro de lo que vi. Todo era tan incoherente, tan surrealista. Sin embargo, debí de conservar algo de lucidez, porque, después de mi discusión pública con Robert Fremont, sabía que no podían encontrarme en el cementerio, junto a su cadáver.

—¿Así que te marchaste?

—No lo recuerdo. Ni siquiera me acuerdo de haber cogido el coche y conducir hasta casa. Pero cuando volví a abrir los ojos, estaba en mi propia cama, y el coche aparcado en la acera. Perdí la noción del tiempo, y todavía no he averiguado qué ocurrió durante todas esas horas. Ethan me contó que una patrulla de policía pasó por casa esa tarde. Mi discusión con Robert había corrido como la pólvora y, por lo visto, alguien me escuchó amenazarle.

—¿Le amenazaste?

Seguía observando la llama de la vela.

—Un día, Mariama insinuó que quizá se marcharía de casa. Puesto que estaba al corriente de su aventura amorosa, no me costó atar cabos. Lo soltó para provocarme, pero perdí los papeles. Esa había sido su intención desde el principio. Les dije, primero a ella y luego a Robert, que me importaba una mierda lo que hicieran, pero que si intentaban quitarme a Shani, los mataría.

—Oh, John.

No se inventó ninguna excusa, tan solo se limitó a encoger los hombros.

—Supongo que ahora entenderás por qué los detectives del condado de Beaufort estaban tan interesados en interrogarme.

Era una anécdota sórdida y, a decir verdad, no quería escuchar más. Era como asomarme por el ojo de la cerradura al pasado de Devlin, y no me sentía cómoda escarbando en sus recuerdos más privados y dolorosos. No obstante, no podría ayudarle si no conocía toda la verdad.

—No tenían pruebas contra ti. Y Ethan te dio una coartada.

—De hecho, sí había una prueba. Irrefutable y decisiva —dijo Devlin—. Pero no fueron capaces de encontrarla.

—¿A qué te refieres?

—El informe de balística reveló que Robert había recibido un balazo de un revólver 38. Mi arma de servicio era una Glock de 9 milímetros. Pero también tenía un 38 registrado a nombre de mi padre. Guardaba el revólver en un cajón del despacho de casa. Tras leer el informe, comprobé el cajón. El revólver no estaba en la funda.

—¿Crees que el asesino usó esa pistola?

—Estoy casi seguro.

—¿Quién pudo cogerla? ¿Quién sabía que la tenías ahí?

—Mi abuelo. Y Mariama.

—Pero ella falleció antes de que asesinaran a Robert —señalé—. Además, si pretendía fugarse con él, ¿por qué matarle?

—Pero pudo decírselo a alguien.

—¿A quién?

—A Darius, por ejemplo.

Sentí un escalofrío por toda la espalda.

—¿Y por qué iba a contarle dónde guardabas ese revólver?

—Darius y Mariama estaban muy unidos. Eran como hermanos. Él me despreciaba por haberla alejado de lo que él consideraba su lugar legítimo. Quería que le acompañara a África, pero Mariama optó por quedarse en Charleston, conmigo. Fue la única vez que se opuso a él. Era la mujer más testaruda que jamás he conocido, pero Darius tenía la asombrosa capacidad de influenciarla. Si hubiera querido el revólver, habría encontrado la forma de convencerla para dárselo.

—¿Aunque supiera que su intención fuera asesinar a un hombre inocente?

—Sí.

Aquella respuesta tan franca me dejó pasmada. ¿Cómo podía haber estado casado con una mujer así tantos años? ¿Por qué lo había aguantado todo ese tiempo?

—Robert y yo sabíamos que Darius estaba traficando con polvo gris —prosiguió Devlin—. Era imposible darle caza, no solo porque nadie quería admitir que esa droga existiera, sino porque tenía, y sigue teniendo, muchos contactos. Pero muchos de sus clientes fallecieron, y los dos estábamos resueltos a meterlo entre rejas.

—Y, sin embargo, aun sabiendo que era una droga potencialmente letal, la tomaste.

—Sí.

Me llevé una mano a la frente y traté de procesar la historia.

—Te lo advertí —susurró—. No me conoces. No sabes nada de mi pasado.

Aunque me partía el corazón reconocerlo, tenía razón.

—¿Continúo? —preguntó.

Asentí con la cabeza.

—Era cuestión de tiempo que reuniéramos las pruebas necesarias para proceder a un arresto. Darius debió de sospechar algo, y por eso tramó un plan para matar a Robert y señalarme como culpable. Era una cabeza de turco perfecta. Tenía motivos, los recursos suficientes y una oportunidad. Y esa noche, caí de pleno en la trampa.

—Pero hay algo que no entiendo. ¿Cómo supo que irías a verle? ¿O que Robert estaría en el cementerio de Chedathy en ese preciso instante? Demasiadas casualidades.

—No si Darius quedó en verse con Robert en el cementerio después de que me marchara.

—¿Darius se había enterado del accidente de Shani y Mariama?

—Sí. De lo contrario, habría sospechado que era una trampa. Jamás me habría vendido el polvo gris.

—Entonces, según esa hipótesis, la policía te encontraría en el cementerio, junto al cuerpo sin vida de Robert, tras tomar una buena dosis de una sustancia ilegal que tenía los mismos efectos, o puede que no, que un alucinógeno muy fuerte.

—Sí, esa es mi teoría.

—Pero no encontraron el revólver en el cementerio. Si Darius hubiera querido entregarte a la policía, ¿por qué no dejó el arma en la escena del crimen?

—Esa es la cuestión. Estoy convencido de que la dejó allí. Alguien debió de acercarse al cementerio y cogerla.

—¿Quién?

—No puedo asegurarlo, pero siempre he sospechado de Tom Gerrity.

Abrí los ojos como platos.

—¿Gerrity?

—Vino a verme después del tiroteo. Juró que tenía pruebas que demostraban que había estado en el cementerio esa noche, y me aseguró que me complicaría la vida si no saldaba esa deuda.

—¿Tenía la pistola?

—No lo dijo directamente, pero, en los dos años que han pasado desde entonces, nadie se ha puesto en contacto conmigo.

—¿Le pagaste?

—Le seguí el rollo. Gerrity había pasado toda su carrera sobornando a la gente, así que no me habría costado mucho escarbar en su pasado y sacar todos sus trapos sucios para complicarle la vida a él también. Él era muy consciente de eso. Así que nos quedamos en un punto muerto, hasta que Darius regresó a la ciudad.

—Y decidiste ir tras él.

Devlin seguía con la mirada clavada en la llama de esa vela.

—Me contaste que seguiste a Gerrity hasta una casa de la calle America. Eso me hizo pensar que su intención era ofrecerle un trato a Darius.

—Ahora entiendo por qué tenías tanta prisa por encontrar ese revólver. Eso es lo que andabas buscando en su oficina, ¿verdad?

—Sí. Pero llegué demasiado tarde.

—Y bien, ¿quién crees que mató a Gerrity?

—Darius, por supuesto. Seguramente con la pistola que Gerrity le vendió. Ahí tienes otra ironía.

—Pero no viste el cadáver. ¿Cómo sabes que murió de un balazo?

—Una conjetura lógica.

Le miré con miedo.

—Si ese revólver aparece, la policía lo rastreará y averiguará que fue el arma con la que dispararon a Robert. Si descubren que estuviste en el cementerio el día en que lo asesinaron y que irrumpiste en el despacho de Gerrity la misma noche en que murió...

—Motivos, los recursos suficientes y una oportunidad —repitió Devlin.

—¿Qué piensas hacer?

—Tengo que dar con ese revólver antes de que encuentren el cadáver.

—Eso no será fácil si Darius lo tiene en su poder. Ethan me comentó que tiene admiradores por todo Charleston.

—Yo también tengo mis contactos en esta ciudad —dijo, y acarició el medallón de plata con el pulgar.

—Por eso no has querido ir al hospital —murmuré.

—Hay una ventana rota en el despacho de un tipo muerto. No es el momento más apropiado para acudir a urgencias a que me curen un corte —explicó.

—Y por eso me dijiste que mantuviéramos las distancias —añadí.

—No quería que Darius te utilizara para llegar hasta mí —confesó, y posó una mano sobre mi rodilla.

—Ya sabe quién soy. Y no hay modo de detenerle, porque puede meterse en mis sueños.

—Eso es una ridiculez —espetó Devlin—. El único poder que ejerce es el que tú le das. No le permitas que juegue contigo.

—Creo que es demasiado tarde —musité, y una brisa repentina apagó todas las velas que alumbraban la habitación.

Capítulo 34

—*E*s solo una corriente de aire —dijo Devlin—. Seguramente, alguien ha abierto la puerta principal.

Me quedé sentada en el sofá, temblando en aquella sala alumbrada únicamente por una lámpara. No había sido solo una corriente de aire. El frío me había calado hasta los huesos. Darius estaba en camino. ¿O era Mariama?

—¿Lo notas? —murmuré.

—¿Notar el qué?

—El frío. Como un aliento gélido.

—No noto nada.

Estaba mintiendo. Lo podía ver en sus ojos. Devlin sabía que había algo más en la habitación, que no estábamos solos. Pero se negaba a admitirlo.

Vi un escarabajo gigantesco trepando por la pared antes de escurrirse por una grieta del yeso.

—Hay ciertas cosas de este mundo que no pueden explicarse —dije—. Y tú lo sabes muy bien. ¿Por qué, si no, habrías comprado polvo gris?

Esquivó la mirada.

—Ya te lo he dicho. Esa noche me sentía desesperado. Estaba al borde de la locura.

—En mi opinión, llevas mucho tiempo tratando de

convencerte de eso. Pero, cuando perdiste a Shani, dejaste a un lado tus prejuicios sobre lo sobrenatural. Jamás habrías acudido al doctor Shaw o a Darius, a menos que una parte de ti creyera que podías contactar con ellas.

Parecía destrozado, pero enseguida volvió a colocarse su máscara habitual.

—¿Por qué haces esto?

—Para abrirte los ojos.

—¿Y ver el qué?

Le arrebaté el medallón de la mano.

—No puedes enfrentarte a Darius con esto. La orden no puede ayudarte. Tienes que aceptar de una vez por todas de lo que ese hombre es capaz. Solo así podrás encontrar el modo de protegerte.

—Y solo por curiosidad, ¿de qué es capaz, según tú?

—No tengo la menor idea —reconocí—, pero intuyo que estamos a punto de descubrirlo.

Isabel me llevó a casa un poco más tarde. Clementine ya se había ido, y Devlin seguía empecinado en que lo mejor era que no nos vieran juntos. Era más terco que una mula, y no hubo modo de hacerle cambiar de opinión. Darius ya me había conocido. De hecho, se me había aparecido en sueños, había atrapado aquel escarabajo en el despacho de Gerrity con la intención de que yo lo encontrara, y había estado en casa de Isabel esa misma noche. No me cabía la menor duda de que volvería a verle, aunque no podía determinar ni cuándo ni cómo. Ni qué quería de mí.

Acepté el ofrecimiento de Isabel porque me parecía más fácil dar mi brazo a torcer que inventarme una excusa creíble.

Condujo en silencio varios minutos, hasta que hice

acopio de valor y abordé sin miramientos el tema de Devlin.

—¿Cuándo conociste a John?

Me lanzó una mirada enigmática.

—Hace mucho mucho tiempo.

—¿De veras?

Albergaba la esperanza de que su compañía me relajara un poco, pero era mucho más reservada que Clementine. Me pregunté si su fachada de cordialidad ocultaba cierto resentimiento hacia mí, aunque seguramente sería mejor persona que yo.

—Qué suerte que le hayas podido ayudar esta noche.

—La verdad es que me alegra que tantos años de Medicina hayan servido para algo.

—¿Por qué dejaste la universidad?

Encogió los hombros.

—Me gustaba ayudar a la gente, pero el trabajo de médica no está hecho para mí. Lo creas o no, me pareció una labor muy restrictiva, así que decidí seguir los pasos de mi abuela y formarme en quiromancia.

—Menudo cambio.

—Fue la decisión más acertada. Si me hubiera dedicado a la medicina tradicional, jamás habría sido feliz. Además, mi trabajo se me da bien.

Estaba concentrada en la carretera, así que aproveché la oportunidad para estudiar su perfil. Era una mujer hermosa, aunque su belleza era fría, remota. Nada que ver con el atractivo de Mariama, feroz y exótico. Me sentía como el patito feo. Siempre me había considerado una chica guapa. Una rubia de ojos azules con una complexión atlética y una sonrisa encantadora. Presumía de una figura esbelta tras tantos años trabajando en cementerios, pero lo cierto era que no tenía nada de extraordinaria. Salvo que veía fantasmas.

—¿Cómo os conocisteis? —pregunté.

Se tomó unos segundos para contestar.

—Maté a alguien. John estaba a cargo del caso.

Me quedé mirándola, estupefacta, mientras mi mente conjuraba una imagen. Sus manos manchadas de sangre, sujetando un cuchillo con el filo teñido de carmesí. Me aferré al reposabrazos.

—Pues... vaya forma de conocer a alguien.

—Todo lo contrario a un cuento de hadas —dijo—. Fue una época muy difícil para mi familia. John se portó como un santo. No quiero ni imaginarme qué habría ocurrido si se hubiera presentado otro detective en nuestra casa esa noche.

—¿Qué pasó? ¿O prefieres no hablar del tema?

—No me importa explicártelo. En tu lugar, a mí también me picaría la curiosidad.

¿En mi lugar?

—La víctima, si es que se le puede llamar así, era el marido de Clementine. Era cuestión de tiempo. O me lo cargaba, o acabaría por matar a mi hermana.

—¿Era violento?

—Clementine nos lo ocultó durante mucho tiempo. Aprendió a mentir. Se casó muy joven, en contra de nuestra voluntad, y cuando las cosas se pusieron feas no tuvo el valor de acudir a nosotros por vergüenza. Todo fue a peor cuando mi hermana decidió romper la relación, porque él no estaba dispuesto a dejarla marchar. Siempre hacen lo mismo. Al principio, eran solo llamadas telefónicas, correos electrónicos. Luego empezó a presentarse por sorpresa en el trabajo, en casa, y dejaba notas por todas partes, impregnadas con su perfume.

—Por eso Clementine no utiliza perfume —adiviné.

—Pese a todas las precauciones que tomamos, el tío se las ingenió para entrar en casa y meterse en su habitación. Habría sido inútil avisar a la policía, porque él era muy cuidadoso y jamás dejaba huella. Conocía nuestras rutinas, nuestros horarios, el código para desconectar la alarma de seguridad. Las notas de amor se convirtieron en amenazas. A todos nos aterrorizaba que la historia acabara fatal. Y, desde luego, así fue.

De repente, me vino a la memoria algo que Clementine había mencionado. Le asustaba pensar que los muertos pudieran volver a caminar por este mundo. Ahora por fin comprendía su temor por los fantasmas.

—En aquella época, las dos vivíamos con la abuela —prosiguió Isabel—. Una noche, al llegar del trabajo, le pillé en casa. Había arrinconado a mi hermana con un cuchillo, y seguía insistiendo en que la quería, que haría cualquier cosa por reconquistarla. Lo único que quería era una segunda oportunidad. No paraba de decir bobadas de ese estilo. Cuando la vi tan vulnerable, se me encendió una bombilla. Podría haber marcado el 911, o pedir ayuda a un vecino. Pero sabía que, aunque consiguiéramos pararle los pies, volvería a por ella. No la dejaría en paz hasta que uno, o los dos, acabara en un ataúd. Así que cogí la pistola de mi abuelo y le disparé.

—Apuesto a que cualquier juez lo consideraría un homicidio justificado —opiné.

—No fui la única que le disparó.

—¿Qué quieres decir?

—Clementine me quitó la pistola de las manos y apretó el gatillo hasta vaciar el cargador. Creo que el término apropiado es «rematar» —murmuró Isabel.

Me costaba conciliar esa descripción con la gentileza tan encantadora de Clementine Perilloux.

—Pero has dicho que tú lo mataste.

—Supongo que eso depende de si murió a causa del primer balazo… o no —contestó.

Todavía tenía los dedos clavados en el reposabrazos.

—¿Por qué me lo has contado?

—Porque mi familia está muy unida a John… y yo también. Y es un vínculo que jamás desaparecerá.

—De… acuerdo.

Me miró desafiante.

—Cuidó de nosotras. Se encargó de todo. Y, gracias a él, mi hermana pudo recibir la ayuda que tanto necesitaba. Le costó varios años de terapia y aislamiento, pero ahora por fin puede seguir adelante con su vida.

—¿Aislamiento?

—En un hospital psiquiátrico.

—Entiendo.

Recordé el desayuno con Clementine, sus manos temblorosas, aquellas vacilaciones tan extrañas. Ahora todo encajaba.

—¿Cómo consiguió John que no os detuvieran?

—El fiscal del distrito no presentó cargos, aunque sé de buena tinta que lo presionaron para que lo hiciera. De todo eso se ocupó John.

Estaba temblando de miedo. No me gustaba el rumbo que había tomado esa conversación, y me temía lo peor.

—Es fundamental que entiendas lo unidos que estamos —dijo, y por un momento capté un matiz de locura en su mirada—. Haría cualquier cosa por él. Si alguien intentara hacerle daño… Prefiero no pensar en ello.

No quería meter la pata, así que no dije nada. Me lanzó otra mirada adusta y, de repente, suavizó la expresión.

—Pero es solo amistad. Nada más. Quería que lo supieras.

Aunque dudaba de la veracidad de esa afirmación tan contundente, pensé que lo mejor sería dejar el tema.

—¿Conociste a Mariama?

Tomó aire.

—Era una mujer arrebatadoramente hermosa, pero también malvada.

—Es una expresión muy fuerte.

—Y no la utilizo a la ligera. Podía ser la persona más encantadora del mundo cuando le venía en gana, o cuando lo necesitaba, pero también era capaz de utilizar la fragilidad mental de una muchacha para su propio bien.

—¿A qué te refieres?

—Persuadió a Clementine y le hizo creer en sus jueguecitos mentales. Mi hermana era una chica vulnerable, como puedes imaginar, y adoraba a Shani. No sabía que Mariama la estaba utilizando. No quiero entrar en detalles, pero, para que quede claro, Mariama convirtió la vida de John en un verdadero infierno.

—¿Lo dices por su aventura con Robert Fremont?

Se giró sorprendida.

—¿Cómo sabes eso?

—John me lo contó.

Isabel encogió los hombros.

—Para entonces creo que a John le importaba bien poco qué hiciera o dejara de hacer su esposa. Debía de estar harto de ella. Quien de veras le preocupaba era su hija. Temía que Mariama se fugara a África con Shani y desapareciera para siempre. Lo que podía ser una bendición, o todo lo contrario.

—¿Todo lo contrario?

—¿Por qué piensas que no la dejó? —preguntó mientras apretaba las manos alrededor del volante—. Tenía miedo de que usara a Shani para vengarse de él.

La miré con incredulidad.

—¿A su propia hija?

—Nadie era sagrado para Mariama.

Pero su propia hija... Me costaba creerlo. Recordé aquella noche, en casa de Devlin, cuando Shani apareció a mi lado. En cuanto Mariama le puso las manos encima, la pequeña se desvaneció, como si el espíritu de su madre la asustara.

—John se preocupa por ti —prosiguió Isabel—. Creo que se está enamorando. Si Mariama siguiera viva, hasta yo temería por tu seguridad. Así que me alegro de que esté bajo tierra, de que no pueda hacerte daño, ni a ti ni a nadie.

Ojalá eso fuera cierto. Tenía la terrible sensación de que Mariama era mucho más peligrosa muerta que viva.

En cuanto entré en casa, me invadió un frío polar. El frescor glacial que anunciaba una visita del otro mundo.

Avancé poco a poco por el pasillo y llamé a *Angus* varias veces. Vino enseguida y, cuando me agaché para acariciarle la espalda, me fijé en que tenía el pelaje erizado y frío como el hielo.

Había dejado la luz de la cocina encendida. El resplandor iluminaba el estudio, donde, al parecer, se concentraba esa espeluznante frigidez. Me deslicé hasta la puerta y me quedé merodeando en el umbral hasta reunir el valor para entrar.

Shani estaba sentada de piernas cruzadas en el suelo del estudio, de mi santuario. A su alrededor brillaba un aura titilante que emitía una luz muy pálida.

Puse un pie dentro y la pequeña alzó la mirada.

—¿Me ayudarás?

En esta ocasión habló en voz alta. Habría puesto la mano en el fuego, y no me habría quemado. O quizá ya no era capaz de distinguir la realidad del mundo que había creado en mi mente.

Los dientes me castañeteaban por el frío. Me abrigué con la chaqueta y la miré con detenimiento.

—Sí, te ayudaré.

Extendió la mano y advertí el destello de un diminuto anillo granate. Era el mismo anillo que una vez había dejado en mi jardín. Lo había llevado hasta su tumba porque mi padre me había aconsejado que me deshiciera de él. Solo así podría librarme de ella.

Pero era evidente que se había equivocado.

Me arrodillé frente a la niña.

—¿Qué tengo que hacer?

Y así, sin más, el espectro empezó a desdibujarse.

—Ven a buscarme —murmuró, y las palabras retumbaron como si las hubiera gritado desde lo más profundo de un pozo—. Ven a buscarme, Amelia.

Extendí la mano para despedirme. La pequeña se quitó el anillo y lo dejó sobre mi palma. Y luego desapareció.

Capítulo 35

Al día siguiente, cogí el coche y conduje hacia el sur, hasta el condado de Beaufort, con el anillo granate en el dedo meñique. A pesar de las pocas horas que había dormido y de que me había pasado toda una mañana limpiando maleza en el cementerio de Oak Grove, no podía quitarme de la cabeza a Shani. La pequeña había encontrado un modo de meterse en mi casa. El corazón dibujado en el espejo del baño había sido su primer intento, o eso sospechaba. Si había conseguido entrar, otros podrían hacer lo mismo.

Desde niña, el suelo sagrado había sido mi única protección infalible. Mi única vía de escape. Pero mi refugio se había desmoronado. Shani había penetrado en él y, al hacerlo, había acabado con mi ilusión de tener un paraíso en calma. Ahora, sin las normas de mi padre y sin un santuario, todos los muros que me separaban de los fantasmas se habían desmoronado.

Mi única esperanza era ayudarla a pasar página antes de que guiara a otros espíritus hasta mí. Y la única pista que tenía para encontrarla era el anillo que me había dejado. Lo había traído desde su tumba, así que la lógica me decía que debía empezar a buscar en el cementerio de Chedathy.

Sin embargo, tenía otros asuntos de los que ocuparme en el condado de Beaufort antes de ir al cementerio. Shani no era la única a quien había prometido ayudar. Robert Fremont seguía aquí, en algún lugar. Estaba manteniendo las distancias por alguna razón que desconocía, pero no me cabía la menor duda de que se materializaría en cualquier momento para pedirme respuestas, ya fuera una mañana frente al puerto o junto a mi coche, en Oak Grove.

Me pregunté si se habría enterado del asesinato de Tom Gerrity. ¿Por eso me había enviado al despacho del detective privado? Tenía una corazonada y casi me obligó a ir allí. Quizá fue una visión o una premonición. Al igual que su memoria, sus profecías parecían ir y venir. Pero, después de todo, estaba muerto, así que decidí ser un poco más tolerante con él.

Mi primera parada fue en la oficina del forense del condado de Beaufort. No había tenido tiempo de preparar una presentación sutil y elegante para caerle en gracia, pero tenía la tarjeta de Regina Sparks en el bolsillo. Estaba dispuesta a utilizarla si era necesario, junto con una perorata sobre la ley de transparencia de Carolina del Sur. Sin embargo, resultó que lo único que tuve que hacer fue presentarme.

—Amelia Gray —saludó la mujer que había tras el escritorio con tono burlón, mientras se rascaba la cabeza con un lápiz. Llevaba un cardado digno de admiración. Por un instante, pensé que sería un acto de rebeldía, pero me dio la sensación de que llevaba ese mismo peinado desde los sesenta—. Tengo una nota para ti por aquí —dijo, y se puso a rebuscar entre todo el papeleo que ocupaba el escritorio. Al final sacó un sobre de papel Manila con un *post-it* de color rosa—. Ah, aquí está. Vienes a recoger unos informes para Regina Sparks. Garland dejó bien claro que te diera todo lo que necesitaras.

—Muchas gracias —murmuré, contenta. Iba a ser mucho más sencillo de lo que creía.

La mujer me lanzó una mirada de reproche por encima de las gafas.

—No hacía falta que vinieras hasta aquí, ¿sabes? Podría haber enviado la documentación por correo electrónico a la oficina del forense del condado de Charleston.

—Tenía que pasar por la zona, así que he aprovechado el viaje.

—Bien, pues aquí tienes —dijo, y me entregó el sobre.

Lo acepté a regañadientes.

—¿Qué es?

Arqueó una ceja demasiado depilada.

—¿La documentación? ¿Es que no has venido hasta aquí para eso? Comprueba que estén todos los informes antes de irte. Sería una lástima que, después de tantas horas de viaje, te dejaras algo.

—¿Cómo sabías qué informes necesitaba?

—Garland me lo dijo —contestó, y me miró con curiosidad—. ¿Algo anda mal?

—No, es solo que… No.

Abrí la solapa y revisé las páginas. Me quedé de piedra cuando leí los nombres. Até cabos enseguida. Regina había supuesto que el amigo de quien le había hablado era Devlin. Los informes de autopsia que había solicitado eran los de Shani y Mariama.

—Por lo visto, falta uno —dije—. ¿Regina no pidió el informe de un tipo llamado Robert Fremont?

Contuve el aliento, rezando por no haber encendido ninguna alarma.

—Garland no lo mencionó, pero quizá se despistó. Ya no es un chaval, aunque se niega a reconocerlo. —Tamborileó los dedos sobre el teclado del ordenador—. ¿Has dicho Robert Fremont? ¿De qué me suena ese nombre?

—Fue policía en Charleston, y le abatieron aquí hace un par de años.

—No recuerdo los detalles, pero el nombre me resulta familiar. ¿Han aparecido nuevas pruebas sobre el caso?

—No lo sé. Regina no me lo ha comentado. Se supone que debo recoger los análisis de la autopsia y ya está.

Estudió la pantalla.

—Te aconsejo que te pongas cómoda. Hoy vamos a paso de tortuga. A ver, ¿se deletrea F-r-e-e-m-o-n-t?

—No, solo una e.

—De acuerdo, más despacio.

Temía que tuviera que comprobarlo con el forense antes de entregarme los informes o, peor todavía, verificarlo con Regina. Sin embargo, oí el zumbido de una impresora y, segundos más tarde, me dio una única hoja de papel.

—Este es el resumen —dijo—. Si Regina necesita el informe entero, tendrá que presentar una solicitud formal. Aunque ella ya lo sabe.

—Esto servirá —dije, y guardé el folio con los demás documentos—. Gracias otra vez por tu ayuda.

—Ningún problema. Cuídate.

Salí corriendo del edificio y me subí al todoterreno rápidamente, antes de que alguien pudiera detenerme. Saqué los informes y los ojeé. Luego, más serena, los releí con más atención. Algo me fastidiaba, pero no sabía el qué. Todo parecía estar en orden. No hubo nada que me llamara la atención, así que los guardé de nuevo en el sobre y los dejé a un lado.

El cementerio de Chedathy y el fantasma de Shani me estaban esperando.

Υ

De camino a la necrópolis, decidí hacer una breve parada en el puente contra el que Mariama había estrellado el coche. Ya había estado ahí antes, cuando Shani apareció por primera vez en mi jardín. Pensé que, visitando el lugar del accidente, donde había perdido la vida, podría encontrar respuestas. Por aquel entonces, el corazón trazado en la ventana y el anillo en el jardín habían sido toda nuestra comunicación. Ahora, en cambio, sabía que la pequeña quería que fuera a buscarla, y me atemorizaba lo que eso podría implicar.

No tenía ni idea de por qué había vuelto a ese puente, pero el impulso era demasiado fuerte y no pude resistirme. Algo, o alguien, trataba de dirigir mis acciones. Quizá fuera mi instinto, el universo o mi guía espiritual. Esos impulsos no nacían de la nada y, según la propia Clementine, debía prestar atención especial a las coincidencias que se cruzaban en mi camino.

Aparqué al otro lado de la calle, me apeé del coche y caminé hacia la pendiente. Me apoyé sobre el pasamanos y observé el río que fluía bajo mis pies. Todavía era de día y la luz del sol resultaba cálida. Percibí el olor a salmuera que emergía de las diversas ciénagas. Las hojas de los árboles caducos ya habían empezado a desteñirse, pintando así el paisaje de tonalidades teja, carmesí y ocre.

Era un rincón muy tranquilo. Ya me había percatado de eso la primera vez que estuve allí. No me habría sorprendido detectar cierto alboroto tras la tragedia que se había vivido allí. Si una casa podía albergar las emociones de sus habitantes anteriores, no habría sido descabellado pensar que un lugar pudiera capturar un grito.

No se oía ni una mosca.

En aquel escenario tan silencioso, rememoré mi conversación con Isabel. Devlin no había roto con su esposa porque temía por Shani. Debió de ser una situación horrible, sin duda.

Con todo el dinero e influencia de su familia, podría haber llevado a Mariama ante el juez y exigirle la custodia completa de la pequeña. Y, en el caso de habérsela concedido, habría podido tomar todas las precauciones posibles, como instalar el mejor sistema de seguridad o contratar a un guarda a jornada completa. Aunque nada de eso habría servido para alejar a Mariama si ella hubiera deseado vengarse. De hecho, ahora no había forma de pararle los pies.

Saqué el teléfono para comprobar los mensajes. A lo mejor Devlin me había llamado, pero no tenía suficiente cobertura como para conectar con el buzón de voz. Mientas contemplaba el agua, un coche patrulla del *sheriff* del condado de Beaufort se acercó y aparcó justo delante de mí.

Las autopsias que hay sobre el asiento del coche, pensé de inmediato. La mujer que me había atendido en la oficina del forense se habría percatado de mi decepción. Pero luego recordé que, técnicamente, los informes de autopsia eran documentación pública. Así que no había hecho nada que mereciera un arresto.

—¿Todo bien por aquí? —preguntó tras bajar la ventanilla.

—Disfrutando del paisaje, eso es todo —respondí.

—Pensé que quizá se le habría averiado a usted el coche —dijo, y señaló con la barbilla el móvil que tenía en mi mano—. Aquí no hay cobertura. Si quiere llamar, tendrá que alejarse varios kilómetros por esa carretera.

Me giré y contemplé el puente.

—¿Y junto al río?

—Qué va. No hace mucho me quedé sin gasolina y tuve que esperar aquí toda la mañana hasta que un alma caritativa se acercó para remolcar el coche. No hay suficientes torres telefónicas en la zona —añadió—. Esto está en mitad de la nada.

—Bien, pues le agradezco que haya venido a ayudarme.

—Aunque yo que usted no me quedaría por aquí mucho tiempo —advirtió—. Estas ciénagas están llenas de drogadictos. Apalearían a su propia madre a cambio de un dólar.

Asentí.

—Lo tendré en cuenta.

Se marchó sin prisas y traté de conseguir cobertura en ambos lados del puente. No tuve suerte, tal y como me había dicho el agente, así que me subí al coche. Me quedé sentada unos instantes, con los ojos fijos en la barandilla protectora, recordando la versión de Ethan del accidente.

Según él, Mariama había llamado al 911 y luego a Devlin mientras el coche se hundía en el río. ¿Cómo se las había ingeniado para hacer no solo una llamada, sino dos, si no había cobertura?

Poco después, me dirigí hacia la parte trasera del cementerio de Chedathy, donde había aparcado el coche en mi última visita. Era primera hora de la tarde, pero el espeluznante trino de un somorgujo me puso los pelos de punta. Esquivé de un salto un charco de agua salobre y me colé en el cementerio.

Según la tradición gullah, las tumbas se decoraban con recuerdos personales, junto con caracolas marinas y trozos de cerámica rota. De vez en cuando, un rayo de sol lograba filtrarse por entre el espeso follaje de los árboles e iluminaba una lápida que, por un instante, parecía un espíritu volando. Me fascinaban esos cementerios antiguos repartidos a lo largo de la costa del país. Todo lo que dejaban sobre los montículos de tierra —lámparas, relojes, pedazos de porcelana y botellas de cristal—, representaba una de sus creencias: que la vida no acababa con la muerte.

Me arrodillé en el lugar donde descansaban los restos de Shani. Aparté todas las hojas marchitas y demás mugre que tapaban el corazón de conchas y caracolas. La vieja muñeca que Devlin había colocado sobre la tumba de su hija el mayo anterior había desaparecido, seguramente por las inclemencias del tiempo. Me quité el anillo del dedo y lo dejé en el interior del corazón, tal y como había hecho la última vez. Luego esparcí unas hojas por encima y esperé a Shani.

Eran las tres y media, demasiado temprano para el fantasma de la niña, así que decidí dar un paseo hasta la casa de Essie. No pretendía presentarme sin avisar, pero, si por casualidad estaba sentada en su porche, me pasaría a saludarla. Quizás incluso podría entablar una conversación y sacar el tema de Darius. Era su nieto, así que debería andarme con cuidado para no ofenderla con mis preguntas.

El sol me quemaba los hombros mientras avanzaba por aquella carretera de gravilla que conducía a la pequeña comunidad de casitas construidas con tablillas. Los pájaros cantaban desde las copas de los árboles, y a lo lejos se oía la inocente risa de niños. Todo parecía muy tranquilo, hasta que avisté a un grupo de hombres alrededor de un agujero en el revestimiento de una de las casas. Me paré a mirar qué había ocurrido y en ese preciso instante deslizaron una camilla por el agujero. Bajo la sábana yacía un cuerpo, de eso no me cabía la menor duda. Distinguí un coche fúnebre aparcado frente a la casa, y los gritos y lamentos se oían desde ahí fuera.

Mientras contemplaba aquella escena tan extraña,

una chica de unos dieciséis años se acercó a mí. Llevaba un bebé entre los brazos y empujaba a un niño para que avanzara con el triciclo. Al igual que yo, se detuvo a contemplar el espectáculo. Era una joven alta y larguirucha, con los pómulos muy marcados y unos ojos luminosos y oscuros. Me resultaba familiar, pero no sabía de qué.

Apoyó al bebé sobre la cadera y me observó con descaro.

—¿Conocías al viejo señor Fremont?

Fremont. Se me erizó todo el vello del cuerpo. Todos mis instintos me gritaban que prestara atención a esa muchacha. Esa era otra de aquellas extrañas coincidencias.

—¿El señor Fremont?

Señaló hacia la casa.

—Murió esta mañana. Ahora lo llevarán al tanatorio, para prepararlo.

—No lo conocía —dije—. Pero conocí a otro Fremont de esta zona. Se llamaba Robert.

—¿El agente de policía? Era el nieto del señor Fremont —contestó. A pesar de la época del año en que estábamos y de que el tiempo ya había empezado a refrescar, llevaba unas chanclas y unos vaqueros. Me fijé en que, bajo el dobladillo deshilachado de los pantalones, asomaban unas uñas pintadas de rosa fucsia.

—¿Cómo conociste a Robert?

—Nos conocimos en Charleston.

—¿Era amigo tuyo?

—Sí, supongo que podría decirse que sí. Menuda tragedia lo que le ocurrió. Su muerte debió de ser un gran golpe para la comunidad.

—Mamá dice que el viejo nunca lo superó.

Nos quedamos en silencio un instante.

—¿Por qué no han sacado el cadáver por la puerta?

—pregunté—. ¿Qué sentido tiene abrir un agujero en la pared?

—Por si regresa —dijo con la piel de gallina—. Cuando cierren el agujero, su espíritu no podrá volver a entrar en esa casa.

—Ya veo.

Se cambió de lado el bebé. Los tres me miraban con aquellos ojos negros y relucientes.

—¿Tienes amigos por aquí? —preguntó con evidente incredulidad.

—No. Tan solo estaba de visita en el cementerio de Chedathy. —Y justo entonces adiviné dónde la había visto antes—. Espera, te conozco —dije—. Te llamas Tay-Tay.

De repente, saltaron chispas.

—Ya nadie me llama así. Soy Tamira. Y ellos son mis hermanos —dijo, y acunó al bebé para calmarlo—. Este es James, y él es Marcus.

Los saludé a ambos.

—Soy Amelia.

—¿Cómo has sabido quién era? —preguntó.

—Pasé por delante de tu casa una vez, con Essie y Rhapsody Goodwine. Las tres te vimos en el porche.

Abrió los ojos como platos, y habría jurado haber visto un destello de miedo. Llamó a otra chica que estaba charlando con un grupo de amigas. Parecía tener un año o dos menos que Tamira.

—Timberly, mueve tu culo hasta aquí. ¡Ya!

La muchacha puso los ojos en blanco y cuchicheó algo a una de sus compañeras. Luego, se acercó corriendo hasta Tamira.

—¿Qué quieres? —preguntó con ademán huraño, y se agachó para rascarse detrás de la rodilla.

—Necesito que lleves al bebé a casa y le des un biberón. Llévate a Marcus también.

—¿Por qué no lo haces tú?

—Porque no puedo —espetó Tamira—. Hazme caso, o le diré a mamá que te has escabullido varias noches para encontrarte con el chaval del viejo Peazant.

—¡No te atreverás!

—Oh, sí, claro que sí. Y no me des más motivos para que desembuche.

Al final, cogió al bebé y lo colocó, con bastante brusquedad, sobre su esquelética cadera.

—No pienso tener hijos nunca. Lo arruinan todo.

Se marchó tirando de Marcus, y Tamira se volvió hacia mí.

—¿Has venido a ver a la señorita Essie?

—No, ya te lo he dicho. He venido al cementerio.

—¿Tienes algún familiar enterrado allí?

—Soy restauradora de cementerios. Me encargo de cuidarlos —musité—. Chedathy es uno de mis favoritos.

—¿Ese pedazo de tierra? —contestó, y se giró hacia la carretera que enlazaba la aldea con el cementerio—. Creo que allí plantarán al señor Fremont, aunque se negaron a enterrar a su nieto ahí.

—¿Por qué?

A pesar del temor que había percibido antes en ella, parecía estar pasándoselo en grande. En su mirada se distinguía el brillo de la prepotencia.

—Por el vudú.

—¿Vudú? ¿Te refieres a magia? —pregunté.

—Magia negra —recalcó, y se inclinó hacia mí—. Dicen que era muy poderosa, lo bastante como para volver del reino de los muertos. Muchos temían que no le dejara descansar en paz, y no querían que él iniciara el viaje de regreso, así que lo enterraron en otro lugar.

—¿Quién no le dejaría descansar?

—Mariama Goodwine.

Noté un aliento gélido en la nuca, aunque faltaban varias horas para el crepúsculo.

—¿La conocías?

—Solía verla en el cementerio. A veces iba allí para reunirse con él.

—¿Con Robert?

Asintió con la cabeza.

—¿Los viste juntos?

—Un montón de veces. ¿Quieres que te enseñe algo?

—Yo…, claro.

Me guio de nuevo hasta el cementerio. Antes de cruzar el umbral del pórtico, se detuvo y se dibujó una cruz sobre el pecho. Después nos adentramos en las profundidades de Chedathy, donde la espesa fronda bloqueaba la luz del sol.

—¿Ves esto? —dijo, y señaló el tronco de un árbol donde había una señal tallada—. Aquí es donde solían verse. Dibujaron estas iniciales en la corteza cuando eran niños.

—¿Qué significa ese símbolo?

—Amor eterno.

Pensé en la historia de amor de Robert y Mariama. Habían estado juntos en la adolescencia. Él la había amado y la había despreciado. Años después, se mudó a Charleston y descubrió que se había labrado un camino sin contar con él. Y, sin embargo, le había permitido volver a entrometerse en su vida.

—¿Cuándo los viste aquí por última vez?

—El día en que le dispararon. Me colé en el cementerio y me escondí justo aquí, detrás de ese árbol. Escuché cada una de las palabras que se dijeron.

Sabía que tenía que pararle los pies a esa muchacha, pero estaba embobada y fascinada con esa historia.

—¿Y qué se dijeron?

Tamira se puso en su papel de actriz. Sacudió los brazos con teatralidad y, por un momento, creí presenciar la escena yo misma.

—Ella le agarraba de la camisa, así —empezó, e imitó los gestos con su propia camiseta—. No le soltaba y le suplicaba que se fugara con ella. Le repetía una y otra vez que era el único hombre al que había querido de verdad, que no quería vivir sin él. Él soltó una carcajada, y le dijo que ella jamás había querido a nadie, salvo a sí misma, y que la única razón por la que había vuelto a buscarle era para burlarse de su marido. Reconoció que había sido un error retomar la relación una vez más y que, aunque hubiera estado enamorado de ella, su trabajo era demasiado peligroso como para formar una familia. No tenía espacio en su vida para una esposa, y mucho menos para una niña.

Terminó con un gesto sobreactuado. Fingía temblar, como si el recuerdo de aquellas emociones la hubiera abrumado.

—¿Te acuerdas de todo eso? —pregunté anonadada.

—Jamás me olvido de nada. Pregúntaselo a Timberly.

—Te creo.

—¿Quieres saber lo que da más miedo de todo? —murmuró, y se acercó como si quisiera revelarme un gran secreto—. Creo que Mariama me visita en sueños e intenta fastidiarme. Soy la única que sabe la verdad, y eso no le gusta.

—¿Qué verdad?

Tamira miró por encima del hombro para cerciorarse de que estábamos solas.

—Le juró a Robert que se arrepentiría si la abandonaba. Y, justo al día siguiente, vi su cadáver precisamente aquí, en el mismo sitio donde habían estado hablando. Fue como si le hubiera envenenado con una raíz… o algo así.

—¿Encontraste tú el cadáver? —pregunté, asombrada.

Asintió con orgullo.

—Pero a Robert le dispararon. Y Mariama no pudo haber sido, porque, cuando lo asesinaron, ella ya estaba muerta.

—Si regresó como *bakulu*, pudo convencer a alguien de que lo hiciera por ella. Eso es lo que hacen. Convierten a los vivos en esclavos.

—Tamira, escúchame: ¿estabas en el cementerio la noche en que asesinaron a Robert? ¿Viste lo que pasó?

De repente, los ojos se le salieron de las órbitas y se llevó las manos a la garganta. Abrió la boca, pero fue incapaz de producir sonido alguno. Al principio pensé que estaba actuando, como antes, pero me di cuenta de que tenía la mirada fija en algo. Me volví.

La figura de Rhapsody Goodwine se alzaba entre dos tumbas. El parecido con su padre, Darius, me resultó tan inesperado y asombroso que me estremecí. Levantó el brazo y señaló a Tamira con el dedo.

—¡Cierra el pico, Tay-Tay!

A mi espalda, la muchacha empezó a ahogarse.

Capítulo 36

*T*amira sufrió un ataque de tos y, entre jadeos, retrocedió varios pasos y se apoyó sobre un árbol. La miré alarmada.

—¿Estás bien?

Como si fuera obra de un hechicero, la asfixia desapareció en un santiamén. Tras recuperar el aliento, la muchacha fulminó con la mirada a Rhapsody.

—¡Aléjate! ¿Me has oído bien? ¡Aléjate de mí!

Miré de reojo a Rhapsody. Seguía de pie entre aquellas dos lápidas. Parecía un ángel caído del cielo, con aquel vestidito amarillo pastel, las botas con cordones y su melena salvaje.

Tamira dio varios pasos atrás, todavía agarrándose la garganta con las manos. Cuando llegó al lindero de la arboleda, se dio media vuelta y echó a correr por el cementerio.

Rhapsody se desternilló de risa.

—¡Mira cómo huye!

—¿Qué le has hecho?

No quería que mi pregunta sonara a acusación, pero no pude evitarlo. Estaba al borde de la histeria.

—Nada —dijo, y se encogió de hombros con inocencia—. Se lo ha hecho ella solita.

—¿A qué te refieres?

—Lo has visto con tus propios ojos. No le he puesto una mano encima, ¿verdad?

Poder de sugestión, así lo había llamado Temple.

Recordé el día en que, escoltada por Essie y Rhapsody, pasé por delante de la terraza de Tamira. La noté intimidada. Quizá fuera por su poder mental, o por otro motivo, pero Rhapsody tenía a la pobre chica muerta de miedo.

—¿Me recuerdas?

—Eres Amelia —respondió de inmediato—. Essie te está esperando.

—¿Cómo ha sabido que estaba aquí?

—Mandó a buscarte —contestó Rhapsody.

—¿A buscarme? ¿Cómo?

Pero, en lugar de sacarme de dudas, me cogió de la mano y me guio por el cementerio. Su piel era cálida y suave, y su perfume me recordaba a las sábanas recién lavadas y al romero. Había heredado la misma corpulencia y sonrisa espiritual de su padre. Su mirada, en vez de color topacio, era verde. Sin embargo, era una niña muy llamativa. Lucía una cascada de rizos negros que quitaba el hipo, y sus andares gráciles y elegantes hacían pensar que flotaba cuando caminaba. Me sujetaba la mano como si fuera a perder el equilibrio en cualquier momento. Ese detalle me desconcertó muchísimo. ¿Me estaba utilizando para sostenerse o me sujetaba como a una prisionera?

Qué idea tan estúpida. No era más que una niña encantadora a quien le fascinaban el drama y las travesuras.

Había crecido desde la última vez que la había visto, y tenía ese aire coqueto que, junto con su belleza exótica, no presagiaba nada bueno para la tranquilidad futura de su bisabuela.

Paseamos juntas por entre las tumbas. La pequeña parloteaba sin parar, intentando hacerme olvidar el episodio con Tamira. Pero lo tenía muy presente. Era imposible averiguar si la asfixia se la había provocado un hechizo o ella misma, pero era evidente que le había impedido continuar con su relato de la noche en que Robert Fremont fue asesinado.

Salimos del cementerio y avanzamos por la carretera maltrecha. Pasamos por delante del abuelo de Fremont, y me fijé en que ya habían arreglado el agujero, bloqueando así el espíritu del viejo. Rhapsody se paró en mitad de la calle para ver cómo el coche fúnebre desaparecía tras la curva.

—¿Conocías al señor Fremont? —pregunté con suma cautela.

—Solía sentarse en el porche y se fumaba una pipa —respondió—. A veces iba a visitarle. Me gustaba el olor del tabaco. Me recordaba a High John el conquistador.

—He oído ese nombre antes. Es una raíz, ¿verdad?

Rebuscó en el bolsillo y sacó un tubérculo leñoso de color negruzco. Me lo entregó y, con cierta indecisión, me lo acerqué a la nariz. De inmediato, reconocí el olor del tabaco de pipa con aroma a cereza y un toque de nuez moscada y canela.

—¿Para qué se utiliza?

—Es muy poderoso —murmuró—. Guárdalo en el bolsillo. Te traerá buena suerte y te ahuyentará de estafadores y embaucadores.

—Gracias. Me puede ser muy útil.

Y hablando de embaucadores…

—La última vez que vine aquí me dijiste que tu padre estaba en África —empecé—. ¿Ya ha vuelto?

Me miró con recelo.

—¿Por qué quieres saberlo?

—Curiosidad, eso es todo. Si no recuerdo mal, añorabas mucho tu casa en Atlanta y echabas de menos a tus amigos.

—Ahora tengo amigos aquí —sentenció—. Y vivo con mi bisabuela.

Presentía que la pequeña no tenía la menor idea de que su padre estaba en Charleston.

Se levantó una suave brisa en cuanto llegamos a la casita de campo. Oía las sábanas agitándose sobre la cuerda de tender y el tintineo de las campanillas en el jardín. Igual que la última vez, Essie estaba acomodada en el porche, encorvada sobre varios retales de tela y con un mantón de ganchillo sobre los hombros. Había colocado los pies sobre un pequeño banco de madera, y las puntas de sus zapatillas asomaban por el bajo de la falda larga que llevaba.

—Aquí está, abuelita —anunció Rhapsody mientras subíamos la escalera—. La he traído hasta aquí, tal y como me pediste.

Essie me repasó de arriba abajo con desaprobación.

—Siéntate, chica. O ese viento te tumbará. *Mae* mía, no *ereh máh* que un saco de piel y huesos.

Me senté sobre el último peldaño y recordé mi última visita a esa casa. Me había desmayado justo ahí, en ese mismo porche. Mi última imagen antes de perder el conocimiento era la de aquel techo pintado de azul aplastándome contra el suelo. Cuando me recuperé, Essie me aseguró que, algún día, Devlin tendría que hacer una elección. Se debatiría entre los vivos y los muertos, y Shani no podría descansar hasta que él reuniera fuerzas para dejarla marchar.

—¿Preparo un poco de té? —sugirió Rhapsody—. ¿Traigo unas galletas, como la última vez?

—Por mí, no te molestes —me apresuré a decir—. No puedo quedarme mucho tiempo.

—Entonces, ¿puedo salir a jugar un poco, abuelita? ¿Por favor? Ya he acabado todos los deberes.

Essie miró al cielo.

—Vuelve *anteh* de que *anoshesca* —dijo con severidad—. No me obligues a *salí* a buscarte otra *ves*.

—No, te lo prometo —respondió. La pequeña me dedicó una sonrisa dulce y radiante, pero algo me hacía desconfiar—. Podrías quedarte para el Corro de Grito.

—¡Largo! —exclamó Essie mientras sacudía las manos.

Rhapsody se marchó como un rayo.

Me volví hacia la anciana.

—Me ha dicho que me has mandado a buscar. ¿Cómo has sabido que estaba aquí?

—Esa cría *dise mushah cosah* —gruñó, y esquivó mi pregunta.

—¿Sabes por qué he recorrido tantos kilómetros para venir aquí?

Ella siguió cosiendo, ignorando todos mis comentarios.

—Por Shani.

—Me temo, *entonses*, que *eh* ella quien *ta enviao* aquí.

—En cierto modo, sí.

—Últimamente sueño *musho* con esa niña —dijo Essie—. Me quita *e* sueño *demasiadah noshéh. Tá* inquieta, no *pue* pasar página. No sabe a qué lugar *pertenese. Nesesita* ayuda.

—Por eso estoy aquí. Quiero ayudarla, pero no sé cómo.

Por fin, Essie levantó la vista de su labor. Aquellos ojos eran solemnes, suplicantes.

—Díselo.

Respiré hondo.

—Te refieres a John.

—No puede *prentende* que se *quee* aquí *pa* siempre. Ha llegado el momento de que la *dehe marsha*.

—¿Y si no me cree?

—*Pue* insiste, porque *tie* que *se* ahora —murmuró.

El apremio de la anciana me recordó a Robert Fremont. Ansiosa, me incliné hacia delante.

—¿Por qué ahora?

—*Lah señaleh* así lo indican, *po* eso.

Cogió las tijeras y cortó un hilo. Esperé a que continuara, pero enseguida me percaté de que, para ella, la conversación ya había terminado. Quería preguntarle sobre Darius, pero ¿qué esperaba que me contestara? ¿Que su nieto era el mal personificado? Sospechaba que, al igual que Rhapsody, era ajena a su regreso.

Me quedé sentada observando cómo cosía. El movimiento y el brillo de la aguja me tenían fascinada. Pasado un rato, caí en la cuenta de que debería volver al cementerio.

Cuando me puse en pie, volvió a levantar la mirada de la tela.

—Ve a *busca* a esa Rhapsody, y envíala *pa* casa.

—De acuerdo.

Y entonces me dijo algo muy extraño.

—La *raí pue se* oscura o clara. Ten *cuidao* en quién *confíah*. Observa *lah señaleh*, chica. Y vigila el tiempo.

Capítulo 37

«*O*bserva *lah señaleh*, chica. Y vigila el tiempo.»

Medité sobre el mensaje críptico de Essie durante todo el camino de vuelta al cementerio. Las señales se podían traducir en las sincronías y coincidencias que me estaban persiguiendo desde la primera noche en que pisé el jardín de Clementine. Pero ¿se me habían pasado por alto otras señales? ¿Y cómo se suponía que iba a vigilar el tiempo?

«La *raí pue se* oscura o clara. Ten *cuidao* en quién *confíah*.»

Quizá sí estaba al corriente de las últimas noticias y sabía que Darius había vuelto a la ciudad. Essie se había mostrado vagamente precavida y, por un instante, pensé que podría ser su forma de advertirme sobre él.

Ladeé la cabeza y de inmediato noté ese martilleo que anunciaba una migraña horrible. De pronto, todas esas advertencias oscuras, señales y pesadillas se arremolinaron en la parte delantera del cerebro. Anhelaba aquellos tiempos en que mi única preocupación era la de evitar a los fantasmas. Me temía que esa época no volvería a repetirse jamás. Había desobedecido cada una de las normas de mi padre y varios fantasmas habían invadido mi santuario, pero ahora no tenía tiempo para compadecerme de todo eso. Albergaba la esperanza de que, si encontraba al fantasma de Shani y le ayudaba a romper las cadenas que le ataban a este mundo, podría conservar mi tranquilidad.

Una vez más, atravesé el pórtico de acceso al camposanto y me abrí camino hacia su tumba. Me senté en el suelo y esperé a que anocheciera. Para ser franca, estaba muerta de miedo. No en todos los cementerios habitaban fantasmas, y prueba de ello era Oak Grove, donde no merodeaba ni un solo espíritu. Pero tenía la corazonada de que, a pesar de las precauciones tan minuciosas que esa pequeña comunidad llevaba a cabo antes y después del entierro, cuando llegara el ocaso Chedathy estaría plagado de entidades.

Aunque, a decir verdad, junto a la tumba de Shani apenas se oía una mosca. De hecho, el silencio era tan aplastante que reconocí un lejano murmullo de voces. En cuanto el sol se deslizó tras las copas de los árboles, un grupo de hombres cargados con palas abandonó el cementerio. Deduje que habían venido a cavar la tumba del señor Fremont, lo que me hizo pensar en el lugar de descanso de Robert, a casi setenta kilómetros de Charleston, en el cementerio de Coffeeville.

Según la propia Tamira, le habían enterrado allí para liberar su espíritu de Mariama. Pero, a pesar de los kilómetros que los separaban, el pobre Robert no había podido descansar. ¿Cómo se mediría la distancia y el tiempo detrás del velo? Sin embargo, quien perturbaba sus sueños no era Mariama. Robert no descansaría hasta encontrar a su asesino y llevarlo ante la justicia.

Anocheció y la temperatura descendió en picado. Tiritando, encogí las piernas y apoyé la barbilla sobre las rodillas, esperando ansiosa a que la paz del día se esfumara y la oscuridad nocturna se arrastrara desde las ciénagas. El resplandor que se apreciaba en el horizonte empezó a apagarse y, como era habitual, se levantó una suave brisa que agitó las hojas marchitas. Sonaban como un badajo, pero el ritmo me desconcertó. Transmitía una energía extraña y se me disparó el pulso. Justo entonces percibí otro sonido, el sonsonete de una canción de cuna. Incliné la cabeza y agucé el oído.

El pequeño Dicky Dilta
tenía una mujer de plata.
Cogió un bastón y le partió la espalda,
para venderla a un molinero.
El molinero no quiso quedársela,
así que la arrojó al río.

Me levanté y seguí ese cántico a través del cementerio. Sin embargo, no era Shani quien me llamaba. La voz pertenecía a alguien mayor que ella, a alguien, sin duda, mucho más mundano, porque no percibía el eco metálico del otro lado. Pero oír aquella rima infantil en el cementerio de Chedathy debía significar algo. Sin duda era una de esas señales que tanto Clementine como Essie me habían aconsejado que vigilara.

A medida que me acercaba al claro del bosque donde Tamira me había llevado antes, me deslicé con suma cautela y me escondí tras el mismo árbol desde el que había espiado a Robert y Mariama. Escuché inquieta la canción unos segundos más, y luego me atreví a asomarme y a echar un vistazo.

Rhapsody estaba sentada en el suelo, revolviendo una caja de hojalata mientras canturreaba la canción. Alrededor de ella advertí un montón de raíces en bolsitas, y botes diminutos llenos de polvos y hierbas. Se guardó uno de los viales en el bolsillo de la chaqueta, y puso el resto en la cajita antes de cerrar la tapa. Después se levantó y escondió la caja en las profundidades de un agujero de un árbol.

Se apresuró a marcharse de allí, pero, en lugar de venir hacia mí, se escabulló hacia la parte de atrás del cementerio, donde tenía aparcado el coche. Me sentía atrapada entre la espada y la pared. Una parte de mí deseaba huir de allí lo antes posible; otra, hurgar en el interior de esa cajita metálica. No me enorgullecía haber acechado a una niña, pero el hecho de que hubiera tarareado la misma melodía que Shani había entonado para guiarme hasta el jardín de Clementine no podía ser fruto de la casualidad. Tenía que significar alguna cosa. Era una pista. O quizás un mensaje del fantasma de la pequeña.

Corrí a toda prisa hacia el árbol y metí el brazo en el agujero de la corteza. Enseguida noté el metal frío de la cajita. Después, caja en mano, me arrodillé en el suelo y abrí la tapa. Ahogué un grito al ver lo que escondía. No era ninguna experta en armas, pero me habría jugado el cuello a que aquel revólver era el 38 de Devlin. No lograba explicarme cómo había llegado a manos de Rhapsody. Era imposible que estuviera implicada en el asesinato. No era más que una niña. Asustada, cerré la cajita y volví a guardarla en el agujero. Luego salí en búsqueda de Rhapsody.

Había oscurecido, pero la luna todavía no había aparecido. De vez en cuando, vislumbraba su silueta menuda moviéndose entre los árboles. A lo lejos, se oía un cántico escalofriante acompañado del ritmo seductor de un tambor. Rhapsody saltó la valla, atravesó la calle y desapareció tras el lindero del bosque. Dudé por un instante, pero la seguí.

En el bosque reinaba una penumbra absoluta, y ni siquiera alcancé a ver hacia dónde se dirigía la pequeña. Me dejé guiar por esos redobles y crucé varias cortinas de hiedra y musgo negro. El suelo que pisaba se tornó más blando, señal de que me aproximaba a las ciénagas. La atmósfera olía a salmuera y humo mezclados con una esencia que no fui capaz de identificar.

Serpenteé entre los árboles que bordeaban un claro y atisbé una multitud que se había reunido allí. Todos golpeaban el suelo con bastones y varas para crear un tempo frenético. En el centro del claro, varios bailarines se movían en sentido contrario al de las agujas del reloj, alrededor del círculo, pisoteando y dando palmas al ritmo del compás, gritando cuando les venía en gana.

Era una celebración de júbilo. Aunque no había indicios para ello, me sentía amenazada. No por el ritual o el vapuleo de los bastones, o por los bailarines, sino por algo que merodeaba en ese bosque. Notaba el frío decadente de espíritus acechantes. No sabía si se acercaban atraídos por el ritual o por mí. Un poco de ambas cosas, sospechaba, porque la sinergia generada por aquella ceremonia era asombrosa.

Quizás aquel ritmo incesante me había hipnotizado, y por eso no me percaté de aquella gigantesca sombra hasta que la tuve encima.

Distinguí el trino de un ruiseñor un segundo antes de que me rociara unos polvos relucientes. Intenté contener la respiración, pero fue inútil, porque la sustancia se filtró por mi piel. Cuando por fin abrí la boca para coger aire, saboreé el amargor de un alcaloide en la lengua.

El corazón cada vez me latía más despacio. Mis movimientos se volvieron torpes. No noté ni una pizca de dolor ni de miedo. Me sentía arropada por un manto de paz y de ensueño, aunque oía un zumbido incesante en los oídos. Era una miríada de sonidos, pero, si prestaba atención, podía separarlos del repiqueteo y de los cánticos del ritual. En lo alto de un árbol, el gorjeo de un ruiseñor. A lo lejos, el sonido de una tremenda carca-jada. Incluso oí a Essie llamando a Rhapsody.

Aquellos ruidos eran reales, no me los estaba imagi-nando. No eran fruto de un alucinógeno o cualquier otra sustancia química. Probablemente, había entrado en un estado de conciencia alterado, pues, de repente, miré hacia abajo y vi mi cuerpo yaciendo sobre el suelo.

Capítulo 38

De pronto, abrí los ojos. Estaba junto a la multitud, balanceándome al son de aquel compás hipnótico. Al principio, me preocupaba que alguien viniera a echarme de allí, pero al parecer nadie me prestó la más mínima atención. La ceremonia continuó, aunque el redoble de tambores y los bailes ceremoniales se volvieron más frenéticos y delirantes a medida que la noche avanzaba.

Eché un vistazo al círculo de asistentes y reconocí algunos rostros. Rhapsody se unió a la coreografía enloquecida, pisando el suelo con los pies descalzos mientras doblegaba el cuerpo con los brazos extendidos hacia el cielo. Al otro extremo del claro atisbé a Layla, contoneándose al compás de la música. Por su presencia, intuí que Darius debía de estar rondando también por allí, aunque no le di más importancia al tema. Estaba temblando, pero no de miedo, sino de emoción.

A varios metros de aquel claro, alguien había encendido un fuego y, a medida que los asistentes caían rendidos, abandonaban el círculo para congregarse alrededor de la fogata. Contemplé las llamas donde empezaba a formarse la imagen de una pareja entrelazada. Se habían despojado de toda su ropa y se abrazaban mientras sus cuerpos latían al son de los tambores. El cabello de

Mariama se balanceaba sobre su espalda desnuda. Extendió la mano sobre el corazón de Devlin, y él la agarró, aunque era imposible saber si para apartarla o estrecharla aún más entre sus brazos.

Ladeó la cabeza y me miró como siempre hacía en mis sueños. Pero esta vez no distinguí su sonrisa seductora ni su invitación burlona. Lo único que percibí en sus ojos fue rabia, y eso me aterró, porque ya no solo temía por mí, sino también por Devlin.

Robert Fremont apareció a mi lado. Él también observaba detenidamente el fuego.

—Tú también los ves —dije.

—Sí.

—Nunca le dejará marchar, ¿verdad?

—No, a menos que encuentres un modo de detenerla.

—¿Cómo?

Se volvió hacia mí y vi las llamas reflejadas en los cristales de sus gafas oscuras.

—Cuéntale a Devlin lo que ha hecho.

—¿Qué quieres decir?

—Ya lo sabes.

Y así era, lo sabía. Las pruebas habían estado allí todo el tiempo, pero no había querido verlas. Me había negado a creer que alguien pudiera ser capaz de tal abominación, de un acto de crueldad tan atroz.

—Quedaste con Mariama el día antes de que te dispararan en el cementerio de Chedathy. Era su perfume el que impregnaba tu ropa cuando falleciste —dije, algo aturdida.

—Sí.

—Discutisteis. Le dijiste que en tu vida no había cabida para una esposa, y mucho menos para una hija. Cuando se marchó, empotró el coche a propósito contra el guardarraíl. Ethan Shaw me aseguró que Mariama intentó pedir ayuda por teléfono mientras el coche se hundía. Pero eso era imposible, porque no hay cobertura ni en el puente ni en el río, así que tuvo que hacer esas llamadas desde el cementerio. Lo tenía todo calculado. Pero ¿por qué nadie se ha preguntado todo esto hasta ahora?

—¿Por qué alguien pondría en tela de juicio una llamada de socorro? Todo el mundo creyó que había sido un trágico accidente. Incluso John.

—Pero tú no.

—La conocía —respondió con voz fría y lejana—. No era el tipo de mujer capaz de quitarse la vida. Su intención era nadar hasta la orilla y dejar a Shani atrapada dentro del coche, pero el cinturón de seguridad se quedó atascado. Mariama intentó deshacerse de su única hija, y ahora están unidas para siempre.

—Le arrebató a su propia hija —murmuré—, a lo único que le importaba en este mundo.

—Y ahora te ve como una amenaza —añadió Fremont—. Shani es el lazo que le permite seguir en este mundo, y tú eres la única que puedes liberar a esa niña.

—¿Cómo?

—Convenciendo a John de que la deje marchar.

—No sé si puedo hacerlo.

—Nadie, y mucho menos Shani, podrá descansar hasta que lo consigas.

De pronto, una figura alta y esbelta surgió de entre las sombras y vino hacia mí. Aquella mirada topacio resplandecía a la luz de la hoguera.

—¿Qué haces aquí? —pregunté.

—He venido a verte.

—¿Estoy muerta?

—No estás muerta, todavía.

—Pero me has rociado con polvo gris.

—Eso no ha sido más que un hechizo inofensivo —rebatió—. Esto es polvo gris.

Entonces sacó un vial del bolsillo y capté el centelleo de un polvo muy muy fino.

—Cógelo —me dijo—. Lo necesitarás para tu viaje.

Deseaba preguntarle para qué me serviría el polvo en un sueño, pero, en lugar de eso, acepté el vial y lo guardé a buen recaudo.

—Has ordenado que me sigan. ¿Por qué? —pregunté.

Aquellos ojos titilaron.

—Por quién eres. Por lo que eres. Cuentas con un poder inmenso que no explotas porque no sabes cómo utilizarlo. Pero pronto lo entenderás. Te enseñaré todo lo que sé.

—¿Y si declino tu oferta? ¿Me matarás, como hiciste con Tom Gerrity?

—¿Crees que yo le maté? —preguntó divertido—. ¿Por qué iba a molestarme en alguien tan intrascendente?

—Para acusar a Devlin de asesinato.

—No tengo interés alguno por John Devlin. A menos que se entrometa en mi camino otra vez.

—¿Otra vez?

—En una ocasión, me quitó algo muy valioso para mí. Y ahora, por fin, he hallado el modo de recuperarlo.

Desvió la mirada hacia el lindero del bosque, donde estaba Shani. La pequeña me tendió la mano, pero, cuando me acerqué a ella, se desvaneció.

Darius se inclinó y me susurró al oído.

—No puedes ayudarla en un sueño. Tendrás que cruzar. Te estaré esperando al otro lado.

Capítulo 39

Oí a Devlin gritando mi nombre. Me volví algo ador-
mecida y parpadeé varias veces porque tenía la vista nu-
blada, borrosa. Me miraba fijamente y, tras unos segundos, caí en la cuenta de que me estaba sacudiendo para
despertarme.

—¡Amelia! ¿Puedes oírme?

—Sí, puedo oírte. ¿Cómo has sabido dónde encontrarme?

—Essie me ha enviado a buscarte. Estaba preocupada
por ti.

—¿Has venido en coche desde Charleston para buscarme?

—Ya estaba aquí —dijo—. No nos hemos visto en
casa de Essie por pura casualidad.

—Ah.

Entonces me percaté de que el son de los tambores
había enmudecido. El bosque estaba en completo silencio. Estaba tumbada sobre el suelo, y solo podía ver su
rostro y las copas de los árboles.

—¿Lo has oído? —pregunté.

—¿Oído el qué?

—El ruiseñor. Siempre canta cuando Darius está
presente.

Su voz se tornó más severa.

—¿Has visto a Darius?

—Sopló un puñado de polvos y luego se me apareció en sueños. ¿Crees que los pudo traer desde África?

—Es uno de sus trucos, nada más. Ven —murmuró, y me cogió del brazo—. ¿Puedes sentarte?

Lo intenté, pero todo a mi alrededor empezó a dar vueltas, así que decidí tumbarme de nuevo.

—Necesito un minuto.

—¿Puedes decirme al menos por qué has venido hasta aquí?

—Quiero averiguar quién mató a Robert Fremont.

—¿Por qué?

—Yo… no quiero que te culpen de su asesinato.

—No te preocupes por eso.

—Pero puedo ayudarte —repliqué—. He encontrado tu revólver.

—¿Qué?

—Es cierto. Vi a Rhapsody coger una caja metálica del agujero de un árbol. Dentro había una pistola y, aunque no entiendo de armas, estoy convencida de que era la tuya.

—Quizá todavía estabas soñando —contestó con tono incrédulo.

—No, eso fue antes de que Darius viniera. Lo recuerdo perfectamente.

—¿Y dónde está ese árbol?

—En el cementerio. Puedo llevarte hasta allí, si quieres.

Me ayudó a incorporarme.

—¿Tienes fuerzas para caminar?

Me tambaleé, pero él enseguida me cogió entre sus brazos.

—No pasa nada. Te llevaré.

Enterré la cara en su hombro sin protestar.

—Eres fuerte. Más de lo que aparentas.

—Y tú muy ligera —rebatió—. Has perdido peso desde la primavera pasada.

—Eso es porque me acechan.

—¿Quién te acecha? —susurró.

—Tú.

Contuvo la respiración, pero no musitó nada más hasta que llegamos a la carretera donde yo tenía el coche aparcado. Luego me dejó en el suelo con sumo cuidado.

—¿Hacia dónde?

Señalé el laberinto de lápidas que había en la parte trasera del cementerio.

—Por ahí.

Avanzamos en silencio por el sendero, escuchando el sonajero de hojas. Los fantasmas también se estaban agitando. Percibí una presencia fría a nuestra espalda, pero preferí no mirar atrás. Con Devlin a mi lado me sentía más segura.

Cuando alcanzamos el árbol, metí el brazo en el agujero y palpé el interior en busca de la cajita. Pero no hallé nada.

—Estaba aquí hace poco. Rhapsody ha debido de llevársela.

—No me explico cómo ha conseguido el revólver —dijo Devlin—, si es que es el mío.

—También he pensado en eso. Sospecho que estaba en el cementerio esa noche. Debió de toparse con el cadáver. Quizá pensó que Darius era el responsable y se llevó la pistola para protegerle.

—¿Estás segura de que no sabía que la estabas siguiendo?

—Lo dudo mucho, la verdad.

—Tengo que hablar con ella —resolvió Devlin—. Pero antes quiero llevarte a casa para que no corras ningún riesgo.

—¿Y si se deshace del arma en tu ausencia? ¿O se la entrega a Darius?

—Probablemente, ya lo haya hecho —comentó él.

—Además, estoy de acuerdo en que deberías tener una charla con ella. No tienes por qué llevarme a casa. No tengo miedo. No cuando estoy contigo.

—Da lo mismo —dijo—. Ya tengo miedo yo por los dos.

Pero Devlin no parecía en absoluto asustado.

Atravesamos de nuevo el cementerio para llegar al coche. Abrió la puerta y la sujetó para que entrara. A pesar de todo lo acontecido, me moría por besarle. Quería reivindicar mi derecho, en caso de que Mariama estuviera espiándonos entre las sombras, lo cual era una estupidez, porque todavía no sabía qué era capaz de hacerme. De hacernos.

—¿Y tu coche? —pregunté.

—Volveré más tarde. No puedes conducir hasta casa en este estado. Además, no pienso dejarte sola hasta que averigüemos qué se trae Darius entre manos.

Rodeó el vehículo y subió. Apoyé la cabeza en el asiento y estudié su perfil.

—Hace frío aquí —observé—. ¿Lo notas?

—Encenderé la calefacción.

—No servirá de nada.

Frunció el ceño sin apartar la vista de la carretera.

—¿Por qué dices eso?

«Porque ella emana este frío.»

Miré de reojo el asiento trasero. La mirada oscura de Shani se cruzó con la mía y la pequeña se llevó un dedo a los labios.

Seguía tiritando cuando llegamos a casa, aunque el espíritu de Shani se había esfumado hacía varios minutos.

Devlin me llenó la bañera con agua bien caliente. Cuando se dispuso a marcharse del cuarto de baño, le cogí de la mano para impedirle que me dejara sola. Con aquella mirada oscura y de párpados caídos, me desvistió y me metió en el agua. Quizá fuera por todo lo que habíamos pasado juntos, o porque seguía bajo los efectos de la droga de Darius, pero no me avergonzaba desnudarme ante él. Ni siquiera me ruboricé cuando él se arrodilló junto a la bañera para frotarme con la esponja.

Después, nos tumbamos en la cama y me acurruqué entre sus brazos.

—¿Mejor? —preguntó.

—Sí.

—Pero estás temblando.

—No es del frío.

Me estrechó para ofrecerme su calor.

—¿Vas a huir esta vez?

—No quiero, pero es posible que no me quede otra opción —admití, y le miré—. Hará todo lo que esté en su poder para separarnos.

—¿Quién?

—Mariama.

Devlin no se movió, pero enseguida noté que se abría un abismo entre nosotros.

—Mariama está muerta.

—Pero sigue aquí. Y tú lo sabes muy bien. Sentiste aquella ráfaga de viento en tu casa. Sentiste su presencia. No ha pasado página, y Shani tampoco.

Al pronunciar el nombre de su hija, tensó todo el cuerpo.

—¿De qué estás hablando? Están muertas. No pueden volver. Lo sé mejor que nadie.

—Pero siguen aquí. Las he visto.

—Has debido de soñarlo… o alucinarlo —espetó—. Y punto.

—John...

—Para —interrumpió, y apartó la mirada.

Me tumbé y clavé la mirada en el techo de mi habitación. Quería de todo corazón ayudar a Shani, pero él aún no estaba preparado para escuchar la verdad. No quería dejarla marchar. Y quizás ese día jamás llegaría.

La habitación estaba completamente a oscuras cuando me desperté. Devlin seguía tumbado sobre el edredón, y yo enroscada junto a él. Habría deseado quedarme así para siempre, pero todavía notaba el amargor de la droga de Darius en la lengua, así que me levanté y fui al cuarto de baño para cepillarme los dientes y quitarme ese sabor. Cuando volví a la habitación, sentí el frío de inmediato. La luz de la luna se colaba por las ventanas y su resplandor pálido me permitía ver a Devlin con perfecta claridad.

Una luz espectral se cernía sobre él. Al igual que Shani, Mariama había encontrado el modo de irrumpir en mi santuario, aunque no había podido adentrarse del todo.

Debí de hacer algún ruido porque, de repente, me fulminó con la mirada. La rabia que sintió al verme allí le otorgó la energía que necesitaba para manifestarse. En un abrir y cerrar de ojos, se abalanzó sobre el detective y le besó con sus labios de hielo.

El terror me paralizó de pies a cabeza. Me quedé de pie, observando cómo Mariama absorbía su fuerza vital. Presentía que también se estaba alimentando de mi miedo, así que respiré hondo y utilicé hasta la última gota de mi fuerza de voluntad para ocultar mis emociones.

Para mi sorpresa, el espíritu se esfumó al instante. ¿De veras era tan fácil deshacerse de ella? ¿O su presencia había sido fruto de mi imaginación?

Me acerqué a Devlin y posé una mano sobre su pecho para notar el latido de su corazón. De repente, se levantó de la cama y me sacudió con brusquedad. Me miraba con los ojos ciegos, y pensé que quizá seguía dormido. O que tenía a Mariama metida en la cabeza.

—No pasa nada. Soy yo. Amelia.

Me cogió de la mano, y por un instante pensé que iba a apartarme.

—¿John?

Tenía la mirada encendida e imperturbable. Poco a poco, entrelazó sus dedos con los míos y me rodeó la espalda con un brazo. Después deslizó la otra mano por mi pecho, acariciándome el estómago, rozándome el interior de los muslos, y solté un suspiro rasgado. Apenas me apretaba contra él, de modo que me habría sido muy fácil rechazarle, pero no quería. Si Mariama todavía andaba a mi acecho, mi yo más perverso ansiaba que fuera testigo de cuánto me deseaba su marido.

Se puso en pie para despojarme de toda la ropa e hice lo mismo, le quité la camisa por la cabeza y le desaté el cinturón. Llegados a ese punto, solía sentirme insegura de mí misma, pero ese día me sentía envalentonada, y de pronto me vino a la memoria algo que Darius había dicho en mi sueño: «Cuentas con un poder inmenso que no explotas porque no sabes cómo utilizarlo».

Los dos estábamos desnudos, mirándonos a los ojos con el reflejo de la luna como única luz. Me pasó una mano por el pelo, y varios mechones resbalaron entre sus dedos. Me cogió por la nuca y me regaló un beso que duró varios segundos. Sentía que una bomba estaba a punto de estallar. Me temblaba todo el cuerpo y, sin embargo, jamás había sentido tanto control de la situación. Fui bajando la mano hasta encontrarle, y él gruñó en mi boca.

—No pares —murmuró.

No tenía intención alguna de detenerme. De hecho, acababa de empezar. No era una novata en la cama, aunque tampoco una experta. Pero sabía perfectamente cómo complacerle. Un roce con la lengua, un susurro y ya era mío.

Habría jurado notar el aliento gélido de Mariama en el cuello cuando me arrodillé ante él. Incluso percibí el tacto frígido de su mano sobre la mía, tratando de guiarme. Pero cuando miré por encima del hombro no aprecié su rostro espectral en el espejo, sino el mío. Me brillaban los ojos y había torcido los labios en una sonrisa secreta.

—Sí, mírate —farfulló Devlin cuando cruzamos nuestras miradas en el cristal—. Mira lo que haces.

Me levanté con suma lentitud, frotándome contra su cuerpo, y le abracé antes de fundirnos en un apasionado beso. De pronto, me apartó y me estudió el rostro.

—Esta noche te veo distinta.

—¿Ah, sí?

—Estás radiante. Es como si hubieras despertado algo que invernaba en tu interior.

—O quizá sea que esté…

—¿Qué?

Enamorada.

Pero no tuve el valor para pronunciar aquella palabra en voz alta.

—Quizás es que te desee —respondí.

Se le encendió la mirada.

—Ven aquí, entonces.

Las ventanas se habían empañado, arropándonos con una luz brumosa. Si algún fantasma asomó la nariz para vernos, no me di cuenta. Había puesto toda mi atención en Devlin y en ese calor vibrante que manaba de mi interior.

Nos dejamos caer sobre la cama y me deslicé encima

de él. Me sujetó por las caderas y empezamos a movernos lentamente, hasta encontrar nuestro ritmo.

Nos movíamos como la marea de un océano, y me incliné para besarle. De inmediato, sentí su húmeda lengua en la boca. Se incorporó y lo envolví con mis piernas. Aquel cambio creó una nueva fricción, una presión distinta y resollé cuando me penetró, pues no me esperaba esa sensación.

Nos compenetrábamos como dos amantes expertos. Cuando oí a Devlin decir mi nombre con su acento sureño, cerré los ojos y me entregué por completo a él.

Me desperté en una cama vacía en mitad de la noche. Lo encontré sentado en la terraza, con la mirada fija en el columpio que se balanceaba hacia delante y atrás. Parecía que el vaivén le había hipnotizado. Observé la estampa y no pude evitar contemplar a Shani disfrutando en ese columpio, estirando las piernas para tomar impulso, luciendo su vestido azul.

Devlin ni se molestó en mirarme cuando me senté a su lado. Era como si no pudiera apartar la vista del jardín.

—¿Cuánto tiempo llevas aquí? —pregunté.

No hubo respuesta.

—¿Estás bien?

—No sopla el viento —dijo, y luego se giró. Al ver su expresión, se me aceleró el corazón—. No sopla el viento.

—Lo sé.

—Explícame entonces cómo es posible —murmuró.

Le acaricié el brazo y, aunque una parte de mí esperaba que se retrajera, me cogió de la mano. Tenía la piel helada, así que intuí que debía de llevar a la intemperie un buen rato.

—Ya lo sabes —susurré—. Tú también presenciaste esas ráfagas de viento tan extrañas en tu casa.

Arrugó la frente.

—Es una casa vieja.

—Estoy convencida de que en tu casa has sentido frío. Seguramente, también hayas visto fluctuaciones eléctricas. Sonidos inexplicables y perfumes conocidos.

—¡Es imposible! —gritó.

Comprendía su enfado. Le estaba forzando a afrontar algo que durante años se había empeñado en mantener enterrado.

—Siguen aquí, John.

Cerró los ojos y se estremeció.

—Shani está en el columpio. Pero eso ya lo sabes, ¿verdad? Lleva un vestido azul y una cinta en el pelo.

Devlin me miró horrorizado.

—La enterramos con un vestido azul. ¿Cómo diablos lo has sabido?

—Porque la estoy viendo. Veo fantasmas. Heredé esa habilidad de mi padre. Desde la noche en que te conocí, Shani no se ha separado de ti. Lleva mucho tiempo tratando de decirte algo, pero no puedes escucharla. No puedes verla.

—Dios mío —musitó, y se llevó las manos a la cabeza.

Se me había formado un nudo en la garganta, pero me lo tragué y proseguí:

—Tu sentimiento de culpa y tu dolor la mantienen anclada a este mundo, pero ha llegado el momento de que siga adelante. Debes dejarla marchar.

Atisbé el destello del anillo de la pequeña en el jardín, el mismo anillo que había dejado sobre su tumba esa misma tarde. Suponía que lo había dejado allí para que lo encontrara, porque sabía que su padre necesitaría una prueba fehaciente para creerme. Lo recogí y se lo entregué.

—¿Acaso no es este su anillo?

Devlin miró incrédulo el anillo y cerró el puño.

—¿De dónde lo has sacado?

—Me lo dio ella. Es su forma de comunicarse conmigo.

Inspiró hondo.

—Le regalé este anillo por su cumpleaños. Lo llevaba cuando…

—Lo sé. Pero ¿cómo, si no, lo habría conseguido? Se lo he llevado dos veces a la tumba, y dos veces me lo ha devuelto.

—Imposible —repitió.

De pronto, el columpio dejó de balancearse y Shani apareció a su lado. Acarició la mejilla de su padre con sumo cariño.

—Puedes sentirla, ¿no es así? Concéntrate.

Cerró los ojos de nuevo y acercó una mano a la cara.

—Estás tocando su mano con los dedos.

Y así se despojó de su armadura estoica.

—Shani…

—Está aquí, John. Siempre lo ha estado.

Sollozaba y, entre lágrimas, suspiró.

—Huelo a jazmín.

—Sí. Es ella.

La niña se agachó y apoyó la cabeza sobre la rodilla de John. Él, de forma automática, se llevó la mano a la pierna.

—Lo que ocurrió no fue culpa tuya —continué—. Quiere que lo sepas.

Ese no era el mejor momento para contarle todo lo que Mariama había hecho. Esos segundos con su hija eran demasiado valiosos como para estropearlos.

—Debería haberla protegido. —Su voz sonaba atormentada, y eso me partió el corazón—. Debería haber estado ahí para salvarla.

—Ya es hora de que te liberes de tu culpa. Debes hacerlo para que tu hija pueda pasar página de una vez por todas. Pero una parte de ella siempre estará aquí, contigo. Ocupará un lugar muy especial en tu corazón. Necesita saber que estarás bien sin ella, que aceptas que se marche.

Extendió los dedos y Shani cogió el anillo. La gema granate relucía bajo las estrellas, y la pequeña se lo puso. Devlin no salía de su asombro. No podía ver a su hija, por supuesto, pero presenció cómo el anillo flotaba de su palma.

—Shani —murmuró.

Cogió la mano de su padre y después la mía. Sentí un escalofrío.

—Tengo miedo —dijo la niña.

—¿De qué tienes miedo? —pregunté.

—El hombre malo no deja que me vaya. No me dejará salir de ese lugar tan oscuro. ¿Me ayudarás? —suplicó.

—Sí.

—¿Lo prometes?

—Sí, lo prometo.

Dejé a Devlin en la terraza. Se merecía un momento a solas, y a mí me urgía resolver el misterio de encontrar a Shani. Darius había dicho que, si quería ayudarla, no tendría más remedio que cruzar al otro lado. Pero ¿cómo saber a ciencia cierta que no era otra de sus tretas?

Me encerré en el cuarto de baño y vacié todos los bolsillos de mis vaqueros desgastados hasta dar con el vial de polvo gris. Había sido un sueño, pero Darius se las debía de haber ingeniado para encontrar el momento perfecto y deslizar la ampolla en mi bolsillo. En realidad, no me sorprendió encontrarlo ahí, ya que, después de todo, me lo había dado por una razón. Y cuando cruzara la frontera que separaba ambos mundos, él estaría esperándome al otro lado.

Salí del baño y fui a la cocina. Observé ese polvo reluciente durante un buen rato, con la advertencia de Devlin rondándome por la cabeza: «Paraliza el corazón y provoca la muerte».

Pero ¿cómo, si no, iba a colarme por el velo? Albergaba la esperanza de que pudiera regresar. Por mucho que cavilé, no se me ocurrió otro modo de llegar a Shani.

Espolvoreé la sustancia sobre la palma de mi mano y acerqué la nariz. Percibí una esencia suave, pero no me resultó desagradable. Antes de que pudiera cambiar de opinión, inhalé el polvo. Al principio, no noté ningún cambio aparente. Mis constantes vitales se mantuvieron y no me invadió una sensación de letargo. Por suerte, tuve la claridad mental de sentarme en el suelo, porque, un segundo más tarde, una luz blanca cegadora explotó en mi cerebro.

Oía un molesto zumbido en los oídos y el pecho me vibraba. Después, abrí los ojos poco a poco, como si estuviera despertándome de un sueño muy profundo. Al principio, no adiviné dónde estaba, pero en cuanto miré a mi alrededor percibí una extraña familiaridad. El cielo estaba teñido del color del crepúsculo, y advertí una espiral de neblina en la distancia.

Ante mí se abría el pórtico de un majestuoso cementerio. Distinguí hileras infinitas de estatuas y monumentos, pero enseguida caí en la cuenta de que no eran esculturas, sino siluetas de muertos. Estaba en el Gris, ese espacio nebuloso entre la Luz y la Oscuridad.

Darius Goodwine apareció a mi lado y extendió un brazo hacia el cementerio.

—Para cruzar el umbral y entrar en el reino de los muertos, debes tener un guía —dijo.

No confiaba en él. De hecho, de haber tenido la oportunidad de escoger, habría preferido a cualquier otro guía. Estaba segura de que quería algo de mí, pero, en ese instante, mi única preocupación era encontrar a Shani.

—Ya sabes por qué estoy aquí —murmuré—. ¿Dónde está?

Darius se encaminó hacia el cementerio.

—Ahí —respondió, y desapareció tras el pórtico.

Le seguí sin inmutarme y me adentré en un mundo aún más gris, donde legiones de espíritus me observaban con su mirada opaca. Reconocí a muchos de mis antepasados, tanto lejanos como recientes. No me pasó desapercibido el linaje de los Asher. Ahí estaba mi madre biológica, Freya. Y también toda la familia de mi padre. Me habría encantado charlar con todos mis ancestros, pero las palabras de Essie sonaban como una alarma en mi cabeza: «Vigila el tiempo».

Nos estábamos acercando a la parte trasera del cementerio. Allí, la atmósfera grisácea se tornó más oscura que la propia noche. Ante mí se alzaba un bosque de árboles inmensos y sombras espeluznantes.

—La encontrarás ahí —dijo Darius.

—¿Cómo lo sabes?

—Escucha.

Ambos nos quedamos en silencio, y por fin oí las notas de una canción de cuna. Shani me estaba mostrando el camino hasta ella.

Me volví hacia Darius.

—¿Me vas a acompañar?

—Aquí acaba nuestro viaje juntos —contestó—. Deberás hacer el resto del camino tú sola.

—¿Por qué?

Sin embargo, en lugar de darme una respuesta, sonrió y desapareció entre la niebla. Seguí el sendero que serpenteaba entre los árboles. Una mujer apareció en mitad del camino, justo delante de mí. Me resultó familiar y deduje que era otro de mis ancestros. No parecía mayor, pero lucía una cabellera tan blanca como el algodón, y no tenía ojos.

Me quedé mirando aquellas cuencas vacías y me entraron escalofríos.

—¿Quién eres?

—Me llamo Amelia Gray —dijo.

Ahogué un grito.

—Eso es imposible. Yo soy Amelia Gray.

—Antaño fui lo que tú eres —susurró—. Y algún día te convertirás en lo que yo soy ahora.

Aquella profecía me aterrorizó.

—Necesito encontrar a una niña. Se llama Shani. ¿La has visto? Creo que está escondida entre los árboles.

—No penetres en la Oscuridad —me avisó—. Jamás lograrás encontrar la salida a tiempo. Eso es lo que él pretende.

—¿Él? ¿Quién?

—El hombre alto —dijo—. Quiere hacerte daño. Él y esa mujer. Ella desea permanecer en el mundo de los vivos, y tú eres justo lo que necesita para conseguirlo.

De pronto, recordé la descripción que hizo el doctor Shaw del polvo gris: «Pasado cierto tiempo, el cuerpo físico no puede resucitar. La carcasa se pudre, muere y, en algunos casos, es ocupada por otro espíritu».

¿Por eso me habían tentado a cruzar el velo? ¿Para que el fantasma de Mariama invadiera mi cuerpo?

—Retrocede —insistió aquella mujer.

—No puedo. No hasta que ayude a esa niña a...

—Chis —interrumpió, y ladeó la cabeza—. ¿Lo oyes?

Escuché con atención. No capté ningún sonido, salvo un suave zumbido que parecía un enjambre de abejas.

—Están pululando por aquí —dijo.

—¿Las abejas?

—No, los fantasmas —musitó, y se esfumó.

Pero, aun así, abandoné el Gris y me adentré en el bosque. En el Oscuro. Observé a mi alrededor y vislumbré varias sombras correteando entre los árboles. Una criatura etérea y sobrenatural se arrastraba entre la maleza. Sin embargo, eso no me impidió continuar avanzando hasta el mismo corazón del bosque. Y entonces me percaté de que quizás aquella vidente tuviera razón. Era más que probable que no hallara la salida a tiempo. Mi cuerpo físico tiraba de mí, pero ignoré su llamada y seguí adelante. Ya no oía la melodía y, por un segundo temí haberme alejado de Shani.

Grité su nombre y, de repente, capté el atisbo de la pequeña entre los matorrales.

—¡Ven a buscarme, Amelia!

—¡Lo estoy intentando! ¿Dónde estás?

—Aquí.

Corrí hacia su voz infantil y angelical. Shani me estaba esperando en un claro, pero no estaba sola. Una silueta se cernía sobre ella. Aquella criatura llevaba una capa oscura que le tapaba el rostro. La mano que se retorcía alrededor de la muñeca de la niña tenía las uñas curvadas de una zarpa.

—Suéltala —ordené.

—Demasiado tarde —se burló—. Se te acaba el tiempo.

Arrastró a Shani hacia las profundidades del bosque.

Sin pensármelo dos veces, les seguí los pasos, a pesar del miedo y del apremio de mi yo terrenal. Llegamos a otro claro iluminado con antorchas. Por algún motivo, sospechaba que ese lugar no era el Cielo ni el Infierno. No estábamos en la Luz, pero tampoco en la Oscuridad, sino en un reino ideado por mí. Por tanto, si yo había creado ese mundo, podía controlarlo.

—Ven conmigo, Shani —rogué.

La criatura le apretó la muñeca, y la pobre niña empezó a lloriquear.

Me arrodillé y le ofrecí mi mano.

—Sé que has intentado comunicarte con tu padre. Sé lo que, en realidad, ocurrió aquel día, lo que tu madre te hizo, pero ya no puede hacerte daño. No voy a permitírselo. Por favor, ven conmigo.

Alargó la mano y, cuando nuestros dedos se rozaron, el monstruo se disolvió en una bruma oscura.

La cogí en brazos y la abracé durante unos segundos.

—Voy a llevarte a un lugar seguro —murmuré.

—Y bonito —añadió.

Salí del bosque y de inmediato me embriagó un aroma a jazmín. El perfume nos llevó hasta un jardín donde Robert Fremont nos estaba esperando.

—¿Qué haces aquí? —pregunté—. Estás atrapado en el mundo de los vivos. Todavía no hemos encontrado a tu asesino.

Él desvió la mirada hacia Shani.

—No importa. En realidad, nunca importó.

Y por fin até cabos.

—Ese no era el motivo que te mantenía anclado en mi reino, ¿no? Estabas esperándola.

—No lo sabía —admitió maravillado—. Hasta ahora.

Recordé los informes de las autopsias que todavía guardaba en el coche. El grupo sanguíneo me habría revelado la verdad, pero no había estado atenta a las señales. Shani era la hija de Robert Fremont.

Pensé en Devlin. Mi pobre Devlin. Decidí que jamás se enteraría de la verdad por mí. Mariama le había arrebatado a Shani una vez. Y me negaba en rotundo a hacerle pasar de nuevo por ese calvario.

El sol empezaba a desperezarse. Los primeros rayos de luz que se colaban por la valla del jardín eran demasiado brillantes. Tuve que apartar la mirada. Shani y Robert caminaron con paso firme hacia la valla. La niña titubeó durante un segundo y miró hacia atrás. Robert ya había desaparecido, pero ella se quedó en el umbral de la puerta y se llevó un dedo a los labios.

Percibí una presencia y me giré.

Devlin estaba detrás de mí.

—Es imposible que estés aquí. A menos que hayas…

Me miró con tristeza, con nostalgia.

—No, no puedes estar… —murmuré—. No estoy dispuesta a dejar que eso ocurra.

—Tienes que regresar —dijo él—. No te queda tiempo.

—No quiero regresar. No sin ti. Por favor, ven conmigo.

—No puedo.

Desvió la mirada hacia la valla, donde Shani seguía esperando.

Capítulo 40

Sentí un calambrazo, como una inyección de pura adrenalina, y abrí los ojos de golpe. Habría jurado ver a Mariama flotando sobre mí, pero había llegado demasiado tarde. Estaba en mi propio cuerpo, tumbada en el suelo de mi cocina. Vi a Devlin caído a mi lado. Estaba muy pálido, muy muerto.

Traté de alargar el brazo para tocarle, pero tenía tanto frío que no podía moverme. Estaba paralizada, temblando de miedo y de tristeza.

Percibí el movimiento de una sombra al otro extremo de la cocina. Esperaba encontrarme a Darius Goodwine, o incluso al fantasma de Mariama, así que me quedé de piedra al ver a Ethan Shaw.

Cruzó la estancia a zancadas y me miró desafiante.

—Habría sido mucho más fácil si no hubieras vuelto.

Se sentó en el suelo con la espalda apoyada en el marco de la puerta.

—¿Qué has hecho? —balbuceé.

—Lo que debía. Él pretendía quitármela.

—¿John? —pregunté confundida.

—Robert Fremont. Oí a Mariama hablar por teléfono, justo después de que John se marchara de casa hecho una furia. Estaba planeando fugarse a África con

Fremont, y no estaba dispuesto a permitirlo. No podía soportar la idea de no volver a verla nunca más.

Jugueteaba con un revólver. Me pregunté si sería el mismo que había encontrado en el agujero del árbol. El 38 de Devlin. ¿Acaso Ethan me había seguido hasta el cementerio de Chedathy?

Una vez más, alargué la mano hacia Devlin. Deseaba tocarle...

—Sabías que John guardaba el revólver en su escritorio, ¿verdad?

—Mariama me lo mostró en una ocasión. Incluso me dio a entender que, con John fuera de escena, toda su fortuna caería en sus manos, y gozaría de total libertad para gastarla con alguien que la amara de verdad. Pensé que ese alguien sería yo.

Me fijé en que le temblaban las manos, y me asaltó la duda de si tendría el coraje suficiente para dispararme a sangre fría. Pero había asesinado a Robert Fremont y, con toda probabilidad, a Tom Gerrity. Y el cuerpo de Devlin yacía a mi lado.

—Había estado con John ese mismo día —explicó—. Ya te lo dije. Mariama y él se habían enzarzado en una tremenda discusión, y me confesó que se quedaría en casa de un amigo que vivía en Sullivan's Island hasta que las aguas volvieran a su cauce. Sabía que John estaría allí solo y que, por lo tanto, no tendría coartada. Así que fui a su casa, cogí el revólver y llamé a Robert. Quedamos en reunirnos en el cementerio con la excusa de que me había enterado de cierta información que incumbía a Darius.

—Le tendiste una emboscada. Le disparaste por la espalda con el arma de John. Pero Mariama ya estaba muerta.

—No supe que había fallecido hasta que mi padre me lo dijo. Para entonces, ya era demasiado tarde.

Pensé en Rhapsody. Había ocultado el revólver todos estos años porque creía que su padre era el verdadero asesino, cuando, en realidad, había sido Ethan.

—¿Por qué le cubriste las espaldas a John esa noche si querías que cargara con toda la culpa?

—Cuando la patrulla de policía se presentó en su casa, me entró el pánico. Y, aunque pueda sonar muy extraño, con Mariama muerta, no vi la necesidad de hacerle sufrir. Al fin y al cabo, era mi amigo.

—Y, sin embargo, le has disparado a bocajarro.

—Estaba empecinado en meter a Darius entre rejas, así que, tarde o temprano, habría acabado descubriendo la verdad. De hecho, siempre sospechó de esa coartada.

Miré de reojo el cuerpo inmóvil de Devlin.

—Por favor, llama al 911. Quizá no sea demasiado tarde.

—Sabes perfectamente que no puedo hacer eso.

—¿Por qué mataste a Gerrity?

—Llevaba años chantajeando a mi padre. Aseguraba tener pruebas fehacientes que le señalarían como culpable de la muerte de mi madre. Era palabrería, desde luego, pero mi padre prefirió pagarle y salvar su reputación. Y quizá también porque se olía la verdad.

—¿Tú la mataste?

—No te imaginas cómo fue verla sufrir tantos años. Mariama me ayudó. Sabía qué pasos seguir para que nadie sospechara. Entonces me di cuenta de que me quería.

—Y ahora piensas dispararme a mí también. —Rocé la mano de Devlin con la punta de los dedos y cerré los ojos. Estaba helado—. ¿Qué excusa pondrás esta vez? Mariama no está aquí. No puedes culparla a ella.

—No estés tan segura —contestó.

Me giré y advertí una sonrisa burlona. ¿O era la sonrisa de Mariama? ¿Ethan seguía cumpliendo sus órdenes?

Percibí un ligero movimiento en la puerta trasera que llamó mi atención. No le vi la cara, pero, de inmediato, reconocí aquel perfume evocador. Isabel Perilloux asomó la cabeza con el índice sobre los labios. Al mismo tiempo, escuché los gritos de Clementine desde la puerta principal.

—¡Amelia! ¿Estás aquí? La abuela ha tenido un sueño. He venido en cuanto he podido para ver si todo andaba bien.

«Sincronía», pensé. Esas dos mujeres se habían cruzado en mi camino por una razón.

Ethan se puso de pie de un brinco en cuanto oyó a Clementine. Fue la distracción perfecta. Me abalancé sobre Devlin para coger su arma reglamentaria. Entonces, cuando Ethan se dio la vuelta, apreté el gatillo sin vacilar.

Mi propia reacción me dejó estupefacta. Aturdida, me tiré al suelo e Isabel se arrodilló junto a Devlin. En cuestión de segundos, sus manos quedaron cubiertas de sangre.

Capítulo 41

No me separé de la cama de Devlin en ningún momento. Le sostenía la mano día y noche, rogándole que volviera. La tentación de quedarse con Shani debió de ser irresistible, porque en ningún momento mostró intención de dar media vuelta.

Habían pasado ya tres noches desde el incidente. Justo cuando por fin había conseguido dormirme, noté otra presencia en la habitación. Abrí los ojos y vi a Darius Goodwine frente a la puerta.

—Sé lo que pretendías hacer —dije—. Utilizaste a Shani como anzuelo para que atravesara el velo. Así Mariama podría meterse en mi cuerpo.

—Eres una mujer fuerte —contestó con una pizca de admiración—. Mucho más fuerte que Mariama.

A decir verdad, en ese momento no me sentía en absoluto una mujer fuerte. Más bien me sentía… impotente.

—Dijiste que contaba con un poder que no explotaba. Enséñame a utilizarlo para traerle de vuelta —rogué.

—Resucitar a un muerto siempre conlleva consecuencias inesperadas —respondió.

—Quiero que vuelva.

Alcé la cabeza y miré a mi alrededor. Estaba sola en la habitación.

Un segundo más tarde, Devlin parpadeó.

—¿Amelia?

—Sí, soy yo. Bienvenido —murmuré, y sentí una punzada momentánea de miedo al pensar en esas consecuencias inesperadas.

EPÍLOGO

*D*evlin recibió el alta del hospital dos semanas más tarde. Aunque le esperaban largos meses de recuperación física, podía moverse con cierta facilidad con la ayuda de un bastón. Sin embargo, no había podido asistir al funeral de Ethan. Yo acudí solo para presentar mis respetos al doctor Shaw. Su salud estaba deteriorándose a marchas forzadas, y podía decirse que estaba perdiendo la cabeza. Dudo mucho que fuese capaz de asimilar lo que su hijo había hecho. Quizá fuera lo mejor, aunque sabía que echaría de menos sus consejos. Pasé a visitarle antes del funeral y advertí que Layla había sido reemplazada. Me pregunté si habría desaparecido de la ciudad con Darius. No había vuelto a verlo desde ese día en el hospital, y de hecho no podía asegurar que nuestra charla hubiera sido real. Quería creer que Devlin había vuelto por voluntad propia, sin consecuencias inesperadas, pero, a veces, tumbados en la cama por la noche, mi mente viajaba a un lugar oscuro y perturbador. ¿Y si al volver del otro lado trajo algo consigo? ¿Y si yo había regresado acompañada?

Shani había pasado página. Y Robert también. Incluso Mariama se había desvanecido del mundo terrenal. Devlin caminaba sin las cadenas de sus fantasmas, y deseaba creer que, por fin, podíamos estar juntos. Pero algo me atormentaba. Me acechaba. «Antaño fui lo que tú eres. Y algún día te convertirás en lo que yo soy ahora.»

Le daba vueltas a la profecía de aquella mujer ciega mientras contemplaba a Devlin agacharse sobre la tumba de Shani.

«Me llamo Amelia Gray», había dicho.

Una ráfaga de aire frío sacudió las hojas de los árboles. Me estremecí. Devlin se puso en pie y me acerqué a él de inmediato. Nos fundimos en un abrazo. Ahora, él era mi santuario. Mi único refugio seguro.

El sol bañaba el cementerio con un resplandor dorado. Devlin y yo cruzamos el pórtico de entrada con las manos entrelazadas.